CW00429990

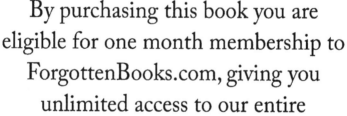

ISBN 978-0-260-91299-2
PIBN 10986093

FB &c Ltd, Dalton House, 60 Windsor Avenue, London, SW19 2RR.
Company number 08720141. Registered in England and Wales.

For support please visit www.forgottenbooks.com

Wortmann.

Die
organische Chemie
in ihrer Anwendung
auf
Agricultur und Physiologie.

Druck und Papier
von Friedrich Vieweg und Sohn
in Braunschweig

Die

organische Chemie

in

ihrer Anwendung

auf

Agricultur und Physiologie.

Von

Justus Liebig,

Dr. der Medizin und Philosophie,
Professor der Chemie an der Ludwigs-Universität zu Gießen, Ritter des Großherzoglich Hessischen Ludwigsordens und Ehrenburger der Stadt Gießen, auswärtiges Mitglied der Königlichen Akademie der Wissenschaften zu Stockholm, der Royal Society zu London, Ehrenmitglied der British association for the advancement of Science, Ehrenmitglied der Königlichen Akademie zu Dublin, correspondirendes Mitglied der Königlichen Akademien der Wissenschaften zu Berlin, Munchen und St. Petersburg, des Königlichen Institutes zu Amsterdam, der Königlichen Societät der Wissenschaften zu Göttingen, der naturforschenden Gesellschaft zu Heidelberg 2c. 2c. 2c.

Braunschweig,
Verlag von Friedrich Vieweg und Sohn.

1840.

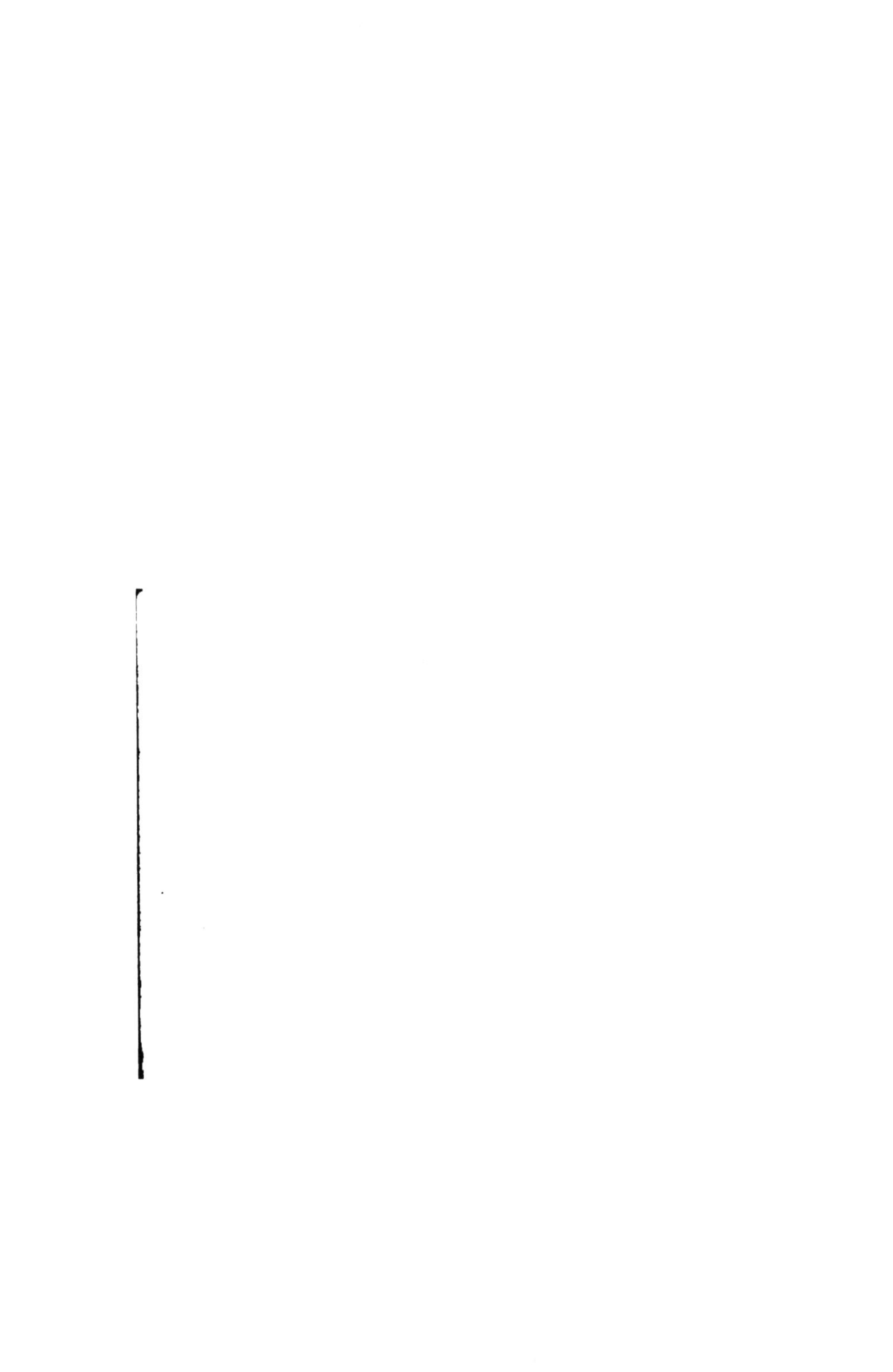

An

Alexander von Humboldt.

Während meines Aufenthaltes in Paris gelang es mir, im Winter 18²³/₂₄ eine analytische Untersuchung über Howard's fulminirende Silber- und Quecksilber-Verbindungen, meine erste Arbeit, zum Vortrag in der Königlichen Akademie zu bringen.

Zu Ende der Sitzung vom 22. März 1824, mit dem Zusammenpacken meiner Präparate beschäftigt, näherte sich mir, aus der Reihe der Mitglieder der Akademie, ein Mann und knüpfte mit mir eine Unterhaltung an; mit der gewinnendsten Freundlichkeit wußte er den Gegenstand meiner Studien und alle meine Beschäftigungen und Pläne von mir zu erfahren; wir trennten uns, ohne daß ich, aus Unerfahrenheit und Scheu, zu fragen wagte, wessen Güte an mir Theil genommen habe.

Diese Unterhaltung ist der Grundstein meiner Zukunft gewesen, ich hatte den, für meine wissenschaftlichen Zwecke, mächtigsten und liebevollsten Gönner und Freund gewonnen.

Sie waren Tags zuvor von einer Reise aus Italien zurückgekommen; Niemand war von Ihrer Anwesenheit unterrichtet.

Unbekannt, ohne Empfehlungen, in einer Stadt, wo der Zusammenfluß so vieler Menschen aus allen Theilen der Erde das größte Hinderniß ist, was einer näheren persönlichen Berührung mit den dortigen ausgezeichneten und berühmten Naturforschern und Gelehrten sich entgegenstellt, wäre ich, wie so viele Andere, in dem großen Haufen unbemerkt geblieben und vielleicht untergegangen; diese Gefahr war völlig abgewendet.

Von diesem Tage an waren mir alle Thüren, alle Institute und Laboratorien geöffnet; das lebhafte Interesse, welches Sie mir zu Theil werden ließen, gewann mir die Liebe und innige Freundschaft meiner mir ewig theuren Lehrer Gay-Lussac, Dulong und Thénard. Ihr Vertrauen bahnte mir den Weg zu einem Wirkungskreise, den seit 16 Jahren ich unablässig bemüht war, würdig auszufüllen.

Wie Viele kenne ich, welche, gleich mir, die Erreichung ihrer wissenschaftlichen Zwecke Ihrem Schutze und Wohlwollen verdanken! Der Chemiker, Botaniker, Physiker, der Orientalist, der Reisende nach Persien und Indien, der Künstler, Alle erfreuten sich gleicher Rechte, gleichen Schutzes; vor Ihnen war kein Unterschied der Nationen, der Länder. Was die Wissenschaften in dieser besonderen Beziehung Ihnen schuldig sind, ist nicht zur Kunde der Welt gekommen, allein es ist in unserer Aller Herzen zu lesen.

Möchten Sie es mir gestatten, die Gefühle der innigsten Verehrung und der reinsten aufrichtigsten Dankbarkeit öffentlich auszusprechen.

Das kleine Werk, welches ich mir die Freiheit nehme, Ihnen zu widmen, ich weiß kaum, ob ein Theil davon mir als Eigenthum angehört; wenn ich die Einleitung lese, die Sie vor 42 Jahren zu J. Ingenhouß Schrift »über die Ernährung der Pflanzen« gegeben haben, so scheint es mir immer, als ob ich eigentlich nur die Ansichten weiter ausgeführt und zu beweisen gesucht hätte, welche der warme, immer treue Freund, von Allem, was wahr, schön und erhaben ist, welche der Alles belebende, thätigste Naturforscher dieses Jahrhunderts darin ausgesprochen und begründet hat.

Von der British association for the advancement of science habe ich 1837, in einer ihrer Sitzungen in Liverpool, den ehrenvollen Auftrag erhalten, einen Bericht über den Zustand unserer Kenntnisse in der organischen Chemie abzustatten. Auf meinen Antrag hat die Gesellschaft beschlossen, den Herrn Dumas in Paris, Mitglied der Akademie, zu ersuchen, mit mir gemeinschaftlich die Abstattung dieses Berichtes übernehmen zu wollen. Dieß ist die Veranlassung zur Herausgabe des vorliegenden Werkes gewesen, worin ich die organische Chemie in ihren Beziehungen zur Pflanzenphysiologie und Agricultur, so wie die Veränderungen, welche organische Stoffe in den Processen der Gährung, Fäulniß und Verwesung erleiden, darzustellen versucht habe.

In einer Zeit, wo das rastlose Streben nach Neuem, oft so Werthlosem, der jüngeren Generation kaum einen Blick auf die Grundpfeiler gestattet, welche das schönste und mächtigste Gebäude tragen, wo diese Grundpfeiler, des äußeren Zierraths und der Tünche wegen, dem oberflächlichen Beobachter kaum mehr erkennbar sind, wenn in dieser Zeit ein Eindringling in fremde Fächer es wagt, die Aufmerksamkeit und Kräfte der Naturforscher auf Gegenstände des Wissens zu lenken, die vor allen anderen längst schon verdienten, zum Ziel und Zweck ihrer Anstrengung und Bemühung gewählt zu werden, so kann man des Erfolges nicht gewiß sein; denn wenn auch des Menschen Wille, Gutes zu bewirken, keine Grenzen kennt, so sind doch seine Mittel und sein Können in engere Schranken eingeschlossen.

Ganz abgesehen von den besonderen Beobachtungen, die ich darin zusammengestellt habe, würde es für mich die größte Befriedigung sein, wenn die Principien der Naturforschung, welche ich in diesem kleinen Werke auf die Entwickelung und Ernährung der Pflanzen anzuwenden Gelegenheit bekam, sich Ihres Beifalls zu erfreuen das Glück hätten.

Gießen, den 1sten August 1840.

Dr. Justus Liebig.

Inhalt.

Erster Theil.

Der Proceß der Ernährung der Vegetabilien.

Zweiter Theil.

Der chemische Proceß der Gährung, Fäulniß und Verwesung.

Erster Theil.

Der chemische Proceß der Ernährung der Vegetabilien.

Gegenstand.

Die organische Chemie hat zur Aufgabe die Erforschung der chemischen Bedingungen des Lebens und der vollendeten Entwickelung aller Organismen.

Das Bestehen aller lebenden Wesen ist an die Aufnahme gewisser Materien geknüpft, die man Nahrungsmittel nennt; sie werden in dem Organismus zu seiner eigenen Ausbildung und Reproduction verwendet.

Die Kenntniß der Bedingung ihres Lebens und Wachsthums umfaßt demnach die Ausmittlung der Stoffe, welche zur Nahrung dienen, die Erforschung der Quellen, woraus diese Nahrung entspringt, und die Untersuchung der Veränderungen, die sie bei ihrer Assimilation erleiden.

Den Menschen und Thieren bietet der vegetabilische Organismus die ersten Mittel zu seiner Entwickelung und Erhaltung dar.

Die ersten Quellen der Nahrung der Pflanzen liefert ausschließlich die anorganische Natur.

Der Gegenstand dieses Werkes ist die Entwickelung des chemischen Processes der Ernährung der Vegetabilien.

Der erste Theil ist der Aufsuchung der Nahrungsmittel, so wie der Veränderungen gewidmet, die sie in dem lebenden Organismus erleiden; es sollen darinn die chemischen

Verbindungen betrachtet werden, welche den Pflanzen ihre Hauptbestandtheile, den Kohlenstoff und Stickstoff, liefern, so wie die Beziehungen, in welchen die Lebensfunktionen der Vegetabilien zu dem thierischen Organismus und zu andern Naturerscheinungen stehen.

Der zweite Theil handelt von den chemischen Processen, welche nach dem Tode aller Organismen ihre völlige Vernichtung bewirken; es sind dies die eigenthümlichen Zersetzungsweisen, die man mit Gährung, Fäulniß und Verwesung bezeichnet; es sollen darin die Veränderungen der Bestandtheile der Organismen bei ihrem Uebergang in anorganische Verbindungen, so wie die Ursachen betrachtet werden, von denen sie abhängig sind.

Die allgemeinen Bestandtheile der Vegetabilien.

Der Kohlenstoff ist der Bestandtheil aller Pflanzen und zwar eines jeden ihrer Organe.

Die Hauptmasse aller Vegetabilien besteht aus Verbindungen, welche Kohlenstoff und die Elemente des Wassers, und zwar in dem nemlichen Verhältniß wie im Wasser, enthalten; hieher gehören die Holzfaser, das Stärkemehl, Zucker und Gummi.

Eine andere Klasse von Kohlenstoffverbindungen enthält die Elemente des Wassers, plus einer gewissen Menge Sauerstoff; sie umfaßt mit wenigen Ausnahmen die zahlreichen in den Pflanzen vorkommenden organischen Säuren.

Eine dritte besteht aus Verbindungen des Kohlenstoffs mit Wasserstoff, welche entweder keinen Sauerstoff enthalten, oder wenn Sauerstoff einen Bestandtheil davon ausmacht, so ist seine Quantität stets kleiner, als dem Gewicht-Verhältniß entspricht, in dem er sich mit Wasserstoff zu Wasser verbindet. Sie können demnach betrachtet werden als Verbindungen des Kohlenstoffs mit den Elementen des Wassers, plus einer gewissen Menge Wasserstoff. Die flüchtigen und fetten Oele, das Wachs, die Harze gehören dieser Klasse an. Manche davon spielen die Rolle von Säuren.

Die organischen Säuren sind Bestandtheile aller Pflanzensäfte und, mit wenigen Ausnahmen, an anorganische Basen, an Metalloxide, gebunden; die letzteren fehlen in keiner Pflanze, sie bleiben nach der Einäscherung derselben in der Asche zurück.

Der Stickstoff ist ein Bestandtheil des vegetabilischen Eiweißes, des Klebers; er ist in den Pflanzen in der Form von Säuren, von indifferenten Stoffen und von eigenthümlichen Verbindungen enthalten, welche alle Eigenschaften von Metalloxiden besitzen, die letzteren heißen organische Basen.

Seinem Gewichtsverhältniß nach macht der Stickstoff den kleinsten Theil der Masse der Pflanzen aus, er fehlt aber in keinem Vegetabil, oder Organ eines Vegetabils; wenn er keinen Bestandtheil eines Organs ausmacht, so findet er sich dennoch unter allen Umständen in dem Saft, der die Organe durchdringt.

Die Entwickelung einer Pflanze ist nach dieser Auseinandersetzung abhängig von der Gegenwart einer Kohlenstoffverbindung, welche ihr den Kohlenstoff, einer Stickstoffverbindung, welche ihr den Stickstoff liefert; sie bedarf noch außerdem des

Wassers und seiner Elemente, so wie eines Bodens, welcher die anorganischen Materien darbietet, ohne die sie nicht bestehen kann.

Die Assimilation des Kohlenstoffs.

Die Pflanzenphysiologie betrachtet einen Gemengtheil der Acker- und Dammerde, dem man den Namen Humus gegeben hat, als das Hauptnahrungsmittel, was die Pflanzen aus dem Boden aufnehmen, und seine Gegenwart als die wichtigste Bedingung seiner Fruchtbarkeit.

Dieser Humus ist das Product der Fäulniß und Verwesung von Pflanzen und Pflanzentheilen.

Die Chemie bezeichnet mit Humus eine braune, in Wasser in geringer Menge, in Alkalien leichter lösliche Materie, welche, als Product der Zersetzung vegetabilischer Stoffe, durch die Einwirkung von Säuren oder Alkalien erhalten wird. Dieser Humus hat von der Verschiedenheit in seiner äußeren Beschaffenheit und seinem Verhalten verschiedene Namen erhalten; Ulmin, Humussäure, Humuskohle, Humin heißen diese verschiedenen Modificationen des Humus der Chemiker; sie werden erhalten durch Behandlung des Torfs, der Holzfaser, des Ofenrußes, der Braunkohlen mit Alkalien, oder durch Zersetzung des Zuckers, der Stärke, des Milchzuckers vermittelst Säuren, oder durch Berührung alkalischer Lösungen der Gerbe- und Gallussäure mit der Luft.

Humussäure heißt die in Alkalien lösliche, Humin und Humuskohle die unlösliche Modification des Humus.

Den Namen nach, die man diesen Materien gegeben hat, ist man leicht verführt, sie für identisch in ihrer Zusammensetzung zu halten. Dieß wäre aber der größte Irrthum, den man begehen kann, denn merkwürdiger Weise stehen Zucker, Essigsäure und Colophonium in dem Gewichts-Verhältniß ihrer Bestandtheile nicht weiter auseinander.

Die Humussäure aus Sägespänen mit Kalihydrat erhalten, enthält nach Peligot's genauer Analyse 72 p. c. Kohlenstoff, die Humussäure aus Torf und Braunkohle nach Sprengel 58 p. c., die aus Zucker mit verdünnter Schwefelsäure nach Malaguti 57 p. c., die aus demselben Körper und aus Stärke mit Salzsäure gewonnene nach Stein 64 p. c. Kohlenstoff. Alle diese Analysen sind mit Sorgfalt und Umsicht wiederholt, und der Kohlenstoffgehalt einer jeden der analysirten Materie bestätigt worden, so daß jeder Grund hinwegfällt, die Ursache der Verschiedenheit in der Methode der Analyse oder der Geschicklichkeit der Analytiker zu suchen.

Nach Malaguti enthält die Humussäure Wasserstoff und Sauerstoff zu gleichen Aequivalenten, in dem Verhältniß also wie im Wasser, nach Sprengels Analyse ist darin weniger Wasserstoff enthalten, und nach Peligot enthält die Humussäure sogar auf 14 Aeq. Wasserstoff, nur 6 Aeq. Sauerstoff, also 8 Aeq. Wasserstoff mehr als diesem Verhältniß entspricht.

Man sieht leicht, daß die Chemiker bisjetzt gewohnt waren, alle Zersetzungsproducte organischer Verbindungen von brauner oder braunschwarzer Farbe mit Humussäure oder Humin zu bezeichnen, je nachdem sie in Alkalien löslich waren oder nicht, daß aber diese Producte in ihrer Zusammensetzung und Entstehungsweise nicht das Geringste mit einander gemein haben.

Man hat nun nicht den entferntesten Grund zu glauben

daß das eine oder das andere dieser Zersetzungsproducte, in der Form und mit den Eigenschaften begabt, die man den vegetabilischen Bestandtheilen der Dammerde zuschreibt, in der Natur vorkommt, man hat nicht einmal den Schatten eines Beweises für die Meinung, daß eins von ihnen als Nahrungsstoff oder sonst irgend einen Einfluß auf die Entwickelung einer Pflanze ausübt.

Die Eigenschaften des Humus und der Humussäure der Chemiker sind von den Pflanzenphysiologen unbegreiflicher Weise übertragen worden auf den Körper in der Dammerde, den man mit dem nemlichen Namen belegt; an diese Eigenschaften knüpfen sich die Vorstellungen über die Rolle, die man ihm in der Vegetation zuschreibt.

Die Meinung, daß der Humus als Bestandtheil der Dammerde von den Wurzeln der Pflanzen aufgenommen, daß sein Kohlenstoff in irgend einer Form von der Pflanze zur Nahrung verwendet wird, ist so verbreitet und hat in dem Grade Wurzel gefaßt, daß bisjetzt jede Beweisführung für diese seine Wirkungsweise für überflüssig erachtet wurde; denn die in die Augen fallende Verschiedenheit des Gedeihens von Pflanzen in Bodenarten, die man als ungleich reich an Humus kennt, erschien auch dem Befangensten als eine genügende Begründung dieser Meinung.

Wenn man diese Voraussetzung einer strengen Prüfung unterwirft, so ergiebt sich daraus der schärffte Beweis, daß der Humus in der Form, wie er im Boden enthalten ist, zur Ernährung der Pflanzen nicht das Geringste beiträgt.

Durch das Festhalten an der bisherigen Ansicht hat man von Vorn herein jede Erkenntniß des Ernährungsprocesses der Pflanzen unmöglich gemacht, und damit den sichersten und treuesten Führer zu einem rationellen Verfahren in der Land- und Feldwirthschaft verbannt.

Ohne eine tiefe und gründliche Kenntniß der Nahrungsmittel der Gewächse und der Quellen, aus denen sie entspringen, ist eine Vervollkommnung des wichtigsten aller Gewerbe, des Ackerbaues, nicht denkbar. Man kann keine andere Ursache des bisherigen so schwankenden und ungewissen Zustandes unseres Wissens auffinden, als daß die Physiologie der neuern Zeit mit den unermeßlichen Fortschritten der Chemie nicht Schritt gehalten hat.

Wir wollen in dem Folgenden den Humus der Pflanzenphysiologen mit den Eigenschaften begabt uns denken, welche die Chemiker an den braunschwarzen Niederschlägen beobachtet haben, die man durch Fällung einer alkalischen Abkochung von Dammerde oder Torf vermittelst Säuren erhält, und die sie Humussäure nennen.

Die Humussäure besitzt, frisch niedergeschlagen, eine flockige Beschaffenheit; ein Theil davon löst sich in 2500 Th. Wasser, sie verbindet sich mit Alkalien, Kalk und Bittererde, und bildet damit Verbindungen von gleicher Löslichkeit (Sprengel).

Die Pflanzenphysiologen kommen darin überein, daß der Humus durch Vermittelung des Wassers die Fähigkeit erlangt, von den Wurzeln aufgenommen zu werden. Die Chemiker haben nun gefunden, daß die Humussäure nur in frisch niedergeschlagenem Zustande löslich ist, daß sie diese Löslichkeit vollständig verliert, wenn sie an der Luft trocken geworden ist; sie wird ferner völlig unlöslich, wenn das Wasser, was sie enthält, gefriert. (Sprengel.)

Die Winterkälte und Sommerhitze rauben mithin der reinen Humussäure ihre Auflöslichkeit und damit ihre Assimilirbarkeit, sie kann als solche nicht in die Pflanzen gelangen.

Von der Richtigkeit dieser Beobachtung kann man sich leicht durch Behandlung guter Acker- und Dammerde mit kaltem Wasser überzeugen, das letztere entzieht nemlich derselben nicht 1/100000 an löslichen organischen Materien, die Flüssigkeit ist farblos und enthält nur die Salze, die sich im Regenwasser finden.

Berzelius fand ebenfalls, daß vermodertes Eichenholz, was dem Hauptbestandtheil nach aus Humussäure besteht, an kaltes Wasser nur Spuren von löslichen Materien abgiebt, eine Beobachtung, die ich an verfaultem Buchen- und Tannenholz bestätigt fand.

Die Unfähigkeit der Humussäure, den Pflanzen als Humussäure zur Nahrung zu dienen, ist den Pflanzenphysiologen nicht unbemerkt geblieben; sie haben deshalb angenommen, daß der Kalk oder die Alkalien überhaupt, die man in der Pflanzenasche findet, die Löslichkeit und damit die Assimilirbarkeit vermitteln.

In den Bodenarten finden sich Alkalien und alkalische Erden in hinreichender Menge vor, um Verbindungen dieser Art zu bilden.

Wir wollen nun annehmen, daß die Humussäure in der Form des humusreichsten Salzes, als humussaurer Kalk, von den Pflanzen aufgenommen wird, und aus dem bekannten Gehalte an alkalischen Basen in der Asche der Pflanzen die Menge berechnen, welche in dieser Form in die Pflanze gelangen kann; wir wollen ferner voraussetzen, daß Kali, Natron, die Oxide des Eisens und Mangans eine mit dem Kalke gleiche Sättigungscapacität besitzen, so wissen wir aus Berthiers Bestimmungen, daß 1000 ℔ lufttrocknes Tannenholz 4 ℔ reine kohlenfreie Asche liefern, und daß 100 ℔ dieser Asche im Ganzen nach Abzug des Chlorkaliums und schwefelsauren Kalis 53 ℔ basische Metalloxide, Kali, Natron, Kalk, Bittererde, Eisen und Mangan zusammengenommen, enthalten.

2500 Quadratmeter Wald (40,000 Quadratfuß hess. 1 Morgen) liefern nun jährlich mittleren Ertrag 2650 ℔ Tannenholz *), welche im Ganzen 5,6 ℔ basische Metalloxide enthalten.

Nach den Bestimmungen von Malaguti und Sprengel verbindet sich 1 ℔ Kalk mit 10,9 ℔ Humussäure; es sind mithin durch diese Basen 61 ℔ Humussäure in die Bäume übergegangen, und diese entsprechen — ihr Gehalt an Kohlenstoff zu 58 p. c. angenommen — der Bildung von 91 ℔ lufttrocknem Holz. Es sind aber auf diesem Lande 2650 ℔ lufttrocknes Holz producirt worden.

Wenn man aus der bekannten Zusammensetzung der Asche des Weizenstrohes die Menge Humussäure berechnet, welche durch die darin enthaltenen basischen Metalloxide (die Chlormetalle und schwefelsauren Salze abgerechnet) der Pflanze zugeführt werden können, so erhält man für 2500 Quadratmeter Land 57½ ℔ Humussäure, entsprechend 85 ℔ Holzfaser. Es werden aber auf dieser Fläche, Wurzeln und Körner nicht gerechnet, 1780 ℔ Stroh producirt, was die Zusammensetzung der Holzfaser besitzt.

Bei diesen Berechnungen ist angenommen worden, daß die basischen Metalloxide, welche Humussäure zugeführt haben, nicht mehr in den Boden zurückkehren, weil sie während des Wachsthums der Pflanze in den neu entwickelten Theilen derselben zurückbleiben.

Wir wollen jetzt die Menge Humussäure berechnen, welche unter den günstigsten Verhältnissen, nemlich durch das Wasser, in die Pflanzen gelangen kann.

In Erfurt, in einer der fruchtbarsten Gegenden Deutsch-

---

*) Nach der Angabe des hiesigen verdienstvollen Professors der Forstwissenschaft, Herrn Forstmeister Dr. Heyer.

lands, fallen nach Schübler auf 1 Quadratfuß Fläche, in den Monaten April, Mai, Juni und Juli 17½ ℔ (2 ℔ hess. = 1 Kilogr.) Regen. Ein Morgen Land (2500 □Meter) empfängt mithin 700,000 ℔ Regenwasser.

Nehmen wir nun an, daß diese ganze Quantität Wasser von den Wurzeln einer Sommerfrucht aufgenommen werde, die in 4 Monaten gepflanzt wird und reift, in der Art also, daß kein Pfund von diesem Wasser anders als durch die Blätter verdunste.

Nehmen wir ferner an, daß dieses Regenwasser mit humussaurem Kalk (dem löslichsten und an Humussäure reichsten ihrer Salze) gesättigt von den Wurzeln aufgenommen werde, so nimmt die Pflanze durch dieses Wasser, da ein Theil humussaurer Kalk 2500 Theile Wasser zu seiner Auflösung bedarf, 300 ℔ Humussäure auf.

Es wachsen aber auf diesem Felde 2580 ℔ Getreide (Stroh und Korn, die Wurzeln nicht gerechnet) oder 20,000 ℔ Runkelrüben (ohne die Blätter und kleinen Wurzeln). Man sieht leicht ein, daß diese 300 ℔ Humussäure noch nicht genügen, um Rechenschaft über den Kohlenstoffgehalt der Blätter und Wurzeln zu geben, und da man weiß, daß von dem Regenwasser, was auf die Oberfläche der Erde fällt, verhältnißmäßig nur ein sehr kleiner Theil durch die Pflanze verdunstet, so verringert sich die Kohlenstoffmenge, welche durch die Humussäure denkbarer Weise producirt, wenn man sie mit der wirklich produzirten vergleicht, auf eine beinahe verschwindende Menge.

Betrachtungen anderer und höherer Art widerlegen die gewöhnliche Ansicht über die Wirkungsweise der Humussäure auf eine so entschiedene und zweifellose Weise, daß man im Grunde nicht begreift, wie man überhaupt dazu gelangen konnte.

Die Felder produciren Kohlenstoff in der Form von Holz,

von Heu, von Getreide und anderen Culturgewächsen, deren Massen außerordentlich ungleich sind.

Auf 2500 Quadratmeter Wald von mittleren Boden wachsen 2650 ℔ lufttrocknes Tannen-, Fichten-, Birken- etc. Holz.

Auf derselben Fläche Wiese erhält man im Durchschnitt 2500 ℔ Heu.

Die nemliche Fläche Getreideland liefert 18000—20000 ℔ Runkelrüben.

Auf derselben Fläche gewinnt man 800 ℔ Rocken und 1780 ℔ Stroh (160 Garben zu 14 ℔), im Ganzen also 2580 ℔.

100 Theile lufttrocknes Tannenholz enthalten 38 Theile Kohlenstoff, obige 2650 ℔ Holz enthalten demnach 1007 ℔ Kohlenstoff.

100 Theile lufttrocknes Heu*) enthalten 44,31 Th. Kohlenstoff, obige 2500 ℔ Heu enthalten demnach 1008 ℔ Kohlenstoff.

Die Runkelrüben enthalten 89 bis 89,5 Th. Wasser und 10,5 bis 11 Th. feste Substanz, welche aus 8—9 p. c. Zucker und 2 bis 2½ p. c. Zellgewebe besteht. Der Zucker enthält 42,4 p. c., das Zellgewebe 47 p. c. Kohlenstoff.

20,000 ℔ Runkelrüben enthalten hiernach (Zucker zu 9 p. c. und Zellgewebe zu 2 p. c. gerechnet) im Zucker 756 ℔, im Zellgewebe 180 ℔, im Ganzen 936 ℔ Kohlenstoff, den Kohlenstoff der Blätter nicht berechnet.

100 ℔ Stroh**) enthalten lufttrocken 38 p. c. Kohlenstoff.

---

*) 100 Theile Heu, bei 100° getrocknet, mit Kupferoxid in einen Strom Sauerstoffgas verbrannt, lieferten 51,93 Wasser, 165,8 Kohlensäure und 6,82 Asche. Dieß giebt 45,87 Kohlenstoff, 5,76 Wasserstoff, 31,55 Sauerstoff, 6,82 Asche. Das lufttrockene Heu verliert bei 100°, erhitzt 11,2 p. c. Wasser. (Dr. Will.)

**) Die Analyse des Strohes, auf dieselbe Weise ausgeführt, gab für 100 Theile, bei 100° getrocknet, 46,37 Kohlenstoff, 5,68 Wasserstoff, 43,93 Sauerstoff, 4,02 Asche, das lufttrockene Stroh verliert bei der Siedhitze 18 p. c. Wasser. (Dr. Will.)

1780 ℔ Stroh enthalten demnach 676 ℔ Kohlenstoff. In 100 Th. Korn sind 43 Th. Kohlenstoff enthalten; in 800 Th. mithin 344 ℔. Beide zusammen geben 1020 ℔ Kohlenstoff.

2500 Quadratmeter Wiese, Wald bringen mithin
hervor an Kohlenstoff 1007 ℔.
Culturland, Runkelrüben ohne
Blätter . . . . 936 ℔.
" " " Getreide . . . 1020 ℔.

Aus diesen unverwerflichen Thatsachen muß geschlossen werden, daß gleiche Flächen culturfähiges Land eine gleiche Quantität Kohlenstoff produciren; aber wie unendlich verschieden sind die Bedingungen des Wachsthums der Pflanzen gewesen, die man darauf gezogen hat.

Wo nimmt, muß man fragen, das Gras auf den Wiesen, das Holz in dem Walde seinen Kohlenstoff her, da man ihm keinen Dünger, keinen Kohlenstoff als Nahrung zugeführt hat, und woher kommt es, daß der Boden, weit entfernt, an Kohlenstoff ärmer zu werden, sich jährlich noch verbessert?

Jedes Jahr nahmen wir dem Wald, der Wiese eine gewisse Quantität von Kohlenstoff in der Form an Heu und Holz, und demungeachtet finden wir, daß der Kohlenstoffgehalt des Bodens zunimmt, daß er an Humus reicher wird.

Wir ersetzen, so sagt man, dem Getreide und Fruchtland durch den Dünger, den, als Kraut, Stroh, als Saamen oder Frucht hinweggenommenen Kohlenstoff wieder, und dennoch bringt dieser Boden nicht mehr Kohlenstoff hervor, als der Wald und die Wiese, denen er nie ersetzt wird. Ist es denkbar, daß die Gesetze der Ernährung der Pflanzen durch die Cultur geändert werden können, daß für das Getreide und die Futtergewächse andere Quellen des Kohlenstoffs existiren als für das Gras und die Bäume in den Wiesen und Wäldern?

Niemanden wird es in den Sinn kommen, den Einfluß des Düngers auf die Entwickelung der Culturgewächse zu läugnen, allein mit positiver Gewißheit kann man behaupten, daß er zur Hervorbringung des Kohlenstoffs in den Pflanzen nicht gedient, daß er keinen directen Einfluß darauf gehabt hat, denn wir finden ja, daß der Kohlenstoff, vom gedüngten Lande hervorgebracht, nicht mehr beträgt, als der Kohlenstoff des ungedüngten. Die Frage nach der Wirkungsweise des Düngers hat mit der nach dem Ursprung des Kohlenstoffs nicht das Geringste zu thun. Der Kohlenstoff der Vegetabilien muß nothwendigerweise aus einer andern Quelle stammen, und da es der Boden nicht ist, der ihn liefert, so kann diese nur die Atmosphäre sein.

Bei der Lösung des Problems über den Ursprung des Kohlenstoffs in den Pflanzen hat man durchaus unberücksichtigt gelassen, daß diese Frage gleichzeitig den Ursprung des Humus umfaßt.

Der Humus entsteht nach aller Ansicht durch Fäulniß und Verwesung von P anzen und Pflanzentheilen; eine Urdammerde, einen Urhumus kann es also nicht geben, denn es waren vor dem Humus Pflanzen vorhanden. Wo nahmen nun diese ihren Kohlenstoff her, und in welcher Form ist der Kohlenstoff in der Atmosphäre enthalten?

Diese beiden Fragen umfassen zwei der merkwürdigsten Naturerscheinungen, welche, gegenseitig ununterbrochen in Thätigkeit, das Leben und Fortbestehen der Thiere und Vegetabilien auf unendliche Zeiten hinaus auf die bewunderungswürdigste Weise bedingen und vermitteln.

Die eine dieser Fragen bezieht sich auf den unveränderlichen Gehalt der Luft an Sauerstoff: zu jeder Jahreszeit und in allen Klimaten hat man darin in 100 Volum-Theilen 21

Volum Sauerstoff, mit so geringen Abweichungen gefunden, daß sie als Beobachtungsfehler angesehen werden müssen.

So außerordentlich groß nun auch der Sauerstoffgehalt der Luft bei einer Berechnung sich darstellt, so ist seine Menge dennoch nicht unbegrenzt, sie ist im Gegentheil eine erschöpfbare Größe.

Wenn man nun erwägt, daß jeder Mensch in 24 Stunden 45 Cubicfuß (hessische) Sauerstoff in dem Athmungsproceß verzehrt, daß 10 Ctr. Kohlenstoff bei ihrem Verbrennen 58112 Cubicfuß Sauerstoff verzehren, daß eine einzige Eisenhütte hunderte von Millionen Cubicfuß, daß eine kleine Stadt, wie Gießen, in dem zum Heitzen dienenden Holz allein über 1000 Millionen Cubicfuß Sauerstoff der Atmosphäre entziehen, so bleibt es völlig unbegreiflich, wenn keine Ursache existirt, durch welche der hinweggenommene Sauerstoff wieder ersetzt wird, wie es möglich sein kann, daß nach Zeiträumen, die man in Zahlen nicht auszudrücken weiß*), der Sauerstoffgehalt der Luft nicht kleiner geworden ist, daß die Luft in den Thränenkrügen, die vor 1800 Jahren in Pompeji verschüttet wurden, nicht mehr davon, als wie heute enthält. Woher kommt es also, daß dieser Sauerstoffgehalt eine Größe ist, die sich nie ändert.

---

*) Die Luft enthält im Maximo 60/100000 kohlensaures Gas und 21000/100000 Sauerstoffgas. Ein Mensch verzehrt in einem Jahre 166,075 Cubicfuß Sauerstoffgas (45000 Cubiczoll in einem Tage nach Lavoisier, Seguin und Davy), tausend Millionen Menschen verzehren demnach in einem Jahre 166 Billionen Cubicfuß, = 1/1000 der Quantität, welche in der Luft in der Form von Kohlensäure enthalten ist. In 1000 Jahren müßte sich der Gehalt der Kohlensäure verdoppeln, und in 303 Mal so viel Jahren würden die Menschen allein allen Sauerstoff verzehrt und in Kohlensäure verwandelt haben. Der Verbrauch durch Thiere und Verbrennungsprocesse ist hierbei nicht in Anschlag gebracht.

Die Beantwortung dieser Frage hängt mit einer andern auf's engste zusammen, wo die Kohlensäure nemlich hinkommt, die durch das Athmen der Thiere, durch Verbrennungsprocesse gebildet wird. Ein Cubicfuß Sauerstoff, der sich mit Kohlenstoff zu Kohlensäure vereinigt, ändert sein Volumen nicht; aus den Billionen Cubicfuß verzehrten Sauerstoffgases sind eben so viel Billionen Cubicfuß Kohlensäure entstanden und in die Atmosphäre gesendet worden.

Durch die genauesten und zuverlässigsten Versuche ist von de Saussure ausgemittelt worden, daß die Luft, dem Volumen nach, im Mittel aller Jahreszeiten nach dreijährigen Beobachtungen 0,000415 Volumentheile Kohlensäure enthält.

Die Beobachtungsfehler, welche diesen Gehalt verkleinern mußten, in Anschlag gebracht, kann man annehmen, daß das Gewicht der Kohlensäure nahe $^1/_{1000}$ des Gewichts der Luft beträgt.

Dieser Gehalt wechselt nach den Jahreszeiten, er ändert sich aber nicht in verschiedenen Jahren.

Wir kennen keine Thatsache, welche zur Vermuthung berechtigt, daß dieser Gehalt vor Jahrhunderten oder Jahrtausenden ein anderer war, und dennoch müßten ihn die ungeheuren Massen Kohlensäure, welche jährlich in der Atmosphäre der vorhandenen sich hinzufügen, von Jahr zu Jahr bemerkbar vergrößern, allein bei allen frühern Beobachtern findet man ihn um die Hälfte bis zum zehnfachen Volum höher anangegeben, woraus man höchstens schließen kann, daß er sich vermindert hat.

Man bemerkt leicht, daß die im Verlauf der Zeit stets unveränderlichen Mengen von Kohlensäure und Sauerstoffgas in der Atmosphäre zu einander in einer bestimmten Beziehung stehen müssen; es muß eine Ursache vorhanden sein, welche die

Anhäufung der Kohlensäure hindert, und die sich bildende unaufhörlich wieder entfernt; es muß eine Ursache geben, durch welche der Luft der Sauerstoff wieder ersetzt wird, den sie durch Verbrennungsprocesse, durch Verwesung und durch die Respiration der Menschen und Thiere verliert.

Beide Ursachen vereinigen sich zu einer einzigen in dem Lebensprocesse der Vegetabilien.

In den vorhergehenden Beobachtungen ist der Beweis niedergelegt worden, daß der Kohlenstoff der Vegetabilien ausschließlich aus der Atmosphäre stammt.

In der Atmosphäre existirt nun der Kohlenstoff nur in der Form von Kohlensäure, in der Form also einer Sauerstoffverbindung.

Die Hauptbestandtheile der Vegetabilien, gegen deren Masse die Masse der übrigen verschwindend klein ist, enthalten, wie oben erwähnt wurde, Kohlenstoff und die Elemente des Wassers; alle zusammen enthalten weniger Sauerstoff als die Kohlensäure.

Es ist demnach gewiß, daß die Pflanzen, indem sie den Kohlenstoff der Kohlensäure sich aneignen, die Fähigkeit besitzen müssen, die Kohlensäure zu zerlegen; die Bildung ihrer Hauptbestandtheile setzt eine Trennung des Kohlenstoffs von dem Sauerstoff voraus; der letztere muß, während dem Lebensproceß der Pflanze, während sich der Kohlenstoff mit dem Wasser oder seinen Elementen verbindet, an die Atmosphäre wieder zurückgegeben werden. Für jedes Volumen Kohlensäure, deren Kohlenstoff Bestandtheil der Pflanze wird, muß die Atmosphäre ein gleiches Volumen Sauerstoff empfangen.

Diese merkwürdige Fähigkeit der Pflanzen ist durch zahllose Beobachtungen auf das unzweifelhafteste bewiesen worden; ein Jeder kann sich mit den einfachsten Mitteln von ihrer Wahrheit überzeugen.

Die Blätter und grünen Theile aller Pflanzen saugen nemlich kohlensaures Gas ein und hauchen ein ihm gleiches Volum Sauerstoffgas aus.

Die Blätter und grünen Theile besitzen dieses Vermögen selbst dann noch, wenn sie von der Pflanze getrennt sind; bringt man sie in diesem Zustande in Wasser, welches Kohlensäure enthält, und setzt sie dem Sonnenlichte aus, so verschwindet nach einiger Zeit die Kohlensäure gänzlich, und stellt man diesen Versuch unter einer mit Wasser gefüllten Glasglocke an, so kann man das entwickelte Sauerstoffgas sammeln und prüfen; wenn die Entwicklung von Sauerstoffgas aufhört, ist auch die gelös'te Kohlensäure verschwunden, setzt man aufs Neue Kohlensäure hinzu, so stellt sie sich von Neuem ein.

In einem Wasser, welches frei von Kohlensäure ist, oder ein Alkali enthält, was sie vor der Assimilation schützt, entwickeln die Pflanzen kein Gas.

Diese Beobachtungen sind zuerst von Priestley und Sennebier gemacht, und von de Saussure ist in einer Reihe vortrefflich ausgeführter Versuche bewiesen worden, daß mit der Abscheidung des Sauerstoffs, mit der Zersetzung der Kohlensäure die Pflanze an Gewicht zunimmt. Diese Gewichtsvermehrung beträgt mehr, als der Quantität des aufgenommenen Kohlenstoffs entspricht, was vollkommen der Vorstellung gemäß ist, daß mit dem Kohlenstoff gleichzeitig die Elemente des Wassers von der Pflanze assimilirt werden.

Ein eben so erhabener als weiser Zweck hat das Leben der Pflanzen und Thiere auf eine wunderbar einfache Weise aufs engste aneinander geknüpft.

Ein Bestehen einer reichen üppigen Vegetation kann gedacht werden ohne Mitwirkung des thierischen Lebens, aber die

2*

Existenz der Thiere ist ausschließlich an die Gegenwart, an die Entwicklung der Pflanzen gebunden.

Die Pflanze liefert nicht allein dem thierischen Organismus in ihren Organen die Mittel zur Nahrung, zur Erneuerung und Vermehrung seiner Masse, sie entfernt nicht nur aus der Atmosphäre die schädlichen Stoffe, die seine Existenz gefährden, sondern sie ist es auch allein, welche den höheren organischen Lebensproceß, die Respiration mit der ihr unentbehrlichen Nahrung versieht; sie ist eine unversiegbare Quelle des reinsten und frischesten Sauerstoffgases, sie ersetzt der Atmosphäre in jedem Momente, was sie verlor.

Alle übrigen Verhältnisse gleich gesetzt, athmen die Thiere Kohlenstoff aus, die Pflanzen athmen ihn ein, das Medium, in dem es geschieht, die Luft, kann in ihrer Zusammensetzung nicht geändert werden.

Ist nun, kann man fragen, der dem Anschein nach so geringe Kohlensäuregehalt der Luft, ein Gehalt, der dem Gewicht nach nur 1/10 p. c. beträgt, überhaupt nur genügend, um den Bedarf der ganzen Vegetation aus der Oberfläche der Erde zu befriedigen, ist es möglich, daß dieser Kohlenstoff aus der Luft stammt?

Diese Frage ist unter allen am leichtesten zu beantworten. Man weiß, daß auf jeden Quadratfuß der Oberfläche der Erde eine Luftsäule ruht, welche 2216,66 ℔ wiegt; man kennt den Durchmesser und damit die Oberfläche der Erde; man kann mit der größten Genauigkeit das Gewicht der Atmosphäre berechnen; der tausendste Theil dieses Gewichts ist Kohlensäure, welche etwas über 27 p. c. Kohlenstoff enthält. Aus dieser Berechnung ergiebt sich nun, daß die Atmosphäre 3000 Billionen ℔ Kohlenstoff enthält, eine Quantität, welche mehr beträgt, als das Gewicht aller Pflanzen, der Stein- und Braunkohlenlager auf dem ganzen Erdkörper zusammengenommen. Dieser Kohlenstoff ist also mehr als hinreichend, um den Bedarf zu genügen. Der Kohlenstoffgehalt des Meerwassers ist verhältnißmäßig noch größer.

Nehmen wir an, daß die Oberfläche der Blätter und grünen Pflanzentheile, durch welche die Absorbtion der Kohlensäure geschieht, doppelt so viel beträgt, als die Oberfläche des Bodens, auf dem die Pflanze wächst, was beim Wald, bei den Wiesen und Getreidefeldern, die den meisten Kohlenstoff produciren, weit unter der wirklich thätigen Oberfläche ist; nehmen wir ferner an, daß von einem Morgen, von 80000 Quadratfuß also, in jeder Zeitsecunde, 8 Stunden täglich, der Luft 0,00067 ihres Volumens oder 1/1000 ihres Gewichtes an Kohlensäure entzogen wird, so nehmen diese Blätter in 200 Tagen 1000 ℔ Kohlenstoff auf *).

---

*) Wieviel Kohlensäure der Luft in einer gegebenen Zeit entzogen werden kann, giebt folgende Rechnung zu erkennen: Bei dem Weißen eines kleinen Zimmers von 105 Meter Fläche (Wände und Decke zusammengenommen) erhält es in 4 Tagen 6 Anstriche mit Kalkmilch, es wird ein Ueberzug von kohlensaurem Kalk gebildet, zu welchem die Luft die Kohlensäure liefert. Nach einer genauen Bestimmung erhält ein Quadratdecimeter Fläche einen Ueberzug von kohlensaurem Kalk, welcher 0,732 Grm. wiegt. Obige 105 Meter sind mithin bedeckt mit 7686 Grm. kohlensauren Kalk, welche 4325,6 Grm. Kohlensäure enthalten. Das Gewicht eines Cubicdecimeters Kohlensäure zu 2 Grm. angenommen (er wiegt 1,97978 Grm.) absorbirt mithin obige Fläche 2,163 Cubicmeter Kohlensäure in 4 Tagen.

Ein Morgen Land = 2500 Quadratmeter würde bei einer gleichen Behandlung in 4 Tagen 51½ Cubicmeter Kohlensäure = 3296 Cubicfuß, Kohlensäure absorbiren, in zweihundert Tagen würde dieß 2575 Cubicmeter = 164,800 Cubicfuß = 10300 ℔ Kohlensäure = 2907 ℔ Kohlenstoff, also etwa dreimal mehr betragen, als die Blätter und Wurzeln der Pflanzen, die auf diesem Boden wachsen, wirklich assimiliren.

In keinem Zeitmomente ist aber in dem Leben einer Pflanze, in den Functionen ihrer Organe, ein Stillstand denkbar. Die Wurzeln und alle Theile derselben, welche die nemliche Fähigkeit besitzen, saugen beständig Wasser, sie athmen Kohlensäure ein; diese Fähigkeit ist unabhängig von dem Sonnenlichte; sie häuft sich während des Tages im Schatten und bei Nacht in allen Theilen der Pflanze an, und erst von dem Augenblicke an, wo die Sonnenstrahlen sie treffen, geht die Assimilation des Kohlenstoffs, die Aushauchung von Sauerstoffgas vor sich; erst in dem Momente, wo der Keim die Erde durchbricht, färbt er sich von der äußersten Spitze abwärts, die eigentliche Holzbildung nimmt damit ihren Anfang.

Die Tropen, der Aequator, die heißen Klimate, wo ein selten bewölkter Himmel der Sonne gestattet, ihre glühenden Strahlen einer unendlich reichen Vegetation zuzusenden, sind die eigentlichen, ewig unversiegbaren Quellen des Sauerstoffgases; in den gemäßigten und kalten Zonen, wo künstliche Wärme die fehlende Sonne ersetzen muß, wird die Kohlensäure, welche die tropischen Pflanzen ernährt, im Ueberfluß erzeugt; derselbe Luftstrom, welcher, veranlaßt durch die Umdrehung der Erde, seinen Weg von dem Aequator zu den Polen zurückgelegt hat, bringt uns, zu dem Aequator zurückkehrend, den dort erzeugten Sauerstoff und führt ihm die Kohlensäure unserer Winter zu.

Die Versuche von de Saussure haben dargethan, daß die oberen Schichten der Luft mehr Kohlensäure als die unteren enthalten, die mit den Pflanzen sich in Berührung befinden, daß der Kohlensäuregehalt der Luft größer ist bei Nacht, als bei Tag, wo das eingesaugte kohlensaure Gas zersetzt wird.

Die Pflanzen verbessern die Luft, indem sie die Kohlensäure entfernen, indem sie den Sauerstoff erneuern; dieser Sauerstoff kommt Menschen und Thieren zuerst und unmittelbar zu

Gut. Die Bewegung der Luft in horizontaler Richtung bringt uns so viel zu, als sie hinwegführt; der Luftwechsel von Unten nach Oben, in Folge der Ausgleichung der Temperaturen, er ist, verglichen mit dem Wechsel durch Winde, verschwindend klein.

Die Cultur erhöht den Gesundheitszustand der Gegenden; mit dem Aufhören aller Cultur werden sonst gesunde Gegenden unbewohnbar.

Wir erkennen in dem Leben der Pflanze, in der Assimilation des Kohlenstoffs, als die wichtigste ihrer Functionen, eine Sauerstoffausscheidung, man kann sagen eine Sauerstofferzeugung.

Keine Materie kann als Nahrung, als Bedingung ihrer Entwickelung angesehen werden, deren Zusammensetzung ihrer eigenen gleich oder ähnlich ist, deren Assimilation also erfolgen könnte, ohne dieser Function zu genügen.

In dem zweiten Theile sind die Beweise niedergelegt, daß die in Verwesung begriffene Holzfaser, der Humus, Kohlenstoff und die Elemente des Wassers ohne überschüssigen Sauerstoff enthält; ihre Zusammensetzung weicht nur in so fern von der des Holzes ab, daß sie reicher an Kohlenstoff ist.

Die Pflanzenphysiologen haben die Bildung der Holzfaser aus Humus für sehr begreiflich erklärt, denn, sagen sie (Meyer Pflanzenphysiologie II. S. 141.), der Humus darf nur Wasser chemisch binden, um die Bildung von Holzfaser, Stärke oder Zucker zu bewirken.

Die nemlichen Naturforscher haben aber die Erfahrung gemacht, daß Zucker, Amylon und Gummi in ihren wässrigen Auflösungen von den Wurzeln der P anzen eingesaugt und in alle Theile der Pflanze geführt werden, allein sie werden von der Pflanze nicht assimilirt, sie können zu ihrer Ernährung und Entwickelung nicht angewendet werden.

Es läßt sich nun kaum eine Form denken, bequemer für Assimilation, als die Form von Zucker, Gummi oder Stärke, denn diese Körper enthalten ja alle Elemente der Holzfaser und stehen zu ihr in dem nemlichen Verhältniß, wie der Humus; allein sie ernähren die Pflanze nicht.

Eine durchaus falsche Vorstellung, ein Verkennen der wichtigsten Lebensfunktionen der Pflanze, liegt der Ansicht von der Wirkungsweise des Humus zum Grunde.

Die Analogie hat die unglückliche Vergleichung der Lebensfunctionen der Pflanzen mit denen der Thiere in dem Bett des Procrustes erzeugt, sie ist die Mutter, die Gebärerin aller Irrthümer.

Materien, wie Zucker, Amylon ꝛc., welche Kohlenstoff und die Elemente des Wassers enthalten, sind Producte des Lebensprocesses der Pflanzen, sie leben nur, insofern sie sie erzeugen. Dasselbe muß von dem Humus gelten, denn er kann eben so wie diese, in Pflanzen gebildet werden. Smithson, Jameson und Thomson fanden, daß die schwarzen Ausschwitzungen von kranken Ulmen, Eichen und Roßkastanien aus Humussäure in Verbindung mit Alkalien bestehen.

Berzelius fand ähnliche Materien in den meisten Baumrinden. Kann man nun in der That voraussetzen, daß die kranken Organe einer Pflanze diejenige Materie zu erzeugen vermögen, der man die Fähigkeit zuschreibt, das Leben dieser Pflanze, ihr Gedeihen zu unterhalten!

Woher kommt es nun, kann man fragen, daß in den Schriften aller Botaniker und Pflanzenphysiologen die Assimilation des Kohlenstoffs aus der Atmosphäre in Zweifel gestellt, daß von den Meisten die Verbesserung der Luft durch die Pflanzen geläugnet wird?

Diese Zweifel sind hervorgegangen aus dem Verhalten der Pflanzen bei Abwesenheit des Lichtes, nemlich in der Nacht.

An die Versuche von Ingenhouß knüpfen sich zum großen Theil die Zweifel, welche der Ansicht entgegengestellt werden, daß die Panzen die Luft verbessern. Seine Beobachtung, daß die grünen Pflanzen im Dunklen Kohlensäure aushauchen, haben de Saussure und Grischow zu Versuchen geführt, aus denen sich herausgestellt hat, daß sie in der That Sauerstoff im Dunklen einsaugen und dafür Kohlensäure aushauchen, und daß sich die Luft, in welcher die Pflanzen im Dunkeln vegetiren, im Volumen vermindert; es ist hieraus klar, daß die Menge des absorbirten Sauerstoffgases größer ist, als das Volumen der abgeschiedenen Kohlensäure — es hätte sonst keine Luftverminderung stattfinden können. Diese Thatsache kann nicht in Zweifel gezogen werden, allein die Interpretationen, die man ihr unterlegt hat, sind so vollkommen falsch, daß nur die gänzliche Nichtbeachtung und Unkenntniß der chemischen Beziehungen einer Pflanze zu der Atmosphäre, die sie umgiebt, erklärt, wie man zu diesen Ansichten gelangen konnte.

Es ist bekannt, daß der indifferente Stickstoff, das Wasserstoffgas, daß eine Menge anderer Gase eine eigenthümliche, meist schädliche Wirkung auf die lebenden Pflanzen ausüben. Ist es nun denkbar, daß eins der kräftigsten Agentien, der Sauerstoff, wirkungslos auf eine Panze bliebe, sobald sie sich in dem Zustande des Lebens befindet, wo einer ihrer eigenthümlichen Assimilationsprocesse aufgehört hat?

Man weiß, daß mit der Abwesenheit des Lichtes die Zersetzung der Kohlensäure ihre Grenze findet. Mit der Nacht beginnt ein rein chemischer Proceß, in Folge der Wechselwirkung des Sauerstoffs der Luft auf die Bestandtheile der Blätter, Blüthen und Früchte.

Dieser Proceß hat mit dem Leben der Pflanze nicht das Geringste gemein, denn er tritt in der todten Pflanze ganz in derselben Form auf, wie in der lebenden.

Es läßt sich mit der größten Leichtigkeit und Sicherheit aus den bekannten Bestandtheilen der Blätter verschiedener Pflanzen vorausbestimmen, welche davon den meisten Sauerstoff im lebenden Zustande während der Abwesenheit des Lichtes absorbiren werden. Die Blätter und grünen Theile aller Pflanzen, welche flüchtige Oele, überhaupt aromatische flüchtige Bestandtheile enthalten, die sich durch Aufnahme des Sauerstoffs in Harz verwandeln, werden mehr Sauerstoff einsaugen als andere, welche frei davon sind. Andere wieder, in deren Safte sich die Bestandtheile der Galläpfel befinden oder stickstoffreiche Materien enthalten, werden mehr Sauerstoff aufnehmen, als die, worin diese Bestandtheile fehlen. Die Beobachtungen de Saussure's sind entscheidende Beweise für dieses Verhalten; während die Agave americana, mit ihren fleischigen geruch- und geschmacklosen Blättern, nur 0,3 ihres Volumens Sauerstoff in 24 Stunden im Dunkeln absorbiren, nehmen die mit flüchtigem, verharzbarem Oel durchdrungenen Blätter der Pinus abies die 10fache, die gerbesäurehaltigen der Quercus robur die 14fache, die balsamischen Blätter der Populus alba die 21fache Menge an Sauerstoff auf. Wie zweifellos und augenscheinlich zeigt sich diese chemische Action in den Blättern der Cotyledon Calycina, der Cacalia ficoides und anderen, sie sind des Morgens sauer wie Sauerampfer, gegen Mittag geschmacklos, am Abend bitter. In der Nacht findet also ein reiner Säurebildungs-, Oxidationsproceß statt, am Tage und gegen Abend stellt sich der Proceß der Sauerstoffausscheidung ein, die Säure geht in

Substanzen über, welche Wasserstoff und Sauerstoff im Verhältniß wie im Wasser, oder noch weniger Sauerstoff enthalten, wie in allen geschmacklosen und bitteren Materien.

Ja man könnte aus den verschiedenen Zeiten, welche die grünen Blätter der P anzen bedürfen, um durch den Einfluß der atmosphärischen Luft ihre Farbe zu ändern, die absorbirten Sauerstoffmengen annähernd bestimmen. Diejenigen, welche sich am längsten grün erhalten, werden in gleichen Zeiten weniger Sauerstoff aufnehmen als andere, deren Bestandtheile eine rasche Veränderung erfahren. Man findet in der That, daß die Blätter von Ilex aquifolium, ausgezeichnet durch die Beständigkeit, mit welcher sie ihre Farbe bewahren, 0,86 ihres Volumens Sauerstoff in derselben Zeit aufnehmen, in welcher die so leicht und schnell ihre Farbe verändernden Blätter der Pappel und Buche, die eine das 8fache, die andere das 9½fache ihres Volumens absorbiren.

Das Verhalten der grünen Blätter der Eiche, Buche und Stechpalme, welche unter der Luftpumpe bei Abschluß des Lichtes getrocknet und nach Befeuchtung mit Wasser unter eine graduirte Glocke mit Sauerstoffgas gebracht werden, entfernt jeden Zweifel über diesen chemischen Proceß. Alle vermindern das Volumen des eingeschlossenen Sauerstoffgases, und zwar in dem nämlichen Verhältniß, als sie ihre Farbe ändern. Diese Luftverminderung kann nur auf der Bildung von höheren Oxiden, oder einer Oxidation des Wasserstoffs der an diesem Elemente reichen Bestandtheile der Pflanzen beruhen.

Die Eigenschaft der grünen Blätter, Sauerstoff aufzunehmen, gehört aber auch dem frischen Holze an, gleichgültig ob es von Zweigen oder dem Innern eines Stammes genommen worden ist. Bringt man es in dem feuchten Zustande, wie es vom Baume genommen wird, in feinen Spänen unter eine

Glocke mit Sauerstoffgas, so findet man stets im Anfange das Volumen des Sauerstoffs verringert; während das trockene befeuchtete Holz, welches eine Zeitlang der Atmosphäre ausgesetzt gewesen ist, den umgebenden Sauerstoff in Kohlensäure ohne Aenderung des Volumens verwandelt, nimmt also das frische Holz mehr Sauerstoff auf.

Die Herren Petersen und Schödler haben durch sorgfältige Elementaranalyse von 24 verschiedenen Holzarten bewiesen, daß sie Kohlenstoff, die Elemente des Wassers und noch außerdem eine gewisse Menge Wasserstoff im Ueberschuß enthalten; das Eichenholz, frisch vom Baume genommen und bei 100° getrocknet, enthielt 49,432 Kohlenstoff, 6,069 Wasserstoff und 44,499 Sauerstoff.

Die Quantität Wasserstoff, welche nöthig ist, um mit 44,498 Sauerstoff Wasser zu bilden, ist 1/8 dieser Quantität, nemlich 5,56, es ist klar, daß das Eichenholz 1/12 mehr Wasserstoff enthält, als diesem Verhältniß entspricht, Pinus larix, Abies und Picea enthalten 1/7, die Linde (Tilia europaea), sogar 1/5 mehr Wasserstoff; man sieht leicht, daß der Wasserstoffgehalt in einiger Beziehung steht zu dem specifischen Gewichte, die leichten Holzarten enthalten mehr davon als die schweren; das Ebenholz (Diospyros Ebenum) enthält genau die Elemente des Wassers.

Der Unterschied in der Zusammensetzung der Holzarten von der der reinen Holzfaser beruht unleugbar auf der Gegenwart von wasserstoffreichen und sauerstoffarmen, zum Theil löslichen Bestandtheilen, in Harz und anderen Stoffen, deren Wasserstoff sich in der Analyse zu dem der Holzfaser addirt.

Wenn nun, wie erwähnt worden ist, das in Verwesung begriffene Eichenholz, Kohle und die Elemente des Wassers, ohne Ueberschuß an Wasserstoff enthält, wenn es während seiner Verwesung das Volumen der Luft nicht ändert, so muß nothwendig dieses Verhältniß im Beginn der Verwesung ein anderes gewesen sein, denn in den wasserstoffreichen Bestandtheilen des Holzes ist der Wasserstoff vermindert worden, und diese Verminderung kann nur durch eine Absorbtion des Sauerstoffs bewirkt worden sein.

Die meisten Pflanzenphysiologen haben die Aushauchung der Kohlensäure während der Nacht mit der Aufnahme von Sauerstoffgas aus der Atmosphäre in Verbindung gebracht, sie betrachten diese Thätigkeit als den wahren Athmungsproceß der Pflanzen, welcher wie bei den Thieren eine Entkohlung zur Folge hat. Es giebt kaum eine Meinung, deren Basis schwankender, man kann sagen, unrichtiger ist.

Die von den Blättern, von den Wurzeln mit dem Wasser aufgenommene Kohlensäure wird mit der Abnahme des Lichtes nicht mehr zersetzt, sie bleibt in dem Safte gelöst, der alle Theile der Pflanze durchdringt; in jedem Zeitmomente verdunstet mit dem Wasser aus den Blättern eine ihrem Gehalt entsprechende Menge Kohlensäure.

Ein Boden, in welchem die Pflanzen kräftig vegetiren, enthält als eine nie fehlende Bedingung ihres Lebens, unter allen Umständen eine gewisse Quantität Feuchtigkeit, nie fehlt in diesem Boden kohlensaures Gas, gleichgültig ob es von demselben aus der Luft aufgenommen oder durch die Verwesung von Vegetabilien erzeugt wird; kein Brunnen- oder Quellwasser, nie ist das Regenwasser frei von Kohlensäure; in keinerlei Perioden des Lebens einer Pflanze hört das Vermögen der Wurzel auf, Feuchtigkeit und mit derselben Luft und Kohlensäure einzusaugen.

Kann es nun auffallend sein, daß diese Kohlensäure mit dem verdunstenden Wasser von der Pflanze an die Atmosphäre unverändert wieder zurückgegeben wird, wenn die Ursache der Fixirung des Kohlenstoffs, wenn das Licht fehlt?

Diese Aushauchung von Kohlensäure hat mit dem Assimilationsproceß, mit dem Leben der Pflanze eben so wenig zu thun, als wie die Einsaugung des Sauerstoffs. Beide stehen mit einander nicht in der geringsten Beziehung, der eine ist ein rein mechanischer, der andere ein rein chemischer Proceß. Ein Docht von Baumwolle, den man in eine Lampe verschließt, welche eine mit Kohlensäure gesättigte Flüssigkeit enthält, wird sich gerade so verhalten, wie eine lebende Pflanze in der Nacht, Wasser und Kohlensäure werden durch Capillarität aufgesaugt, beide verdunsten außerhalb an dem Dochte wieder.

Pflanzen, welche in einem feuchten, an Humus reichen Boden leben, werden in der Nacht mehr Kohlensäure aushauchen, als andere an trockenen Standörtern, nach dem Regen mehr als bei trockener Witterung; alle diese Einflüsse erklären die Menge von Widersprüchen in den Beobachtungen, die man in Beziehung auf die Veränderung der Luft durch lebende Pflanzen oder durch abgeschnittene Zweige davon, bei Abschluß des Lichtes oder im gewöhnlichen Tageslichte gemacht hat. Widersprüche, welche keiner Beachtung werth sind, da sie nur Thatsachen feststellen, ohne die Frage zu lösen.

Es giebt aber noch andere entscheidende Beweise, daß die Pflanzen mehr Sauerstoff an die Luft abgeben, als sie überhaupt derselben entziehen, Beweise, die sich freilich nur an den Pflanzen, welche unter Wasser leben, mit Sicherheit führen lassen.

Wenn die Oberfläche von Teichen und Gräben, deren Boden mit grünen Pflanzen bedeckt ist, im Winter gefriert, so daß das Wasser von der Atmosphäre völlig durch eine Schicht klaren Eises abgeschlossen ist, so sieht man während des Tages und ganz vorzüglich während die Sonne auf das Eis fällt, unaufhörlich kleine Luftbläschen von den Spitzen der Blätter und kleineren Zweige sich lösen, die sich unter dem Eise zu großen Blasen sammeln; diese Luftblasen sind reines Sauerstoffgas, was sich beständig vermehrt; weder bei Tage, wenn die Sonne nicht scheint, noch bei Nacht, läßt sich eine Verminderung beobachten. Dieser Sauerstoff rührt von der Kohlensäure her, die sich in dem Wasser befindet, und in dem Grade wieder ersetzt wird, als sie die Pflanzen hinwegnehmen; sie wird ersetzt durch fortschreitende Fäulnißprocesse in abgestorbenen Pflanzenüberresten. Wenn demnach diese Pflanzen Sauerstoffgas während der Nacht einsaugen, so kann seine Menge nicht mehr betragen, als das umgebende Wasser aufgelöst enthält, denn der in Gasform abgeschiedene wird nicht wieder aufgenommen.

Das Verhalten der Wasserpflanzen kann nicht als Ausnahme eines großen Naturgesetzes gelten, um so weniger, da die Abweichungen der in der Luft lebenden Gewächse in ihrem Verhalten gegen die Atmosphäre ihre natürliche Erklärung finden.

Die Meinung, daß die Kohlensäure ein Nahrungsmittel für die Pflanzen sei, daß sie den Kohlenstoff derselben in ihre eigene Masse aufnehmen, ist nicht neu; sie ist von den einsichtsvollsten und gediegensten Naturforschern, von Priestley, Sennebier, Ingenhouse, de Saussure und anderen, aufgestellt, bewiesen und vertheidigt worden.

Es giebt in der Naturwissenschaft kaum eine Ansicht, für welche man entschiedenere und schärfere Beweise hat; woraus läßt sich nun erklären, daß sie von den meisten Pflanzenphysiologen in ihrer Ausdehnung nicht anerkannt, daß sie von vielen bestritten, daß sie von einzelnen als widerlegt betrachtet wird?

Allem diesem zusammengenommen unterliegen zwei Ursachen, die wir jetzt beleuchten wollen.

Die eine dieser Ursachen ist, daß sich in der Botanik alle Talente und Kräfte in der Erforschung des Baues und der Structur, in der Kenntniß der äußeren Form versplittert haben, daß man die Chemie und Physik bei der Erklärung der einfachsten Processe nicht mit im Rathe sitzen läßt, daß man ihre Erfahrungen und Gesetze als die mächtigsten Hülfsmittel zur Erkenntniß nicht anwendet; man wendet sie nicht an, weil man versäumt, sie kennen zu lernen.

Alle Entdeckungen der Physik und Chemie, alle Auseinandersetzungen des Chemikers, sie müssen für sie erfolg- und wirkungslos bleiben, denn selbst für ihre Coriphäen sind Kohlensäure, Ammoniak, Säuren und Basen bedeutungslose Laute, es sind Worte ohne Sinn, Worte einer unbekannten Sprache, die keine Beziehungen, keine Gedanken erwecken. Sie verfahren wie Ungebildete, welche den Werth und Nutzen der Kenntniß einer fremden Literatur um so tiefer herabsetzen und um so geringschätzender beurtheilen, je weniger sie davon verstehen, denn selbst diejenigen unter ihnen, die sie verstanden, sie sind nicht begriffen worden*).

---

*) Das Wachsen einer Pflanze.

Wie das Entstehen einer Pflanze durch irdische allgemeine Thätigkeit bedingt ist, so auch ihr Wachsen und Bestehen. Das Wachsen der Pflanzen geschieht allseitig und nur vorherrschend stärker nach gewissen Richtungen unter bestimmten Umständen. Um die Gesetze, nach welchen das Wachsen und das Gestalten der Pflanzen stattfindet, nur einigermaßen begreiflich finden zu können, muß man die folgenden naturwissenschaftlichen Ansichten sich deutlich gemacht haben.

1. Jeder stoffige Körper ist seinem Wesen nach der Schwere unterworfen, und auch der Pflanzenkörper folgt ihr, und die Pflanze überwindet nur theilweise durch eigene Selbstthätigkeit diese Kraft.

Die Physiologen verwerfen in der Erforschung der Geheimnisse des Lebens die Chemie, und dennoch kann sie es allein nur sein, welche den richtigen Weg zum Ziele führt, sie verwerfen die Chemie, weil sie zerstört, indem sie Erkenntniß sucht, weil sie nicht wissen, daß sie dem Messer des Anatomen gleicht, welcher den Körper, das Organ, als solche vernichten muß, wenn er Rechenschaft über Bau, Structur und über

---

2. Das Licht offenbart sich in der Natur als das unendlich Schaffende, so daß es (nach Steffens) das für die Natur ist, was das Bewußtsein für das geistige Leben. Durch Licht ist daher alles Leben erst möglich und jede Pflanze verlangt ihrem Wesen nach eine bestimmte Einwirkung des Lichtes, so daß bei zu viel Licht die Pflanze an Ueberreiz, und bei zu wenig Licht aus Mangel an Ueberreiz stirbt.
3. Kälte und Wärme sind begleitende Erscheinungen der Dinge beim Uebergange zum formlosen, theils zum besonderen mit innerem Gegensatze, und sie zeigen überhaupt nur Zustände der Dinge an. Da nun im Zustande der Kälte Alles erstarrt und nur in dem der Wärme etwas thätig oder flüssig sein kann, so können auch Pflanzen nur im Zustande der Wärme thätig sein, also entstehen und wachsen, und jede besondere Pflanze wird einen besonderen Zustand der Wärme verlangen.
4. Das Erdige, zusammengesetzt aus Kohlenstoff, Sauerstoff und Wasserstoff, ist ein Hauptbestandtheil der Pflanze. Weil jedoch der Kohlenstoff als die Grundlage der Erde, als Element erscheint, so ist dieser die unentbehrliche Nahrung für die Pflanzen; darum sind auch alle Pflanzen verbrennlich und verwandeln sich durch das Verbrennen in Kohle. Im luftförmigen Zustande (als Gas) ist der Kohlenstoff nicht rein, sondern mit dem Sauerstoffgas als kohlensaures Gas (Kohlensäure, Ursäure, wie Schwere die Urkraft ist) verbunden, und diese Kohlensäure ist ja so ungemein günstig zum Gedeihen der Pflanzen.
5. Das Wasser ist der sichtbarste Bestandtheil (oft $^2/_3$) der Pflanzen, so daß ohne dasselbe ebenfalls keine Pflanze möglich ist. Da mithin das Wasser hauptsächlich aus Sauerstoff, etwas vom sogenannten Wasserstoff und einem Minimum des Kohlenstoffs besteht, so stellt der Sauerstoff die Grundlage des Wasserelements dar. Ohne den Sauerstoff keimt nicht einmal ein Saamen, geschweige daß eine Pflanze ohne ihn wachsen könnte.

seine Verrichtungen geben soll;*) sie huldigen dem Ausspruche Hallers und schreiben der Lebenskraft zu, was sie nicht begreifen, was sie nicht erklären können, gerade so, wie man vor 30 Jahren Alles durch Galvanismus ver-

---

6. Durch die Luft, als Element, wird beim Einathmen jedes Leben der Pflanzen (und Thiere) erhalten, und wenn durch ihre Einwirkung, wegen ihrer großen Leichtigkeit, auch die Pflanzenmasse nicht sehr vergrößert wird, so müssen, zum Belebtsein, doch alle Theile von ihr stetig durchdrungen und umgeben sein. Die Grundlage der Luft ist das Stickgas, da dieses aber nicht einfach, sondern mit dem Sauerstoff gemengt erscheint, welche luftförmige Verbindung dann Wasserstoff genannt wird (weil sie beim Zersetzen des Wassers in einer glühenden eisernen Röhre entsteht!), so kann man sagen, die Luft bestehe aus Sauerstoff, Wasserstoff (Stickstoff) und Kohlenstoff, und der Wasserstoff macht einen wesentlichen Bestandtheil der Pflanzen aus.

Das Vorstehende wird hier als Beispiel der Behandlung der Pflanzenphysiologie und der Ansichten mancher Botaniker uber die Ernährung der Gewächse gegeben, es ist aus J. A. Reum's, Professor in Tharand (Mitglied mehrerer wissenschaftlichen Vereine ꝛc.), Forstbotanik. 3te Auflage, Leipzig, Arnold'sche Buchhandlung, 1837.

*) Das Axiom unserer Theorie ist also: Die Natur ist die Erscheinung des Unendlichen im Endlichen, da nun das Unendliche das Absolute, Alleinige, das Endliche aber das Relative, Mannichfaltige ist, so giebt es auch nur zwei wesentliche Urformen der Naturthätigkeit.

»In der pflanzlichen und thierisch bewußtlosen Zeugung ist die Befruchtung eine electrische Wirkung bei offner Kette.«

»Bei der innerlichen Begattung wirkt er (der Saame) auf das weibliche Leben selbst, steigert sein Dasein zu einer magnetischen Entfaltung, welche in einer Zersetzung des Fruchtstoffs sich ausspricht, und darin besteht das Wesen der Befruchtung.«

Burdach's Physiologie als Erfahrungswissenschaft III. S. 184 bei Gelegenheit, wo von den Bestandtheilen der Butter die Rede ist.

Die traurige Zeit, wo sich geistreiche und verdienstvolle Männer, mit ähnlichen hohlen nichtssagenden Phrasen, mit Bildern und Phantasiegemälden in der Form von Erklärungen überboten, sie kann als vorübergehend angesehen werden, seitdem eine neue Aera durch Tiedemann's und Gmelin's, Müller's, Valentin's, Arnold's, Wagner's, Schwann's und Anderer Forschungen begonnen hat, eine unerschöpfliche Quelle von Entdeckungen liegt vor ihnen, alles ist von ihren Vorgängern geschehen, um ihnen die Entdeckung der wichtigsten Wahrheiten ungeschmälert zu überlassen.

deutlich fand, zu einer Zeit, wo man am allerwenigsten die Natur der Electricität erkannt hatte. Darf man sich wundern, wenn man statt Erklärungen und Einsicht nur Bilder, nur Hypothesen findet, kann man von ihnen etwas anderes als Täuschungen und Trugschlüsse erwarten?

Es ist die deutsche Naturphilosophie, die ihren Namen mit so großem Unrechte trägt, welche die Kunst verbreitet hat, ohne gründliche Forschungen und Beobachtungen sich Rechenschaft von den Erscheinungen zu geben, eine Kunst, der es an Jüngern nicht fehlen wird, so lange Arbeiten ohne Mühe und Anstrengung, Aufmunterung und Anerkennung finden; sie zeugte die taubstummen und blinden Kinder der Unwissenheit und des Mangels aller Beobachtungsgabe, sie ist es, die in den vorhergegangenen Jahren alle Fortschritte in ihrem Keime erstickte.

Sobald den Physiologen die geheimnißvolle Lebenskraft in einer Erscheinung entgegentritt, verzichten sie auf ihre Sinne und Fähigkeiten, das Auge, der Verstand, das Urtheil und Nachdenken, alles wird gelähmt, so wie man eine Erscheinung für unbegreiflich erklärt.

Vor dieser allerletzten Ursache befinden sich noch eine Menge letzte. Von dem Ringe aus, wo die Kette anfängt, bis zu uns sind noch eine Menge unbekannte Glieder. Sollen diese Glieder dem menschlichen Geiste unanschaubar bleiben, welcher die Gesetze der Bewegung der Weltkörper erforscht hat, von deren Existenz ihn nur ein einzelnes Organ unterrichtet, ihm, dem auf unsern Erdkörper noch so viele andere Hülfsmittel zu Gebote stehen?

Wenn reine Kartoffelstärke, in Salpetersäure gelöst, einen Ring des reinsten Wachses hinterläßt, was kann dem Schlusse des Chemikers entgegengesetzt werden, daß jedes Stärkekörnchen aus concentrischen Schichten Wachs und Amylon besteht, von denen die eine und die andere sich gegenseitig sowohl vor dem Angriff des Wassers als des Aethers schützen? Kann man zu Schlüssen dieser Art, welche die Natur und das Verhalten aufs Vollkommenste erläutern, durch Microscope gelangen? Ist es möglich, auf rein mechanischem Wege in einem Stück Brod den Kleber dem Auge sichtbar zu machen, die kleinsten Theilchen des Klebers in ihrem Zusammenhange und allen ihren Verzweigungen? Dieß ist durch kein Werkzeug möglich, und dennoch dürfen wir das Stück Brod nur in eine lauwarme Abkochung von gekeimter Gerste legen, um alle Stärke, alles sogenannte Dextrin sich wie Zucker im Wasser auflösen zu sehen. Man behält zuletzt nichts übrig als den Kleber in der Form des feinsten Schwammes, dessen kleinste Poren durch Microscope nur sichtbar sind.

Unzählige Hülfsmittel dieser Art bietet die Chemie zur Erforschung der Beschaffenheit der Organe dar; sie werden nicht benutzt, weil sie Niemand bedarf.

Man kennt mit Zuverlässigkeit die wichtigsten Organe und Functionen von Thieren, die dem bloßen Auge nicht sichtbar sind, aber in der Pflanzenphysiologie ist ein Blatt stets ein Blatt. Aber ein Blatt, was Terpentinöl, Citronöl erzeugt, muß eine andere Beschaffenheit besitzen, als ein Blatt, in dem Sauerkleesäure gebildet wird. Die Lebenskraft bedient sich in ihren eigenthümlichen Aeußerungen stets besonderer Werkzeuge, für jede Verrichtung, eines besonderen Organs. Der auf einen Citronenbaum gepflanzte Rosenzweig bringt keine Citronen, er bringt Rosen hervor. Man hat unendlich vieles gesehen, aber das Sehenswürdigste ist zu sehen nicht versucht worden.

Die zweite Ursache ist, daß man in der Physiologie die Kunst nicht kennt, Versuche zu machen, eine Kunst, die man freilich nur in chemischen Laboratorien lernen kann.

Die Natur redet mit uns in einer eigenthümlichen Sprache, in der Sprache der Erscheinungen, auf Fragen giebt sie jederzeit Antwort, diese Fragen sind die Versuche.

Ein Versuch ist der Ausdruck eines Gedankens, entspricht die hervorgerufene Erscheinung dem Gedachten, so sind wir einer Wahrheit nahe; das Gegentheil davon beweis't, daß die Frage falsch gestellt, daß die Vorstellung unrichtig war.

Eine Prüfung der Versuche eines Andern ist eine Prüfung seiner Ansichten, für die er Beweise gegeben hat; wenn die Prüfung nur negirt, wenn sie keine richtigeren Vorstellungen an die Stelle derjenigen setzt, die man zu widerlegen sucht, so verdient eine solche Wiederholung von Versuchen nicht beachtet zu werden, denn je schlechter der wiederholende Fragesteller, Experimentator ist, desto schärfer, desto größer im Widerspruch fällt sein Beweis aus.

Man vergißt in der Physiologie zu sehr, daß es sich nicht darum handelt, die Versuche eines Andern zu widerlegen oder unrichtig zu finden, sondern daß das Ziel, nachdem wir Alle streben, die Wahrheit und nur die Wahrheit ist. Daher denn dieser Ballast von nichtsbedeutenden, aufs Gerathewohl gemachten Versuchen; man erstaunt, wenn man sich überzeugt, wie der ganze Aufwand von Zeit und Kraft einer Menge Personen von Geist, Talent und Kenntnissen darauf hinausläuft, sich gegenseitig zu sagen, daß sie vollkommen Unrecht haben.

Auch sie haben mit dem besten Willen, mit aller Gewissenhaftigkeit Versuche angestellt, und die Meinung, ob die Kohlensäure wirklich nähre, einer Prüfung unterworfen, allein die Antwort entsprach dieser Ansicht nicht, sie fiel gänzlich verneinend aus. Wie waren aber die Fragen gestellt?

Sie säeten den Saamen von Balsaminen, Vicebohnen,

Kresse, Kürbis in reinen carrarischen Marmor und begossen ihn mit kohlensäurehaltigem Wasser, die Saamen gingen auf, allein die Pflanzen waren nicht bis zur Entwickelung des dritten Blättchens zu bringen.

Sie ließen in andern Fällen das Wasser von unten hinauf in den Marmor dringen, aber vergebens, alle starben; merkwürdiger Weise brachten es Andere in reinem destillirten Wasser weiter, als in der Kohlensäure, aber sie gingen dennoch zu Grunde.

Andere säeten Saamen von Pflanzen in Schwefelblumen, in Schwerspath, und suchten sie mit Kohlensäure zu nähren, allein ohne Erfolg; diese Klasse von Versuchen sind es im Allgemeinen, welche als positive Beweise betrachtet werden, daß die Kohlensäure nicht nähre, allein sie sind gegen alle Regeln einer rationellen Naturforschung, gegen alle Regeln der Chemie angestellt.

Zum Leben einer P anze gehören mehrere, für besondere Pflanzengattungen besondere Bedingungen, giebt man der Pflanze sonst alles, und schließt nur eine einzige Bedingung aus, so wird sie nicht zur Entwickelung gelangen.

Die Organe einer Pflanze, wie die eines Thieres, enthalten Materien von der verschiedensten Zusammensetzung, stickstoffhaltige und stickstofffreie, sie enthalten Metalloxide in der Form von Salzen.

Die Nahrungsmittel welche zur Reproduction aller Organe dienen sollen, müssen nothwendig alle ihre Elemente enthalten. Diese unerläßlichsten aller Bedingungen hinsichtlich der chemischen Beschaffenheit eines Nahrungsmittels, können in einem einzelnen Stoffe sich vereinigt vorfinden, oder es können mehrere sein, in welchem Falle denn der eine enthält, was dem andern fehlt.

Man hat mit einer stickstoffhaltigen Substanz allein, mit Gallerte, Hunde zu Tode gefüttert; sie starben an Weißbrod, an Zucker und Stärke, wenn sie ausschließlich statt aller andern als Nahrung gegeben wurden. Kann man hieraus schließen, daß diese Materien kein assimilirbares Element enthalten? Gewiß nicht.

Die Lebenskraft ist die einem jeden einzelnen Organe innwohnende Fähigkeit, sich selbst in jedem Zeitmomente neu wieder zu erzeugen: hierzu gehören Stoffe, welche seine Elemente enthalten, und diese Stoffe müssen sich zu Metamorphosen eignen. Alle Organe zusammengenommen, können kein einzelnes Element, keinen Stickstoff, Kohlenstoff oder ein Metalloxyd erzeugen.

Ist die Masse der dargebotenen Stoffe zu groß, oder sind sie keiner Metamorphose fähig, oder üben sie eine chemische Wirkung irgend einer Art auf das Organ aus, so unterliegt das Organ selbst einer Metamorphose. Alle sogenannten Gifte gehören der letzteren Klasse an. Die besten Nahrungsmittel können den Tod bewirken.

Alle diese Bedingungen der Ernährung müssen bei Versuchen der Art in Rechnung genommen werden.

Außer den Elementen, welche Bestandtheile von Organen ausmachen, bedürfen Thiere und Pflanzen noch anderer Stoffe, deren eigentliche Function unbekannt ist. Es sind dieß anorganische Materien, das Kochsalz z. B., bei dessen gänzlicher Abwesenheit der Tod bei den Thieren unausbleiblich erfolgt.

Wenn wir mit Bestimmtheit wissen, daß es einen Körper giebt, den Humus z. B., welcher fähig ist, eine Pflanze bis zur vollendeten Entwickelung mit Nahrung zu versehen, so führt uns die Kenntniß seines Verhaltens und seiner Zusammensetzung auf die Bedingungen des Lebens einer Pflanze.

Es muß sich alsdann mit dem Humus gerade so verhalten, wie mit einem einzigen Nahrungsmittel, was die Natur für den animalischen Organismus producirt, nemlich mit der Milch.

Wir finden in der Milch einen an Stickstoff reichen Körper, den Käse, eine Substanz, welche reich an Wasserstoff ist, die Butter, einen dritten, welcher eine große Menge Sauerstoff und Wasserstoff in dem Verhältniß wie im Wasser enthält, den Milchzucker; in der Butter befindet sich eine der aromatischsten Substanzen, die Buttersäure; sie enthält in Auflösung milchsaures Natron, phosphorsauren Kalk und Kochsalz.

Mit der Kenntniß von der Zusammensetzung der Milch kennen wir die Bedingungen des Assimilationsprocesses aller Thiere.

In Allem, was Menschen und Thieren zur Nahrung dient, finden wir diese Bedingungen vereinigt, bei vielen in einer andern Form und Beschaffenheit, aber keine davon darf auf eine gewisse Zeitdauer hinaus fehlen, ohne daß die Folgen davon an dem Befinden des Thieres bemerkbar sind.

Die Kenntniß der Fähigkeit eines Körpers als Nahrungsmittel zu dienen, setzt in ihrer Anwendung die Ausmittlung der Bedingungen voraus, unter welchen er assimilirbar ist.

Ein fleischfressendes Thier stirbt bei allem Ueberfluß an Speise unter der Luftpumpe, in der Luft stirbt es, wenn die Anforderungen seines Magens nicht befriedigt werden, es stirbt in reinem Sauerstoffgas bei einem Ueberfluß von Speise. Kann man hieraus schließen, daß weder Fleisch, noch Luft, noch Sauerstoff geeignet sind, das Leben zu erhalten? Gewiß nicht.

Aus dem Piedestal der Trajanssäule in Rom kann man jedes einzelne Steinstück herausmeißeln, wenn bei dem Herausnehmen des zweiten und dritten ꝛc. die ersten wieder eingesetzt werden. Kann man hieraus schließen, daß diese Säule in der Luft schwebt, daß kein einzelnes Stück der Unterlage trägt? Sicherlich nicht. Und dennoch hat man den strengsten Beweis geführt, daß jedes bezeichnete Stück hinweggenommen werden kann, ohne daß die Säule umfällt.

Die Pflanzen- und Thierphysiologen verfahren aber in Beziehung auf den Assimilationsproceß nicht anders. Ohne die Bedingungen des Lebens, die Beschaffenheit und Nahrungsmittel, die Natur und Bestandtheile der Organe zu kennen, stellen sie Versuche an, Versuche, denen man Beweiskraft zuschreibt, während sie Mitleid und Bedauern erwecken.

Ist es möglich, eine Pflanze zur Entwickelung zu bringen, wenn man ihr nicht neben Wasser und Kohlensäure eine stickstoffhaltige Materie giebt, die sie zur Erzeugung der stickstoffhaltigen Bestandtheile im Safte bedarf?

Muß sie nicht bei allem Ueberfluß an Kohlensäure sterben, wenn die wenigen Blätter, die sich gebildet haben, den Stickstoffgehalt des Saamens verzehrt haben?

Kann eine Pflanze überhaupt in carrarischem Marmor wachsen, selbst wenn ihr eine stickstoffhaltige Materie dargeboten wird, wenn man den Marmor mit kohlensäurehaltigem Wasser begießt, was den Kalk auflöst und ein saures kohlensaures Kalksalz bildet? Eine Pflanze aus der Familie der Plumbagineen, bei denen die Blattoberfläche aus feinen hornartigen oder schuppigen Auswüchsen von kristallisirtem kohlensauren Kalk besteht, würde vielleicht unter diesen Umständen zur Entwickelung kommen; daß aber die Kresse, der Kürbiß, die Balsaminen bei Abwesenheit des Stickstoffs durch sauren kohlensauren Kalk nicht ernährt werden können, daß letzterer als Gift wirkt, dieß kann man als eine völlig durch diese Versuche bewiesene Thatsache annehmen, denn in reinem Wasser, ohne Kalk und Kohlensäure, bringen es diese Pflanzen noch weiter.

Die Schwefelblumen ziehen im feuchten Zustande aus der Luft Sauerstoff an und werden sauer. Läßt sich erwarten, daß bei Gegenwart von freier Schwefelsäure eine Pflanze in Schwefelblumen durch Kohlensäure allein ernährt werden kann? So wenig sich auch in Stunden oder Tagen an Schwefelsäure bilden mag, die Fähigkeit der Schwefeltheile, Sauerstoff anzuziehen und zurückzuhalten, ist in jedem Zeitmomente da.

Wenn man weiß, daß die Wurzeln Feuchtigkeit, Kohlensäure und Luft bedürfen, darf man schwefelsauren Baryt, dessen Beschaffenheit und Schwere den Zutritt der Luft ganz und gar abschließt, als Mittel wählen, um Pflanzen darin wachsen zu lassen?

Alle diese Versuche sind für die Entscheidung irgend einer Frage völlig bedeutungslos. Wenn man noch überdieß ungewiß über die Rolle ist, welche die verschiedenen fremden anorganischen Materien in den Pflanzen spielen, so lange darf man aufs Geradewohl keinen Boden wählen.

Es ist völlig unmöglich, eine Pflanze aus der Familie der Gramineen und Equisetaceen, welche in ihrem festen Gerippe kieselsaures Kali enthalten, ohne Kieselerde und Kali, eine Oxalisart ohne Kali, eine Salzpflanze ohne Kochsalz, oder ein Salz von gleicher Wirkungsweise, zur Entwickelung zu bringen; alle Saamen der Cerealien enthalten phosphorsaure Bittererde, der feste Theil der Althäwurzeln enthält mehr phosphorsauren Kalk als Holzfaser. Sind dieß denn lauter durchaus entbehrliche Materien? Darf man eine Pflanze zu einem Versuche wählen, wenn man nicht entfernt weiß, was sie zu ihrer Assimilation bedarf?

Welchen Werth kann man nun vernünftiger Weise Versuchen beilegen, wo man mit der größten Sorgfalt Alles ausgeschlossen hat, was sie neben ihrer Nahrung überhaupt noch bedarf, um sie, um diese Nahrung nämlich, assimilirbar zu machen?

Kann man die Gesetze des Lebens erforschen an einem Organismus, der sich in einem dauernden Zustande des Krankseins und beständigen Sterbens befindet?

Die bloße Beobachtung einer Wiese, eines Waldes ist unendlich mehr geeignet, über so einfache Fragen zu entscheiden, als alle diese kleinlichen Versuche unter Glasglocken; anstatt einer Panze haben wir Tausende von Pflanzen, dieß ist der einzige Unterschied; wenn wir die Beschaffenheit eines einzigen Cubiczolls ihres Bodens, wenn wir die der Luft und des Regenwassers kennen, so haben wir damit alle Bedingungen ihres Lebens in der Hand.

Wenn wir die Formen kennen, in welchen die Pflanze ihre Nahrung aufnimmt, wenn wir die Zusammensetzung der Nahrung mit den Bestandtheilen der Panze vergleichen, so kann uns ohne Zweifel der Ursprung aller ihrer Elemente nicht entgehen.

Diese Fragen sollen in dem Folgenden einer Untersuchung, einer Discussion unterworfen werden.

In dem Vorhergehenden ist der Beweis niedergelegt, daß der Kohlenstoff der Pflanzen aus der Atmosphäre stammt; es sind nun die Wirkungen des Humus und der anorganischen Bestandtheile der Pflanzen, so wie der Antheil, den beide an der Entwickelung der Vegetation nehmen, und die Quellen des Stickstoffs zu beleuchten.

Ursprung und Verhalten des Humus.

Es ist in dem zweiten Theile auseinandergesetzt, daß alle Pflanzen und Pflanzentheile mit dem Aufhören des Lebens zwei Zersetzungsprocesse erleiden, von denen man den einen Gährung oder Fäulniß, den andern Verwesung nennt.

Es ist gezeigt worden, daß die Verwesung einen langsamen Verbrennungsproceß bezeichnet, den Vorgang also, wo die verbrennlichen Bestandtheile des verwesenden Körpers sich mit dem Sauerstoff der Luft verbinden.

Die Verwesung des Hauptbestandtheiles aller Vegetabilien, der Holzfaser, zeigt eine Erscheinung eigenthümlicher Art.

Mit Sauerstoff in Berührung, mit Luft umgeben, verwandelt sie nämlich den Sauerstoff in ein ihm gleiches Volumen kohlensaures Gas; mit dem Verschwinden des Sauerstoffs hört die Verwesung auf.

Wird dieses kohlensaure Gas hinweggenommen und durch Sauerstoff ersetzt, so fängt die Verwesung von Neuem an, d. h. der Sauerstoff wird wieder in Kohlensäure verwandelt.

Die Holzfaser besteht nun aus Kohlenstoff und den Elementen des Wassers; von allem Andern abgesehen, geht ihre Verbrennung vor, wie wenn man reine Kohle bei sehr hohen Temperaturen verbrennt, gerade so, als ob kein Wasserstoff und Sauerstoff mit ihr in der Holzfaser verbunden wäre.

Die Vollendung dieses Verbrennungsprocesses erfordert eine sehr lange Zeit; eine unerläßliche Bedingung zu seiner Unterhaltung ist die Gegenwart von Wasser; Alkalien befördern ihn, Säuren verhindern ihn, alle antiseptischen Materien, schweflige Säure, Quecksilbersalze und brenzliche Oele heben ihn gänzlich auf.

Die in Verwesung begriffene Holzfaser ist der Körper, den wir Humus nennen.

In demselben Grade, als die Verwesung der Holzfaser vorgeschritten ist, vermindert sich ihre Fähigkeit, zu verwesen, d. h. das umgebende Sauerstoffgas in Kohlensäure zu verwandeln, zuletzt bleibt eine gewisse Menge einer braunen oder kohlenartigen Substanz zurück, der sie gänzlich fehlt, man nennt sie Moder; sie ist das Product der vollendeten Verwesung der Holzfaser. Der Moder macht den Hauptbestandtheil aller Braunkohlenlager und des Torfes aus.

In einem Boden, welcher der Luft zugänglich ist, verhält sich der Humus genau wie an der Luft selbst; er ist eine langsame äußerst andauernde Quelle von Kohlensäure.

Um jedes kleinste Theilchen des verwesenden Humus entsteht, auf Kosten des Sauerstoffs der Luft, eine Atmosphäre von Kohlensäure.

In der Cultur wird durch Bearbeitung und Auflockerung der Erde, der Luft ein möglichst ungehinderter und freier Zutritt verschafft.

Ein so vorbereiteter und feuchter Boden enthält also eine Atmosphäre von Kohlensäure, und damit die erste und wichtigste Nahrung für die junge Pflanze, welche sich darauf entwickeln soll.

Im Frühlinge, wo die Organe fehlen, welche die Natur bestimmt hat, die Nahrung aus der Atmosphäre aufzunehmen, wo diese Organe erst gebildet werden, sind es die Bestandtheile des Saamens, welche zuerst und ausschließlich zur Bildung der Wurzeln verwendet werden; mit jeder Wurzelfaser erhält die Pflanze einen Mund, eine Lunge, einen Magen.

Von dem Augenblicke an, wo sich die ersten Wurzelfasern gebildet haben, sind sie es, welche die Functionen der Blätter übernehmen, sie führen aus der Atmosphäre, in der sie sich befinden, aus dem Boden nemlich, Nahrung zu; von dem Humus stammt die Kohlensäure her.

Durch Auflockerung des Bodens um die junge Pflanze, erneuern und vervielfältigen wir den Zutritt der Luft, wir begünstigen damit die Bildung der Kohlensäure; die Quantität der erzeugten Nahrung würde sich vermindern mit jeder Schwierigkeit, die sich im Boden dieser Lufterneuerung entgegenstellt;

bei einem gewissen Grade der Entwickelung der Pflanze ist sie es selbst, welche diesen Luftwechsel bewirkt. Die Atmosphäre von Kohlensäure, welche den unverwes'ten Theil des Humus vor weiterer Veränderung schützt, wird von den feinen Wurzelhaaren, den Wurzeln selbst, aufgesaugt und hinweggenommen, sie wird ersetzt durch atmosphärische Luft, die ihren Platz nimmt; die Verwesung schreitet fort, es wird eine neue Quantität Kohlensäure gebildet. In dieser Zeit empfängt die Panze von den Wurzeln und äußeren Organen gleichzeitig Nahrung, sie schreitet rasch ihrer Vollendung entgegen.

Ist die Pflanze völlig entwickelt, sind ihre Organe der Ernährung völlig ausgebildet, so bedarf sie der Kohlensäure des Bodens nicht mehr.

Mangel an Feuchtigkeit, völlige Trockenheit des Bodens hemmen die Vollendung ihrer Entwickelung nicht mehr, wenn sie vom Thau und der Luft so viel Feuchtigkeit empfängt, als sie zur Vermittelung der Assimilation bedarf; im heißen Sommer schöpft sie den Kohlenstoff ausschließlich aus der Luft.

Wir wissen bei den Pflanzen nicht, welche Höhe und Stärke ihnen die Natur angewiesen hat, wir kennen nur das gewöhnliche Maaß ihrer Größe.

Als große werthvolle Seltenheiten sieht man in London und Amsterdam Eichbäume, von chinesischen Gärtnern gezogen, von anderthalb Fuß Höhe, deren Stamm, Rinde, Zweige und ganzer Habitus ein ehrwürdiges Alter erkennen lassen, und die kleine Teltower Rübe wird in einem Boden, wo ihr frei steht, so viel Nahrung aufzunehmen, als sie kann, zu einem mehrere Pfunde schweren Dickwanst.

D i e M a s s e e i n e r P f l a n z e s t e h t i m V e r h ä l t n i ß z u d e r O b e r f l ä c h e d e r O r g a n e , w e l c h e b e s t i m m t s i n d ,

Nahrung zuzuführen. Mit jeder Wurzelfaser, jedem Blatt gewinnt die Pflanze einen Mund und Magen mehr.

Der Thätigkeit der Wurzeln, Nahrung aufzunehmen, wird nur durch Mangel eine Grenze gesetzt, ist sie im Ueberfluß vorhanden, und wird sie zur Ausbildung der vorhandenen Organe nicht völlig verzehrt, so kehrt dieser Ueberschuß nicht in den Boden zurück, sondern er wird in der P anze zur Hervorbringung von neuen Organen verwendet.

Neben der vorhandenen Zelle entsteht eine neue, neben dem entstandenen Zweig und Blatt entwickelt sich ein neuer Zweig, ein neues Blatt; ohne Ueberschuß an Nahrung wären diese nicht zur Entwickelung gekommen. Der in dem Saamen entwickelte Zucker und Schleim verschwindet mit der Ausbildung der Wurzelfasern, der in dem Holzkörper, in den Wurzeln entstehende Zucker und Schleim verschwindet mit der Entwickelung der Knospen, grünen Triebe und Blätter.

Mit der Ausbildung, mit der Anzahl der Organe, der Zweige und Blätter, denen die Atmosphäre Nahrung liefert, wächst in dem nämlichen Verhältniß ihre Fähigkeit, Nahrung aufzunehmen und an Masse zuzunehmen, denn diese Fähigkeit nimmt im Verhältniß wie ihre Oberfläche zu.

Die ausgebildeten Blätter, Triebe und Zweige bedürfen zu ihrer eigenen Erhaltung der Nahrung nicht mehr, sie nehmen an Umfang nicht mehr zu; um als Organe fortzubestehen, haben sie ausschließlich nur die Mittel nöthig, die Function zu unterhalten, zu der sie die Natur bestimmt hat, sie sind nicht ihrer selbst wegen vorhanden.

Wir wissen, daß diese Function in ihrer Fähigkeit besteht, die Kohlensäure der Luft einzusaugen und unter dem Einfluß des Lichts, bei Gegenwart von Feuchtigkeit, ihren Kohlenstoff sich anzueignen.

Diese Function ist unausgesetzt, von der ersten Entwickelung an, in Thätigkeit, sie hört nicht auf mit ihrer völligen Ausbildung.

Aber die neuen, aus dieser unausgesetzt fortdauernden Assimilation hervorgehenden Producte, sie werden nicht mehr für ihre eigene Entwickelung verbraucht, sie dienen jetzt zur weiteren Ausbildung des Holzkörpers und aller ihr ähnlich zusammengesetzten festen Stoffe, es sind die Blätter, welche jetzt die Bildung des Zuckers, des Amylons, der Säuren vermitteln. So lange sie fehlten, hatten die Wurzeln diese Verrichtung in Beziehung auf diejenigen Materien übernommen, welche der Halm, die Knospe, das Blatt und die Zweige zu ihrer Ausbildung bedurften.

In dieser Periode des Lebens nehmen die Organe der Assimilation aus der Atmosphäre mehr Nahrungsstoffe auf, als sie selbst verzehren, und mit der fortschreitenden Entwickelung des Holzkörpers, wo der Zufluß an Nahrung immer der nemliche bleibt, ändert sich die Richtung, in der sie verwendet wird, es beginnt die Entwicklung der Blüthe, und mit der Ausbildung der Frucht ist bei den meisten Panzen der Function der Blätter eine Grenze gesetzt, denn die Producte ihrer Thätigkeit finden keine Verwendung mehr. Sie unterliegen der Einwirkung des Sauerstoffs, wechseln in Folge derselben gewöhnlich ihre Farbe und fallen ab.

Zwischen der Periode der Blüthe und Fruchtbildung entstehen in allen Pflanzen in Folge einer Metamorphose der vorhandenen Stoffe, eine Reihe von neuen Verbindungen, welche vorher fehlten, von Materien, welche Bestandtheile der sich bildenden Blüthe, Frucht oder des Saamens ausmachen.

Eine organisch-chemische Metamorphose ist nun der Act der Umsetzung der Elemente einer oder mehrerer Verbindungen in zwei oder mehrere neuen, welche diese Elemente in einer andern Weise gruppirt, oder in andern Verhältnissen enthalten.

Von zwei Verbindungen, die in Folge dieser Umsetzungen gebildet werden, bleibt die eine als Bestandtheil in der Blüthe oder Frucht zurück, die andere wird in der Form von Excrementen von der Wurzel abgeschieden.

Die Ernährung des thierischen so wie des vegetabilischen Organismus ist ohne Ausscheidung von Excrementen nicht denkbar. Wir wissen ja, daß der Organismus nichts erzeugt sondern nur verwandelt, daß seine Erhaltung und Reproduction in Folge der Metamorphose der Nahrungsstoffe geschieht, die seine Elemente enthalten.

Nennen wir die Ursache der Metamorphose Lebenskraft, höhere Temperatur, Licht, Galvanismus oder wie wir sonst wollen, der Act der Metamorphose ist ein rein chemischer Proceß; Verbindung und Zerlegung kann nur dann vor sich gehen, wenn die Elemente die Fähigkeit dazu haben. Was der Chemiker Verwandtschaft nennt, bezeichnet weiter nichts als den Grad dieser Fähigkeit.

In der Betrachtung der Gährung und Fäulniß ist weitläuftig auseinandergesetzt worden, daß jede Störung in der Anziehung der Elemente einer Verbindung eine Metamorphose hervorruft, die Elemente ordnen sich unter einander zu neuen Verbindungen nach den Graden ihrer Anziehung, und diese neuen Verbindungen sind unter den gegebenen Bedingungen keiner weiteren Metamorphose mehr fähig.

Die Producte dieser Metamorphosen ändern sich mit den Ursachen, mit dem Wechsel der Bedingungen, durch die sie hervorgebracht werden, sie sind zahllos wie diese.

Der Character einer Säure z. B. ist ein unaufhörliches, bei verschiedenen Säuren ungleich starkes, Streben nach Ausgleichung durch eine Base, er verschwindet gänzlich, so wie diesem Streben genügt wird. Der Character einer Basis ist der umgekehrte; beide, obwohl in ihren Eigenschaften so verschiedenartig, bewirken durch diese Eigenthümlichkeiten in den meisten Fällen einerlei Metamorphose.

Blausäure und Wasser enthalten die Elemente von Kohlensäure, Ammoniak, Harnstoff, Cyanursäure, Cyamelid, Oxalsäure, Ameisensäure, Melam, Ammelid, Melamin, Ammelin, Azulmin, Mellon, Mellonwasserstoff, Allantoin ꝛc. Wir Alle wissen, daß die genannten in ihrer Zusammensetzung unendlich verschiedenen Stoffe aus Blausäure und Wasser, in chemischen Metamorphosen der mannichfaltigsten Art, wirklich gebildet werden können.

Der ganze Proceß der Ernährung der Organismen läßt sich durch die Betrachtung einer einzigen dieser Metamorphosen zur Anschauung bringen.

Blausäure und Wasser z. B. in Berührung mit Salzsäure zerlegen sich augenblicklich in Ameisensäure und Ammoniak; in beiden sind die Elemente der Blausäure und des Wassers, obwohl in einer andern Form, in anderer Weise geordnet, enthalten.

Es ist das Streben der Salzsäure nach Ausgleichung, wodurch diese Metamorphose bedingt worden ist.

In Folge dieses Strebens erleiden Blausäure und Wasser gleichzeitig eine Zersetzung; der Stickstoff der Blausäure und der Wasserstoff in dem Wasser treten zu einer Basis, zu Ammoniak zusammen, womit sich die Säure verband. Ihrem Streben war, wenn man solche Ausdrücke brauchen darf, Befriedigung geworden, ihr Character verschwand. Ammoniak war nur seinen Elementen nach vorhanden, aber die Fähigkeit, Ammoniak zu bilden, war da.

Die gleichzeitige Zersetzung der Blausäure und des Wassers geschah hier nicht in Folge einer chemischen Verwandtschaft der Salzsäure zu Ammoniak, denn Blausäure und Wasser enthalten kein Ammoniak. Eine Verwandtschaft eines Körpers zu einem zweiten, der gar nicht vorhanden, der erst gebildet wird, ist völlig undenkbar, und leicht wird man hieraus entnehmen, wie sehr diese Zersetzungsweisen (es sind dieß gerade die, welche man Metamorphosen nennt) von den gewöhnlichen chemischen Zersetzungen abweichen.

In Folge der Bildung von Ammoniak sind Kohlenstoff und Wasserstoff, die anderen Elemente der Blausäure, mit dem Sauerstoff des zersetzten Wassers zu Ameisensäure zusammengetreten; die Elemente und die Fähigkeit, sich zu verbinden, sind vorhanden.

Die Ameisensäure ist also hier das Excrement; das Ammoniak repräsentirt den durch das Organ assimilirten Stoff.

Das Organ nimmt von den dargebotenen Nahrungsmitteln, was es zu seiner eigenen Erhaltung, was es zu seiner Reproduction bedarf. Die übrigen Elemente, welche nicht assimilirt werden, treten zu neuen Verbindungen, zu Excrementen zusammen.

Während ihres Weges durch den Organismus kommen die Excremente des einen Organs in Berührung mit einem andern, durch dessen Einwirkung sie eine neue Metamorphose erfahren; die Excremente des einen Organs enthalten die Elemente der Nahrungsmittel für ein zweites und folgendes; zuletzt werden die, keiner Metamorphose mehr fähigen Stoffe durch die dazu bestimmten Organe aus dem Organismus entfernt. Jedes Organ ist für seine ihm eigenthümlichen Functionen eingerichtet. Ein Cubiczoll Schwefelwasserstoff in die Lunge gebracht, würde augenblicklichen Tod bewirken, in dem

Darmkanal wird es unter manchen Umständen ohne Nachtheil gebildet.

Durch die Nieren werden die in Folge von Metamorphosen entstandenen stickstoffhaltigen, durch die Leber die an Kohlenstoff reichen und durch die Lunge alle wasserstoff- und sauerstoffreichen Excremente aus dem Körper entfernt. Der Weingeist, die keiner Assimilation fähigen ätherischen Oele verdunsten nicht durch die Haut, sondern durch die Lunge.

Die Respiration selbst ist eine langsame Verbrennung, d. h. eine sich stets erneuernde Verwesung. Wendet man auf diesen Proceß die Regeln an, die sich aus der Betrachtung der verwesenden Materien im Allgemeinen entwickeln lassen, so ist klar, daß in der Lunge selbst der Sauerstoff der Luft mit dem Kohlenstoff einer Kohlenstoffverbindung, direct keine Kohlensäure bilden kann; es kann nur eine Oxidation von Wasserstoff, oder die Bildung eines höheren Oxides stattfinden. Es wird Sauerstoff aufgenommen, der keine Kohlensäure bildet; es wird Kohlensäure abgeschieden, deren Kohlenstoff und Sauerstoff von einer Materie aus dem Blute stammen *).

*) Eine Untersuchung der Luft, die von Lungensüchtigen ausgeathmet wird, so wie ihres Blutes, würde über diese Krankheit großes Licht verbreiten. Verwesung und Fäulniß bedingen sich gegenseitig, wie in dem zweiten Theile auseinander gesetzt ist. Die Zersetzung, welche das Blut in der Lunge erfährt, ist in der Lungensucht eine wahre Fäulniß. Der ganze Körper verwandelt sich in Blut, um das metamorphosirte zu ersetzen. Gewiß verdient es Beachtung, daß alle Mittel, welche diese schreckliche Krankheit mildern und ihren Ausgang verzögern, lauter solche sind, welche der Fäulniß entgegenwirken und sie unter Umständen aufzuheben vermögen. In Gasfabriken, in Salmiakhütten, in Holzessigfabriken, Theerschweelereien, in Gerbereien ist diese Krankheit ganz unbekannt, aber alle Substanzen, mit denen die Arbeiter in diesen Anstalten umgehen, sind Materien, die keine Art von Fäulniß aufkommen lassen. Das Einathmen von Chlor, von Essigsäure und aromatischen Substanzen sind als Linderungsmittel längst erprobt.

Durch die Harnwege wird der überflüssige Stickstoff als flüssiges Excrement, durch den Darmkanal alle, keiner Metamorphose mehr fähigen festen Stoffe, und durch die Lunge alle gasförmigen aus dem Körper entfernt.

Man darf sich durch den Popanz der Lebenskraft nicht abhalten lassen, den Proceß der Metamorphose der Nahrungsmittel und in ihrem Zusammenhang die Assimilation der Organismen in dem chemischen Gesichtspunkte zu betrachten, um so mehr, da man weiß, wie erfolglos, wie aller Anwendung unfähig die bis jetzt gewählten blieben.

Ist es denn wirklich die Lebenskraft, welche den Zucker, die erste Nahrung der jungen Pflanzen, im Keime erzeugt, welche dem Magen die Fähigkeit giebt, alle Stoffe, die ihm zugeführt werden, zur Assimilation vorzubereiten, ihre Auflösung zu bewirken?

Eine Abkochung von gekeimter Gerste besitzt so wenig wie ein todter Kalbsmagen die Eigenschaft, sich selbst zu reproduciren, von Leben kann in beiden keine Rede sein. Aber wenn man in die Abkochung der Gerste Amylon bringt, so verwandelt es sich zuerst in einen gummiähnlichen Stoff, zuletzt in Zucker. In der Abkochung des Kalbmagens, der man einige Tropfen Salzsäure zufügt, löſ't sich hartgekochtes Eiweiß und Muskelfaser gerade so auf, wie in dem Magen selbst*). (Schwann, Schulz).

Die Fähigkeit, Metamorphosen zu bewirken, gehört also nicht der Lebenskraft an, sie gehen vor sich in Folge von Störungen in der Anziehung der Elemente, in Folge also von chemischen Processen.

---

*) Das letztere merkwürdige Verhalten ist in dem hiesigen Laboratorium durch einen höchst ausgezeichneten jungen Physiologen Dr. Vogel aufs Vollständigste bestätigt worden.

Diese Processe stellen sich in einer andern Form dar, als wie die Zersetzung von Salzen oder von Oxiden und Schwefelungsstufen. Dieß ist keine Frage. Welche Schuld trägt aber die Chemie, wenn die Physiologie von diesen neuen Formen der chemischen Actionen keine Notiz nimmt!

Wenn wir wissen, daß die Basen aller alkalischen Salze, welche durch organische Säuren gebildet sind, durch die Harnwege in der Form von kohlensauren Alkalien abgeführt werden (Wöhler); ist es rationell, daß der Arzt in der Steinkrankheit seine Patienten Borax unzenweise zu sich nehmen läßt. Kommt denn die Transformation der Harnsteine, die aus Harnsäure bestehen, in die sogenannten Maulbeersteine, welche Oxalsäure enthalten, nicht täglich vor, wenn die in der Stadt lebenden Patienten das Land beziehen, wo sie mehr Vegetabilien genießen. An dem Rhein, wo das weinsaure Kali in so großer Menge genossen wird, haben sich aus den von den Physikatsärzten geführten Listen nur eingewanderte Steinkranke herausgestellt. Sind alle diese Erscheinungen keiner Erklärung fähig?

Aus dem in der Gährung gebildeten Fuselöl der Kartoffeln erzeugen wir das flüchtige Oel der Baldrianwurzel mit allen seinen Eigenschaften (Dumas), aus einem kristallinischen Stoff, aus der Weidenrinde bekommen wir das Oel der Spiraea ulmaria (Piria). Wir sind im Stande, Ameisensäure, Oxalsäure, Harnstoff, den krystallinischen Körper in der allantoischen Flüssigkeit der Kuh, lauter Producte der Lebenskraft, in unseren Laboratorien zu erzeugen. Wie man sieht, hat diese mysteriöse Lebenskraft viele Beziehungen mit den chemischen Kräften gemein, denn die letzteren können sogar ihre Rolle übernehmen. Diese Beziehungen sind es nun, welche ausgemittelt werden müssen. Wahrlich, es würde sonderbar erscheinen, wenn die Lebenskraft, die Alles zu ihren Zwecken braucht, wenn sie den chemischen Kräften keinen Antheil gestattete, die ihr zur freiesten Verfügung stehen. Sondern wir die Actionen, welche den chemischen Kräften angehören, von denen, die einem andern Impuls untergeordnet sind, und wir werden erlangen, was einer vernünftigen Naturforschung erreichbar ist. Den Ausdruck »Lebenskraft« muß man vorläufig für gleichbedeutend mit dem halten, was die Medizin »specifisch« oder »dynamisch« nennt; Alles ist specifisch, was man nicht erklären kann, und dynamisch ist die Erklärung von Allem, was man nicht weiß.

Metamorphosen vorhandener Verbindungen gehen in dem ganzen Lebensacte der Pflanzen vor sich, und in Folge derselben gasförmige Secretionen durch die Blätter und Blüthen, fester Excremente in den Rinden und flüssiger löslicher Stoffe durch die Wurzeln. Diese Secretionen finden statt unmittelbar vor dem Beginn und während der Dauer der Blüthe, sie vermindern sich nach der Ausbildung der Frucht; durch die Wurzeln werden kohlenstoffreiche Substanzen abgeschieden und von dem Boden aufgenommen.

In diesen Stoffen, welche unfähig sind, eine Pflanze zu ernähren, empfängt der Boden den größten Theil des Kohlenstoffs wieder, den er den Pflanzen im Anfange ihrer Entwickelung in der Form von Kohlensäure gegeben hatte.

Die von dem Boden aufgenommenen löslichen Excremente gehen durch den Einfluß der Luft und Feuchtigkeit einer fortschreitenden Veränderung entgegen; indem sie der Fäulniß und Verwesung unterliegen, erzeugt sich aus ihnen wieder der Nahrungsstoff einer neuen Generation, sie gehen in Humus über. Die im Herbste fallenden Blätter im Walde, die alten Wurzeln der Graspflanzen auf den Wiesen verwandeln sich durch diese Einflüsse ebenfalls in Humus. In dieser Form empfängt der Boden im Ganzen an Kohlenstoff mehr wieder, als der verwesende Humus als Kohlensäure abgab.

Im Allgemeinen erschöpft keine Pflanze in ihrem Zustande der normalen Entwickelung den Boden, in Beziehung auf seinen Gehalt an Kohlenstoff; sie macht ihn im Gegentheil reicher daran. Wenn aber die Pflanzen dem Boden den empfangenen Kohlenstoff wiedergeben, wenn sie ihn daran reicher machen, so ist klar, daß diejenige Menge, die wir in irgend einer Form bei der Ernte dem Boden nehmen, daß diese ihren Ursprung der Atmosphäre verdankt. Die Wirkung des Humus geht auf eine klare und unzweideutige Weise aus dem Vorhergehenden hervor.

Der Humus ernährt die Pflanze nicht, weil er im löslichen Zustande von derselben aufgenommen und als solcher assimilirt wird, sondern weil er eine langsame und andauernde Quelle von Kohlensäure darstellt, welche als das Hauptnahrungsmittel die Wurzeln der jungen Pflanze zu einer Zeit mit Nahrung versieht, wo die äußeren Organe der atmosphärischen Ernährung fehlen.

Die Oberfläche der Erde war vor der gegenwärtigen Periode mit Pflanzen bedeckt, deren Trümmer und Ueberreste die Braun- und Steinkohlenlager bilden.

Alle diese riesenhaften Palmen, Gräser, Farrenkräuter &c. gehören zu Pflanzenarten, denen die Natur durch eine ungeheure Ausdehnung der Blätter die Fähigkeit gegeben hat, den Boden für ihre Nahrung ganz zu entbehren.

Sie sind in dieser Beziehung ähnlich den Wurzel- und Zwiebelgewächsen, deren atmosphärische Organe im Anfange ihres Lebens auf Kosten ihrer eigenen Masse ernährt und entwickelt werden.

Noch jetzt rechnet man diese Klasse von Gewächsen zu denen, welche den Boden nicht erschöpfen.

Alle Pfl anzen der früheren Generationen unterscheiden sich von den gegenwärtig lebenden, durch die unbedeutende und schwache Entwickelung der Wurzel. Man findet in den Braunkohlenlagern Früchte, Blätter, Saamen, beinahe alle Theile der vorweltlichen Pfl anzen, allein die Wurzeln findet man nicht darin. Die Gefäßbündel, woraus sie bestanden, die leicht veränderlichen, schwammigen Zellen, sie waren es zuerst, welche der Zersetzung unterlagen, aber an Eichen und andern Bäumen, die in späteren Perioden durch ähnliche Revolutionen dieselben Veränderungen, wie die urweltlichen Gewächse erlitten haben, fehlen die Wurzeln niemals.

In den heißen Climaten sind die grünenden Gewächse mehrentheils solche, die nur einer Befestigung in dem Boden bedürfen, um ohne seine Mitwirkung sich zu entwickeln. Wie verschwindend ist bei den Cactus-, Sedum- und Sempervivum-Arten die Wurzel gegen die Masse, gegen die Oberfläche der Blätter, und in dem dürresten, trockensten Sand, wo von einer Zuführung von Nahrung durch die Wurzel gar nicht die Rede sein kann, sehen wir die milchsaftführenden Gewächse zur vollesten Entwickelung gelangen; die aus der Luft aufgenommene, zu ihrer Existenz unentbehrliche Feuchtigkeit, wird durch die Beschaffenheit des Saftes selbst vor der Verdunstung geschützt; Kautschuck, Wachs, umgeben, wie in den öligen Emulsionen, das Wasser mit einer Art undurchdringlichen Hülle, sie strotzen von Saft. Wie in der Milch die sich bildende Haut der Verdunstung eine Grenze setzt, so in diesen Pflanzen der Milchsaft.

Es würde nach den vorhergegangenen Betrachtungen völlig zwecklos und überflüssig erscheinen, wenn man durch einzelne Beispiele von Pflanzen, die in Versuchen im Kleinen, ohne

Beihülfe von Dammerde zur völligen Ausbildung gebracht worden sind, zu den Beweisen, die man über den Ursprung des Kohlenstoffs hat, noch neue hinzufügen wollte, die sie unter keinerlei Umständen schlagender und überzeugender machen können. Es kann aber hier nicht unerwähnt gelassen werden, daß die gewöhnliche Holzkohle in ihrer eigenthümlichen Beschaffenheit und durch die Eigenschaften, die man an ihr kennt, die Dammerde, den Humus aufs Vollständigste vertreten kann. Die Versuche und Erfahrungen von Lukas, welche diesem Werke beigegeben sind, überheben mich einer jeden weiteren Auseinandersetzung ihrer Wirksamkeit.

Man kann in ausgeglühtem (etwas ausgewaschenem) Kohlenpulver Pflanzen zur üppigsten Entwickelung, zum Blühen und zur Fruchtbildung bringen, wenn sie mit Regenwasser feucht erhalten werden.

Die Holzkohle ist aber der unveränderlichste, indifferenteste Körper, den man kennt, das Einzige, was sie der Pflanze von ihrer eigenen Masse abgeben kann, ist Kalk oder Kieselerde; man weiß, daß sie sich Jahrhunderte lang zu erhalten vermag, daß sie also der Verwesung nicht unterworfen ist.

Wir erkennen nun in der Holzkohle das Vermögen, Luft und kohlensaures Gas in ihren Poren zu verdichten, sie ist es, welche die sich bildende Wurzel, gerade so wie beim Humus, mit einer Atmosphäre von Kohlensäure und Luft versieht, eine Atmosphäre, die sich eben so schnell wieder erneuert, als sie hinweggenommen wird.

In Kohlenpulver, welches in den Versuchen von Lukas mehrere Jahre zu diesen Zwecken gedient hatte, fand Buchner über 2 Procent einer braunen in Alkalien löslichen Materie, sie stammt von den Secretionen der Wurzeln her, die in dem Kohlenpulver vegetiren.

Läßt man eine Pflanze in einem eingeschlossenen Gefäße wachsen, so daß die Luft und mit der Luft die Kohlensäure sich nicht erneuern können, so stirbt die Pflanze, gerade so wie sie im luftleeren Raume der Luftpumpe in Stickgas, in kohlensaurem Gas sterben würde, selbst wenn sie in die fruchtbarste Dammerde gepflanzt wäre.

Sie kommen aber im Kohlenpulver unter den gewöhnlichen Verhältnissen, wenn sie, anstatt mit Regen- oder Flußwasser, mit reinem destillirten Wasser begossen wird, nicht zur Fruchtbildung. Das Regenwasser muß deshalb noch eine Bedingung des Lebens der Pflanzen in sich schließen, und wir werden sehen, daß diese in einer Stickstoffverbindung besteht, bei deren Ausschluß der Humus und die Kohle ihren Einfluß auf die Vegetation gänzlich verlieren.

Die Assimilation des Wasserstoffs.

Die Luft enthält den Kohlenstoff der Gewächse in der Form von Kohlensäure, in der Form also einer Sauerstoffverbindung. Der feste Theil der Pflanzen, die Holzfaser, enthält Kohlenstoff und die Bestandtheile des Wassers, oder die Elemente der Kohlensäure plus einer gewissen Menge Wasserstoff. Wir können uns das Holz entstanden denken aus dem Kohlenstoff der Kohlensäure, der sich unter Mitwirkung des Sonnenlichtes mit den Elementen des vorhandenen Wassers verbindet; in diesem Falle müssen für je 27,65 Gewichtstheile Kohlenstoff, welcher von der Panze assimilirt wird, 72,35 Gewichtstheile Sauerstoff als Gas abgeschieden werden, oder was weit wahrscheinlicher ist: Die Pflanze zerlegt unter denselben Bedingungen bei Gegenwart von Kohlensäure das Wasser, sein Wasserstoff wird mit der Kohlensäure assimilirt, während sein Sauerstoff abgeschieden wird; zu 100 Theilen Kohlensäure müssen demnach 8,04 Theile Wasserstoff treten, um die Holzfaser zu bilden, und es werden 72,35 Gewichtstheile, eine dem Gehalt der Kohlensäure genau gleiche Quantität Sauerstoff, die mit diesem Wasserstoff verbunden waren, in der Form von Gas abgeschieden.

Ein jeder Morgen Land, welcher 10 Ctr. Kohle producirt wird mithin jährlich an die Atmosphäre 2600 ℔ reines Sauerstoffgas zurückgeben; da nun das specifische Gewicht des Sauerstoffs durch die Zahl 1,1026 ausgedrückt wird, so wiegt 1 Cubicmeter Sauerstoff, 1432 Grm. oder 2,864 ℔ hess. Gewicht und diese 2600 ℔ Sauerstoff entsprechen 908 Kubicmetern oder 58112 Cubicfuß (hess.) Sauerstoffgas.

Ein Morgen Wiese, Wald oder überhaupt cultivirtes Land ersetzt also den Sauerstoff der Atmosphäre wieder, welcher durch 10 Ctr. Kohlenstoff bei seiner Verbrennung in der Luft oder durch den Respirationsproceß der Thiere verzehrt wird.

Es ist erwähnt worden, daß die Holzfaser Kohle und die Bestandtheile des Wassers enthält, daß aber in dem Holz mehr Wasserstoff enthalten ist, als diesem Verhältniß entspricht; dieser Wasserstoff befindet sich darin in der Form von Blattgrün, Wachs, Oel, Harz oder überhaupt in der Form von sehr wasserstoffreichen Materien, er kann diesen Substanzen nur von dem Wasser geliefert worden sein; für jedes Aequivalent Wasserstoff, was in einer dieser Formen von der P anze assimilirt wird, muß 1 Aeq. Sauerstoff an die Atmosphäre zurückgegeben werden.

Man wird die Menge des hierdurch freiwerdenden Sauerstoffs nicht für verschwindend halten können, wenn man in Erwägung zieht, daß für jedes Pfund assimilirten Wasserstoff, die Atmosphäre 1792 Cubicfuß (hess.) Sauerstoff empfängt.

Wie erwähnt, giebt die Pflanze in dem Assimilationsproceß der Holzfaser eine Quantität Sauerstoff an die Atmosphäre, welche unter allen Umständen die nemliche ist, gleichgültig, ob seine Abscheidung in einer Zersetzung des Wassers ihre Ursache hat. — Das letztere ist oben für wahrscheinlicher erklärt worden.

Wir wissen aus der Bildung des Wachses, der flüchtigen und fetten Oele, des Kautschucks in den Pflanzen, daß sie im lebenden Zustande die Fähigkeit besitzen, Wasser zu zerlegen, denn der Wasserstoff dieser Materien kann nur von dem Wasser geliefert werden. Ja aus den Beobachtungen von A. v. Humbold über die Pilze ergiebt sich, daß eine Zersetzung des Wassers erfolgen kann, ohne Assimilation des Wasserstoffs. Wir kennen in dem Wasser die merkwürdige Verbindung zweier Elemente, die sich in zahllosen Processen von einander zu trennen vermögen, ohne daß wir im Stande sind, diese Trennung durch unsere Sinne wahrzunehmen, während die Kohlensäure nur unter den gewaltsamsten Einwirkungen zersetzbar ist.

Die meisten Pflanzengebilde enthalten Wasserstoff in der Form von Wasser, welches sich als solches abscheiden, ersetzen läßt durch andere Körper; derjenige Wasserstoff aber, welcher zu ihrer Constitution wesentlich ist, kann unmöglich in der Form von Wasser darinn enthalten sein.

Aller zum Bestehen einer organischen Verbindung unentbehrliche Wasserstoff wird durch Zersetzung von Wasser der Pflanze geliefert.

Der Assimilationsproceß der Planze in seiner einfachsten

Form stellt sich mithin dar als eine Aufnahme von Wasserstoff aus dem Wasser, und von Kohlenstoff aus der Kohlensäure, in Folge welcher aller Sauerstoff des Wassers und aller Sauerstoff der Kohlensäure, wie bei den flüchtigen sauerstofffreien Oelen, dem Kautschuck rc., oder nur ein Theil dieses Sauerstoffs abgeschieden wird.

Die bekannte Zusammensetzung der verbreitetsten organischen Verbindungen gestattet uns, die Quantität des ausgeschiedenen Sauerstoffs in bestimmten Verhältnissen auszudrücken.

36 Aeq. Kohlensäure und 22 Aeq. Wasserstoff aus 22 Aeq. Wasser
= Holzfaser, mit Ausscheidung von 72 Aeq. Sauerstoff.
36 Aeq. Kohlensäure und 36 Aeq. Wasserstoff aus 36 Aeq. Wasser
= Zucker, mit Ausscheidung von 72 Aeq. Sauerstoff.
36 Aeq. Kohlensäure und 30 Aeq. Wasserstoff aus 30 Aeq. Wasser
= Stärke, mit Ausscheidung von 72 Aeq. Sauerstoff.
36 Aeq. Kohlensäure und 16 Aeq. Wasserstoff aus 16 Aeq. Wasser
= Gerbesäure, mit Ausscheidung von 64 Aeq. Sauerstoff.
36 Aeq. Kohlensäure und 18 Aeq. Wasserstoff aus 18 Aeq. Wasser
= Weinsäure, mit Ausscheidung von 45 Aeq. Sauerstoff.
36 Aeq. Kohlensäure und 18 Aeq. Wasserstoff aus 18 Aeq. Wasser
= Aepfelsäure, mit Ausscheidung von 54 Aeq. Sauerstoff.
30 Aeq. Kohlensäure und 24 Aeq. Wasserstoff aus 24 Aeq. Wasser
= Terpentinöl, mit Ausscheidung von 84 Aeq. Sauerstoff.

Man beobachtet leicht, daß die Bildung der Säuren begleitet ist von der schwächsten Sauerstoffausscheidung, sie nimmt zu bei den sogenannten neutralen Stoffen der Holzfaser, Zucker, Stärke, und erreicht ihr Maximum bei den Oelen. Die Wirkung des Sonnenlichtes, der Einfluß der Wärme bei dem Reifen der Früchte, wird gewissermaßen durch diese Zahlen repräsentirt.

Beim Reifen der Früchte im Dunkeln vermindert sich unter Absorbtion von Sauerstoff das harzige wasserstoffreiche Blattgrün; es bilden sich rothe und gelbe Farbestoffe; Weinsäure, Citronensäure, Gerbesäure verschwinden, an ihrer Stelle findet sich Zucker, Amylon oder Gummi.

6 Aeq. Weinsäure, beim Hinzutreten von 6 Aeq. Sauerstoff, geben Traubenzucker unter Abscheidung von 12 Aeq. Kohlensäure.

1 Aeq. Gerbestoff, beim Hinzutreten von 8 Aeq. Sauerstoff und 4 Aeq. Wasser, geben unter Ausscheidung von 6 Aeq. Kohlensäure 1 Aeq. Amylum.

Auf diese und ähnliche Weise läßt sich die Bildung von allen stickstofffreien Bestandtheilen aus Kohlensäure und Wasserstoff mit Ausscheidung von Sauerstoff und die Umwandlung des einen in den andern durch Ausscheidung von Kohlensäure unter Assimilation von Sauerstoff erklären.

Wir wissen nicht, in welcher Form die Bildung der Bestandtheile organischer Wesen vor sich geht; in dieser Beziehung muß man diese Entwicklung als ein Bild betrachten, geeignet, uns die Entstehung zu versinnlichen, allein man muß dabei nicht vergessen, daß, wenn die Verwandlung der Weinsäure in Zucker, in den Weintrauben z. B., als Thatsache angesehen wird, so kann sie in keinerlei Umständen in anderen Verhältnissen vor sich gehen.

Der Lebensproceß in der Pflanze stellt sich unter dem bezeichneten Gesichtspunkt dar, als der Gegensatz des chemischen Processes in der Salzbildung. Kohlensäure, Wasser und Zink, miteinander in Berührung, üben eine bestimmte Wirkung auf einander aus, unter Abscheidung von Wasserstoff entsteht eine weiße pulverförmige Verbindung, welche Kohlensäure, Zink und den Sauerstoff des Wassers enthält.

Die lebende Pflanze vertritt in diesem Proceß das Zink; es entstehen in ihrem Assimilationsprocesse unter Ausscheidung von Sauerstoff, Verbindungen, welche die Elemente der Kohlensäure und den Wasserstoff des Wassers enthalten.

Die Verwesung ist im Eingange als der große Naturproceß bezeichnet worden, in welchem die Pflanze den Sauerstoff an die Luft wieder abgiebt, den sie im lebenden Zustande von derselben nahm. In der Entwickelung begriffen, hat sie Kohlenstoff in der Form von Kohlensäure und Wasserstoff aufgenommen, unter Abscheidung des Sauerstoffs des Wassers und einem Theil oder allem Sauerstoff der Kohlensäure. In dem Verwesungsproceß wird genau die dem Wasserstoff entsprechende Menge von Wasser durch Oxidation auf Kosten der Luft wieder gebildet; aller Sauerstoff der organischen Materie kehrt in der Form der Kohlensäure zur Atmosphäre zurück. Nur in dem Verhältniß also, in welchem die verwesenden Materien Sauerstoff enthalten, können sie in dem Act der Verwesung Kohlensäure entwickeln, die Säuren mehr als die neutralen Verbindungen; die fetten Säuren, Harz und Wachs, verwesen nicht mehr, sie erhalten sich in dem Boden ohne bemerkbare Veränderung.

Der Ursprung und die Assimilation des Stickstoffs.

In dem humusreichsten Boden kann die Entwickelung der Vegetabilien nicht gedacht werden ohne das Hinzutreten von Stickstoff, oder einer stickstoffhaltigen Materie.

In welcher Form und wie liefert die Natur dem vegetabilischen Eiweiß, dem Kleber, den Früchten und Saamen diesen für ihre Existenz durchaus unentbehrlichen Bestandtheil?

Auch diese Frage ist einer einfachen Lösung fähig, wenn man sich erinnert, daß Pflanzen zum Wachsen, zur Entwickelung gebracht werden können in reinem Kohlenpulver beim Begießen mit Regenwasser.

Das Regenwasser kann den Stickstoff nur in zweierlei Form enthalten, in der Form von aufgelös'ter atmosphärischer Luft, oder in der Form von Ammoniak.

Der Stickstoff in der Luft kann durch die gewaltsamsten chemischen Processe nicht befähigt werden, eine Verbindung mit irgend einem Elemente außer dem Sauerstoffe einzugehen; wir haben nicht den entferntesten Grund zu glauben, daß der Stickstoff der Atmosphäre Antheil an dem Assimilationsproceß der Thiere oder Pflanzen nimmt, im Gegentheil wissen wir, daß viele P anzen Stickgas aushauchen, was die Wurzeln in der Form von Luft oder aufgelös't im Wasser aufgenommen hatten.

Wir haben auf der andern Seite zahllose Erfahrungen, daß die Entwickelung von stickstoffreichem Kleber in den Cerealien in einer gewissen Beziehung steht zu der Menge des aufgenommenen Stickstoffs, der ihren Wurzeln in der Form von Ammoniak durch verwesende thierische Körper zugeführt wird.

Das Ammoniak steht in der Mannigfaltigkeit der Metamorphosen, die es bei Berührung mit anderen Körpern einzugehen vermag, dem Wasser, was sie in einen so eminenten Grade darbietet, in keiner Beziehung nach. In reinem Zustande im Wasser im hohen Grade löslich, fähig, mit allen Säuren lösliche Verbindungen zu bilden, fähig in Berührung mit andern Körpern, seine Natur als Alkali gänzlich aufzugeben, und die verschiedenartigsten direct einander gegenüberstehenden Formen einzunehmen; diese Eigenschaften finden wir in keinem andern stickstoffhaltigen Körper wieder.

Ameisensaures Ammoniak verwandelt sich durch den Einfluß einer höheren Temperatur in Blausäure und Wasser, ohne Abscheidung eines Elements; mit Cyansäure bildet es Harnstoff; mit ätherischem Senföl, Bittermandelöl, eine Reihe krystallinischer Körper; mit dem krystallisirbaren bittern Bestandtheil, der Aepfelwurzelrinde, dem Phloridzin, mit dem süßen des Lichen dealbatus, dem Orcin, mit dem geschmacklosen der Roccella tinctoria, dem Erynthrin verwandelt es sich bei Gegenwart von Wasser und Luft in prachtvoll blau oder rothe Farbstoffe; sie sind es, welche als Lackmus, Orseille, künstlich erzeugt werden. In allen diesen Verbindungen hat das Ammoniak aufgehört, in der Form von Ammoniak zu existiren, in der Form eines Alkalis. Alle blauen Farbestoffe, welche durch Säuren roth, alle rothen, welche durch Alkalien, wie das Lackmus, blau werden, enthalten Stickstoff, aber den Stickstoff nicht in der Form einer Basis.

Dieses Verhalten reicht nicht allein hin, um die Meinung zu rechtfertigen, daß das Ammoniak es ist, was allen Vegetabilien ohne Ausnahme, den Stickstoff in ihren stickstoffhaltigen, Bestandtheilen liefert.

Betrachtungen anderer Art geben nichtsdestoweniger dieser Meinung einen Grad der Gewißheit, der jede andere Form der Assimilation des Stickstoffs gänzlich ausschließt.

Fassen wir in der That den Zustand eines wohlbewirthschafteten Gutes ins Auge, von der Ausdehnung, daß es sich selbst zu erhalten vermag, so haben wir darauf eine gewisse Summe von Stickstoff, was wir in der Form von Thieren, Menschen, Getreide, Früchte, in der Form von Thier- und Menschenexcrementen in ein Inventarium gebracht uns vorstellen wollen. Das Gut wird bewirthschaftet ohne Zufuhr von Stickstoff in irgend einer Form von Außen.

Jedes Jahr nun werden die Producte dieser Oekonomie ausgetauscht gegen Geld und andere Bedürfnisse des Lebens, gegen Materialien, die keinen Stickstoff enthalten. Mit dem Getreide, mit dem Vieh führen wir aber ein bestimmtes Quantum Stickstoff aus, und diese Ausfuhr erneuert sich jedes Jahr ohne den geringsten Ersatz; in einer gewissen Anzahl von Jahren nimmt das Inventarium an Stickstoff noch überdieß zu. Wo kommt, kann man fragen, der jährlich ausgeführte Stickstoff her? (Boussingault.)

Der Stickstoff in den Excrementen kann sich nicht reproduciren, die Erde kann keinen Stickstoff liefern, es kann nur die Atmosphäre sein, aus welcher die Pflanzen und in Folge davon die Thiere ihren Stickstoff schöpfen. (Boussingault.)

Es wird in dem zweiten Theil entwickelt werden, daß die letzten Producte der Fäulniß und Verwesung stickstoffhaltiger thierischer Körper in zwei Formen auftreten, in den gemäßigten und kalten Climaten in der Form der Wasserstoffverbindung des Stickstoffs, als Ammoniak, unter den Tropen in der Form seiner Sauerstoffverbindung, der Salpetersäure, daß aber der Bildung der letzteren stets die Erzeugung der ersteren vorangeht. Ammoniak ist das letzte Product der Fäulniß animalischer Körper, Salpetersäure ist das Product der Verwesung des Ammoniaks. Eine Generation von einer Milliarde Menschen erneuert sich alle dreißig Jahre; Milliarden von Thieren gehen unter, und reproduciren sich in noch kürzeren Perioden. Wo ist der Stickstoff hingekommen, den sie im lebenden Zustande enthielten?

Keine Frage läßt sich mit größerer Sicherheit und Gewißheit beantworten. Die Leiber aller Thiere und Menschen geben nach dem Tode durch ihre Fäulniß allen Stickstoff, den sie enthalten, in der Form von Ammoniak an die Atmosphäre zurück. Selbst in den Leichen auf dem Kirchhofe des Innocens in Paris, 60 Fuß unter der Oberfläche der Erde, war aller Stickstoff, den sie in dem Adipocire zurückbehielten, in der Form von Ammoniak enthalten; es ist die einfachste, die letzte unter allen Stickstoffverbindungen, und es ist der Wasserstoff, zu dem der Stickstoff die entschiedenste, die überwiegendste Verwandtschaft zeigt.

Der Stickstoff der Thiere und Menschen ist in der Atmosphäre als Ammoniak enthalten, in der Form eines Gases, was sich mit Kohlensäure zu einem flüchtigen Salze verbindet, ein Gas, was sich im Wasser mit außerordentlicher Leichtigkeit löst, dessen flüchtige Verbindungen ohne Ausnahmen diese nemliche Löslichkeit besitzen.

Als Ammoniak kann sich der Stickstoff in der Atmosphäre nicht behaupten, denn mit jeder Condensation des Wasserdampfes, zu tropfbarem Wasser, muß sich alles Ammoniak verdichten, jeder Regenguß muß die Atmosphäre in gewissen Strecken von allem Ammoniak auf's Vollkommenste befreien. Das Regenwasser muß zu allen Zeiten Ammoniak enthalten, im Sommer, wo die Regentage weiter von einander entfernt stehen, mehr wie im Winter oder Frühling; der Regen des ersten Regentages muß mehr davon enthalten, als der des zweiten, nach anhaltender Trockenheit, müssen Gewitterregen, die größte Quantität Ammoniak der Erde wieder zuführen. Die Analysen der Luft haben aber bis jetzt diesen, in derselben nie fehlenden Ammoniakgehalt nicht angezeigt; ist es denkbar, daß er unsern feinsten und genauesten Instrumenten entgehen konnte? Gewiß ist diese Quantität für einen Cubikfuß Luft verschwindend, dessenungeachtet ist sie die Summe des Stickstoffgehaltes von tausenden von Milliarden Thieren und Menschen, mehr als hinreichend, um die einzelnen Milliarden der lebenden Geschöpfe mit Stickstoff zu versehen.

Aus der Tension des Wasserdampfes bei 15° (6,98 Par. Linien) und aus dem bekannten specifischen Gewichte desselben bei 0° ergiebt sich, daß bei 15° und 28″ Barometerstand 1 Cubicmeter = 64 Cubicfuß (hess.) Wasserdampf von 15° enthalten sind in 487 Cubicmeter = 31,168 Cubicfuß Luft. Diese 64 Cubicfuß Wasserdampf wiegen 0,767 Grammen oder 1 ℔ 16,8 Loth.

Wenn wir nun annehmen, daß die bei 15° völlig mit Feuchtigkeit gesättigte Luft alles Wasser, was sie in Gasgestalt enthält, tropfbarflüssig in der Form von Regen fallen läßt, so bekommen wir 1 ℔ Regenwasser aus 20800 Cubicfuß Luft.

Mit diesem einem Pfunde Regenwasser muß die ganze Quantität des in der Form von Gas, in 20800 Cubicfuß Luft enthaltenen Ammoniaks, der Erde wieder zugeführt werden. Nehmen wir nun an, daß diese 20800 Cubicfuß Luft nur einen einzigen Gran Ammoniak enthalten, so enthalten 10 Cubiczoll Luft, die wir der Analyse unterwerfen, 0,00000048 Gran Ammoniak; diese außerordentlich geringe Quantität ist absolut unbestimmbar in der Luft, durch die feinsten und besten Eudiometer, ihre Bestimmung fiele in die Beobachtungsfehler selbst dann noch, wenn sie zehntausendmal mehr betrüge.

Aber in dem Pfunde Regenwasser, was den ganzen Ammoniakgehalt von 20800 Cubikfuß Luft enthält, muß sie bestimmbar sein; es ist klar, daß wenn dieses eine Pfund nur ¼ Gran Ammoniak enthält, daß jährlich in den 2,500,000 ℔ Regenwasser, die durchschnittlich auf 2500 □Meter Land fallen, nahe an 80 ℔ Ammoniak und damit 65 ℔ reiner Stickstoff zugeführt werden. Dieß ist bei weitem mehr als 2650 ℔

Holz oder 2800 ℔ Heu oder 200 Ctr Runkelrüben, die Erträge von 1 Morgen Wald, Wiese und cultivirtem Land in der Form von vegetabilischem Eiweiß oder Kleber — es ist weniger als Stroh, Korn und Wurzeln auf einem Morgen Getreidefeld, enthalten.

Die genauesten und mit aller Sorgfalt in dem hiesigen Laboratorium angestellten Versuche haben den Amoniakgehalt des Regenwassers außer allem Zweifel gestellt; er ist bis jetzt nur deßhalb aller Beachtung entgangen, weil Niemand daran gedacht hat, in Beziehung auf seine Gegenwart eine Frage zu stellen.

Alles Regenwasser, was zu diesen Versuchen genommen wurde, war etwa 600 Schritte, südwestlich von der Stadt Gießen, in einer Lage aufgefangen, wo die Richtung des Regenwindes nach der Stadt zugekehrt war.

Wenn man mehrere hundert Pfunde Regenwasser in einer reinen kupfernen Blase der Destillation unterwarf und die ersten vorübergehenden Pfunde mit Zusatz von Salzsäure verdampfen ließ, so bekam man nach gehöriger Concentration beim Erkalten eine netzförmige sehr erkennbare Krystallisation von Salmiak; stets waren die Krystalle braun oder gelb gefärbt.

Das Ammoniak fehlt eben so wenig im Schneewasser. Der Schnee enthält beim Beginn des Schneefalles ein Maximum von Ammoniak, und selbst in dem, welcher 9 Stunden nach dem Anfang des Schneiens gefallen war, ließ sich das Ammoniak aufs Deutlichste nachweisen.

Bemerkenswerth ist, daß das im Schnee und Regenwasser vorhandene Ammoniak, wenn es durch Kalk entwickelt wird, von einem auffallenden Geruch nach Schweiß und fauligen Stoffen begleitet ist, was über seinen Ursprung keinen Zweifel läßt.

Hünefeld hat dargethan, daß alle Brunnen in Greifswalde, Wiek, Eldena, Kostenhagen kohlensaures und salpetersaures Ammoniak enthalten; man hat Ammoniaksalze in vielen Mineralquellen z. B. in Kissingen und anderswo entdeckt; der Gehalt der letzteren kann allein nur aus der Atmosphäre kommen.

Jedermann kann sich auf die einfachste Weise von seinem Vorhandensein im Regenwasser überzeugen, wenn man frisch aufgefangenes Regenwasser, in reinen Porcellanschalen, mit Zusatz von etwas Schwefelsäure oder Salzsäure, bis nahe zur Trockniß verdampfen läßt. Diese Säuren nehmen dem Ammoniak, indem sie sich damit verbinden, seine Flüchtigkeit; der Rückstand enthält Salmiak oder schwefelsaures Ammoniak, das man mit Platinchlorid und noch viel leichter an dem durchdringend urinösen Geruch erkennt, welcher sich beim Zusatz von pulverigen Kalkhydrat entwickelt.

Von diesem Ammoniakgehalt rührt die von dem reinen destillirten Wasser so verschiedene Beschaffenheit, in der Benetzung der Haut, sogenannte Weichheit, des Regenwassers her; es ist darin enthalten als kohlensaures Ammoniak.

Das Vorhandensein des Ammoniaks in der Atmosphäre, als unbestreitbare Thatsache festgestellt, wissen wir, daß sich seine Gegenwart in jedem Zeitmomente, durch die ununterbrochene fortschreitende Fäulniß und Verwesung thierischer und vegetabilischer Stoffe in der Luft wieder erneuert; ein Theil des mit dem Regenwasser niedergefallenen Ammoniaks verdampft wieder mit dem Wasser, ein anderer Theil wird, wir wollen es annehmen, von den Wurzeln der Pflanzen aufgenommen, und indem er neue Verbindungen eingeht, entstehen daraus, je nach den verschiedenen Organen der Assimilation, Eiweißstoff, Kleber, Chinin, Morphium, Cyan und die große

Zahl der anderen Stickstoffverbindungen. Das bekannte chemische Verhalten des Ammoniaks entfernt jeden, auch den leisesten Zweifel in Beziehung auf seine Fähigkeit, Verbindungen dieser Art einzugehen, sich also zu den mannigfaltigsten Metamorphosen zu eignen; die jetzt zu lösende Frage beschränkt sich lediglich darauf, ob das Ammoniak in der Form von Ammoniak von den Wurzeln der Pflanzen aufgenommen, ob es von den Organen der Pflanze zur Hervorbringung der darin enthaltenen stickstoffhaltigen Stoffe verwendet wird. Diese Frage ist leicht und mit den bekanntesten und entscheidensten Thatsachen zu lösen.

Im Jahr 1834 beschäftigte ich mich gemeinschaftlich mit Herrn Geh. Medicinalrath Wilbrand, Professor der Botanik an der hiesigen Universität, mit der Bestimmung des Zuckergehaltes verschiedener Ahornarten, welche auf ungedüngtem Boden standen. Wir bekamen aus allen durch bloße Abdampfung ohne weiteren Zusatz krystallisirten Zucker und machten bei dieser Gelegenheit die unerwartete Beobachtung, daß dieser Saft bei Zusatz an Kalk, wie der Rohrzucker bei der Raffination behandelt, eine große Menge Ammoniak entwickelte. In der Voraussetzung, daß durch die Bosheit eines Menschen, Urin in die an den Bäumen aufgestellten Gefäße zum Aufsammeln des Saftes gekommen wäre, wurden sie mit großer Aufmerksamkeit überwacht, allein auch in diesem Safte fand sich wieder eine reichliche Menge Ammoniak in der Form eines neutralen Salzes vor, denn der Saft war vollkommen farblos und besaß keine Wirkung auf Pflanzenfarben.

Dieselbe Beobachtung wurde an Birkensaft gemacht, welcher zwei Stunden von jeder menschlichen Wohnung entfernt, von Bäumen aus dem Walde gewonnen war; der mit Kalk geklärte Saft abgedampft, entwickelte reichlich Ammoniak.

Das Thränenwasser der Weinrebe hinterläßt, mit einigen Tropfen Salzsäure abgedampft, eine farblose gummiähnliche zerfließliche Masse, welche durch Zusatz von Kalk reichlich Ammoniak entwickelt.

In den Rübenzuckerfabriken werden Tausende von Cubikfußen Saft, täglich mit Kalk geklärt, von allem Kleber und vegetabilischem Eiweiß befreit, zur Krystallisation abgedampft. Jedermann, welcher in eine solche Fabrik eintritt, wird von der außerordentlich großen Menge Ammoniak überrascht, was sich mit den Wasserdämpfen verflüchtigt und in der Luft verbreitet. Auch dieses Ammoniak ist darin in der Form eines Ammoniaksalzes zugegen, denn der neutrale Saft verhält sich wie ihre Auflösungen im Wasser; er nimmt wie diese beim Verdampfen eine saure Reaction an, indem sich das neutrale Salz durch Ammoniakverlust in saures verwandelt. Die freie Säure, die hierbei entsteht, ist wie man weiß eine Quelle von Verlust an Rohrzucker für die Rübenzuckerfabrikanten, da durch sie ein Theil des Rohrzuckers in nicht krystallisirbaren Traubenzucker und Syrup übergeht. Die in den Apotheken durch Destillation über Blüthen, Kräutern und Wurzeln erhaltenen Wasser, alle Extracte von Pflanzen enthalten Ammoniak. Der unreife, einer durchsichtigen Gallerte ähnliche, Kern der Mandeln und Pfirsiche entwickelt beim Zusatz von Alkalien reichlich Ammoniak. (Robiquet). Der Saft frischer Tabacksblätter enthält Ammoniaksalze. Wurzeln (Runkelrüben), Stämme (Ahorn), alle Blüthen, die Früchte im unreifen Zustande, überall findet sich Ammmoniak.

In dem Ahornsaft, dem Birkensafte ist neben Zucker der stickstoffreichste unter allen Körpern das Ammoniak, es sind darin alle Bedingungen der Bildung der stickstoffhaltigen und stickstofffreien Bestandtheile der Triebe, Sprossen und Blätter enthalten. Mit ihrer Entwickelung vermindert sich die Menge des Saftes, mit ihrer Ausbildung giebt der Baum keinen Saft mehr. Den entscheidensten Beweis, daß es das Ammoniak ist, was den Vegetabilien den Stickstoff liefert, giebt die animalische Düngung in der Cultur der Futtergewächse und Cerealien.

Der Gehalt an Kleber ist in dem Weizen, in dem Roggen, der Gerste äußerst verschieden, ihre Körner, auch in dem ausgebildetesten Zustande, sind ungleich reich an diesem stickstoffhaltigen Bestandtheil. In Frankreich fand Proust 12,5 p. c., in Baiern Vogel 24, nach Davy enthält der Winterweizen 19, der Sommerweizen 24 p. c., der Sicilianische 21, der aus der Berberei 19 p. c., das Mehl aus Elsasser Weizen enthält nach Boussingault 17,3, aus Weizen, der im Jardin des plantes gezogen ward, 26,7, der Winterweizen enthält 33,3 p. c. (Boussingault) Kleber. Diesen so großen Abweichungen muß eine Ursache unterliegen, und wir finden diese Ursache in der Cultur. Eine Vermehrung des animalischen Düngers hat nicht allein eine Vermehrung der Anzahl der Saamen zur Folge, sie übt einen nicht minder bemerkenswerthen Einfluß auf die Vergrößerung des Glutengehaltes.

Der animalische Dünger wirkt nun, wie später gezeigt werden soll, nur durch Ammoniakbildung; während 100 Weizen mit dem am Ammoniak ärmsten Kuhmist gedüngt, nur 11,95 p. c. Kleber und 62,34 Amylon enthielten, gab der mit Menschenharn gedüngte Boden das Maximum an Kleber, nemlich 35,1 p. c. in 100 Th. Weizen, also nahe die dreifache Menge. (Hermbstädt.) In gefaultem Menschenharn ist aber der Stickstoff als kohlensaures, phosphorsaures, milchsaures Ammoniak, und in keiner andern Form als in der Form eines Ammoniaksalzes enthalten.

„In Flandern wird der gefaulte Urin mit dem größten Erfolg als Dünger verwendet. In der Fäulniß des Urins erzeugen sich im Ueberfluß, man kann sagen ausschließlich nur Ammoniaksalze, denn unter dem Einfluß der Wärme und Feuchtigkeit verwandelt sich der Harnstoff, welcher in dem Urin vorwaltet, in kohlensaures Ammoniak. An der Peruanischen Küste wird der Boden, der an und für sich im höchsten Grade unfruchtbar ist, vermittelst eines Düngers, des Guano *), fruchtbar gemacht, den man auf mehreren Inselchen des Südmeeres sammelt. In einem Boden, der einzig und allein nur aus Sand und Thon besteht, genügt es, dem Boden nur eine kleine Quantität Guano beizumischen, um darauf die reichsten Ernten von Mais zu erhalten. Der Boden enthält außer Guano nicht das geringste einer andern organischen Materie und dieser Dünger enthält weiter nichts, wie harnsaures, phosphorsaures, oxalsaures, kohlensaures Ammoniak und einige Erdsalze.“ (*Boussingault*, Ann. de ch. et de phys. LXV. p. 319.)

Das Ammoniak in seinen Salzen hat also diesen Pflanzen den Stickstoff geliefert. Was man in dem Getreide aber Kleber nennt, heißt in dem Traubensafte vegetabilisches Eiweiß, in den Pflanzensäften Pflanzenleim; obwohl dem Namen nach verschieden, sind diese drei Körper in ihrem Verhalten, in ihrer Zusammensetzung identisch.

Das Ammoniak ist es, was dem Hauptbestandtheil der Pflanzen, dem vegetabilischen Eiweiß, den Stickstoff liefert, nur das Ammoniak kann es sein, aus dem sich die blauen und rothen Farbestoffe in den Blumen bilden. In keiner andern Form als in der Form von Ammoniak bietet sich den wild-

*) Der Guano stammt auf diesen Inseln von zahllosen Wasservögeln, welche sie zur Zeit der Brut bewohnen, es sind die verfaulten Excremente derselben, welche den Boden mit einer mehre Fuß hohen Schicht bedecken.

wachsenden Pflanzen assimilirbarer Stickstoff dar, es ist das Ammoniak, was sich im Taback, der Sonnenblume, dem Chenopodium, dem Borago officinalis in Salpetersäure verwandelt, wenn sie auf völlig salpeterlosem Boden wachsen; salpetersaure Salze sind in ihnen Bedingungen ihrer Existenz, sie entwickeln nur dann die üppigste Vegetation, wenn ihnen Sonnenlicht und Ammoniak im Ueberfluß dargeboten wird; Sonnenlicht, was in ihren Blättern und Stengeln die Ausscheidung von freiem Sauerstoff bewirkt, Ammoniak, durch dessen Verbindung mit dem Sauerstoff unter allen Umständen Salpetersäure gebildet wird.

Der Urin des Menschen und der fleischfressenden Thiere enthält die größte Menge Stickstoff; theils in der Form von phosphorsauren Salzen, theils in der Form von Harnstoff; der letztere verwandelt sich durch Fäulniß in doppelt kohlensaures Ammoniak, d. h. er nimmt die Form des Salzes an, was wir im Regenwasser finden.

Der Urin des Menschen ist das kräftigste Düngmittel für alle an Stickstoff reichen Vegetabilien, der Urin des Hornviehs, der Schafe, des Pferdes ist minder reich an Stickstoff, aber immer noch unendlich reicher als die Excremente dieser Thiere.

Der Urin der grasfressenden Thiere enthält neben Harnstoff Hippursäure, die sich durch die Fäulniß in Ammoniak und Benzoesäure zersetzt, wir finden das Ammoniak derselben als Kleber, und die Benzoesäure in dem Anthoxanthum odoratum als Benzoesäure wieder.

Vergleichen wir den Stickstoffgehalt der Excremente von Thieren und Menschen mit einander, so verschwindet der Stickstoffgehalt der festen, wenn wir ihn mit dem Gehalt an Stickstoff in den flüssigen vergleichen, dieß kann der Natur der Sache nach nicht anders sein.

Die Nahrungsmittel, welche Thiere und Menschen zu sich nehmen, unterhalten nur insofern das Leben, die Assimilation, als sie dem Organismus die Elemente darbieten, die er zu seiner eigenen Reproduction bedarf; das Getreide, die frischen und trocknen Gräser und Pflanzen enthalten ohne Ausnahme stickstoffreiche Bestandtheile.

Das Gewicht des Futters und der Speise, welche das Thier zu seiner Ernährung zu sich nimmt, vermindert sich in dem nämlichen Verhältniß, als dieses Futter, die Speise, reich, sie nimmt in dem Verhältniß zu, als das Futter arm ist, an diesen stickstoffhaltigen Bestandtheilen. Man kann durch Fütterung mit Kartoffeln allein ein Pferd am Leben erhalten, aber dieses Leben ist ein langsames Verhungern, es wächst ihm weder Masse noch Kraft zu, es unterliegt einer jeden Anstrengung. Die Quantitäten von Reis, welche der Indier bei seiner Mahlzeit zu sich nimmt, setzen den Europäer in Erstaunen, aber der Reis ist die an Stickstoff ärmste unter allen Getreidearten.

Es ist klar, daß der Stickstoff der Pflanzen und Saamen, welche Thieren zur Nahrung dienen, zur Assimilation verwendet wird, die Excremente dieser Thiere müssen, wenn sie verdaut sind, ihres Stickstoffs beraubt sein, sie können nur insofern Stickstoff noch enthalten, als ihnen Secretionen der Galle und Eingeweide beigemischt sind. Sie müssen unter allen Umständen weniger Stickstoff enthalten, als die Speisen, als das Futter. Die Excremente der Menschen sind unter allen die stickstoffreichsten, denn das Essen ist bei ihnen nicht nur die Befriedigung eines Bedürfnisses, sondern zugleich eine Quelle von Genuß, sie genießen mehr Stickstoff, als sie bedürfen, und dieser Ueberschuß geht in die Excremente über.

Wir bringen demnach in der Bewirthschaftung der Felder,

die wir mit thierischen Excrementen fruchtbarer machen, unter allen Umständen weniger stickstoffhaltige Materie zurück, als wir davon als Futter, Kraut oder Saamen denselben genommen haben, wir fügen durch den Dünger, dem Nahrungsstoff, den die Atmosphäre liefert, eine gewisse Quantität desselben hinzu, und die eigentlich wissenschaftliche Aufgabe für den Oekonomen beschränkt sich mithin darauf, dasjenige stickstoffhaltige Nahrungsmittel der Pflanzen, welches die Excremente der Thiere und Menschen durch ihre Fäulniß erzeugen, dieses Nahrungsmittel für seine Pflanzen zu verwenden. Wenn er es nicht in der geeigneten Form auf seine Aecker bringen würde, wäre es für ihn zum großen Theil verloren. Ein unbenutzter Haufen Dünger würde ihm nicht mehr als seinen Nachbarn zu Gute kommen, nach einigen Jahren würde er an seinem Platze die kohlehaltigen Ueberreste der verwesenden Pflanzentheile, aber in ihnen keinen Stickstoff mehr wieder finden. Aller Stickstoff würde daraus in Form von kohlensaurem Ammoniak entwichen sein.

Jedes thierische Excrement ist eine Quelle von Ammoniak und Kohlensäure, welche so lange dauert, als noch Stickstoff darin vorhanden ist, in jedem Stadium seiner Verwesung oder Fäulniß entwickelt es mit Kalilauge befeuchtet Ammoniak, was an dem Geruche und durch die dicken weißen Dämpfe bemerkbar wird, wenn man einen mit Säure benetzten festen Gegenstand in ihre Nähe bringt, dieses Ammoniak wird von dem Boden, theils in Wasser gelöst, theils in Form von Gas aufgenommen und eingesaugt und mit ihm findet die Pflanze eine größere Menge des ihr unentbehrlichen Stickstoffs vor, als die Atmosphäre ihr liefert.

Aber es ist weit weniger die Menge von Ammoniak, was thierische Excremente den Pflanzen zuführen, als die Form, in welcher es geschieht, welche ihren so auffallenden Einfluß auf die Fruchtbarkeit des Bodens bedingt.

Die wildwachsenden Pflanzen erhalten durch die Atmosphäre in den meisten Fällen mehr Stickstoff in der Form von Ammoniak, als sie zu ihrer Entwickelung bedürfen, denn das Wasser, was durch die Blüthen und Blätter verdunstet, geht in stinkende Fäulniß über, eine Eigenschaft, welche nur stickstoffhaltigen Materien zukommt.

Die Culturpflanzen empfangen von der Atmosphäre die nemliche Quantität Stickstoff, wie die wildwachsenden, wie die Bäume und Sträucher; allein er ist nicht hinreichend für die Zwecke der Feldwirthschaft; sie unterscheidet sich darin wesentlich von der Forstwirthschaft, als ihre Hauptaufgabe, ihr wichtigster Zweck, in der Produktion von assimilirbarem Stickstoff in irgend einer Form besteht, während der Zweck der Forstwirthschaft sich hauptsächlich nur auf die Produktion von Kohlenstoff beschränkt.

Diesen beiden Zwecken sind alle Mittel der Cultur untergeordnet. Von dem kohlensauren Ammoniak, was das Regenwasser dem Boden zuführt, geht nur ein Theil in die Pflanze über, denn mit dem verdampfenden Wasser verflüchtigt sich, jeder Zeit, eine gewisse Menge davon. Nur was der Boden in größerer Tiefe empfängt, was mit dem Thau unmittelbar den Blättern zugeführt wird, was sie aus der Luft mit der Kohlensäure einsaugen, nur dieß Ammoniak wird für die Assimilation gewonnen werden können.

Die flüssigen thierischen Excremente, der Urin der Menschen und Thiere, mit welchem die ersten durchdrungen sind, enthalten den größten Theil des Ammoniaks in der Form von Salzen, in einer Form, wo es seine Fähigkeit sich zu verflüchtigen gänzlich verloren hat.

In diesem Zustande dargeboten geht auch nicht die kleinste Menge davon der Pflanze verloren, es wird im Wasser gelöst von den Wurzelfasern eingesaugt.

Die so in die Augen fallende Wirkung des Gypses auf die Entwicklung der Grasarten, die gesteigerte Fruchtbarkeit und Ueppigkeit einer Wiese, die mit Gyps bestreut ist, sie beruht auf weiter nichts, als auf der Fixirung des Ammoniaks der Atmosphäre, auf der Gewinnung von derjenigen Quantität, die auf nicht gegypstem Boden mit dem Wasser wieder verdunstet wäre.

Das in dem Regenwasser gelös'te kohlensaure Ammoniak zerlegt sich mit dem Gyps auf die nemliche Weise wie in den Salmiakfabriken, es entsteht lösliches, nicht flüchtiges schwefelsaures Ammoniak und kohlensaurer Kalk. Nach und nach verschwindet aller Gyps, aber seine Wirkung hält an, so lange noch eine Spur davon vorhanden ist.

Man hat die Wirkung des Gypses und vieler Salze mit der von Gewürzen verglichen, welche die Thätigkeit des Magens, der Eingeweide steigern und den Organismus befähigen, mehr und kräftiger zu verdauen.

Eine Pflanze enthält keine Nerven, es ist keine Substanz denkbar, durch die sie in Rausch, in Schlaf, in Wahnsinn versetzt werden kann; es kann keine Stoffe geben, durch welche ein Blatt gereizt wird, eine größere Menge Kohlenstoff aus der Luft sich anzueignen, wenn die anderen Bestandtheile fehlen, welche die Pflanze, der Saamen, die Wurzel, das Blatt neben dem Kohlenstoff zu ihrer Entwickelung bedürfen.

Die günstigen Wirkungen von kleinen Quantitäten, den Speisen der Menschen beigemischten Gewürzen sind unleugbar, aber man giebt ja den Pflanzen das Gewürz allein, ohne die Speise hinzuzufügen, die sie verdauen sollen, und dennoch gedeihen sie mit weit größerer Ueppigkeit.

Man sieht leicht, daß die gewöhnliche Ansicht über den Einfluß gewisser Salze auf die Entwickelung der Pflanzen weiter nichts bethätigt, als daß man die Ursache nicht kannte. Die Wirkung des Gypses, des Chlorcalciums ist eine Fixirung des Stickstoffs, ein Festhalten in dem Boden von Ammoniak, was die Pflanzen nicht entbehren können.

Um sich eine bestimmte Vorstellung von der Wirksamkeit des Gypses zu machen, wird die Bemerkung genügen, daß 100 ℔ gebrannter Gyps so viel Ammoniak in dem Boden fixiren, als 6250 ℔ reiner Pferdeharn *) demselben in der Voraussetzung zuführen können, daß der Stickstoff der Hippursäure und der des Harnstoffs in der Form von kohlensaurem Ammoniak ohne den geringsten Verlust an der Pflanze aufgenommen wurden.

Nehmen wir nun nach Boussingault (Ann. de chim. et de phys. T. LXIII. pag. 243) an, daß das Gras $\frac{1}{100}$ seines Gewichts Stickstoff enthält, so steigert ein Pfd Stickstoff, welches wir mehr zuführen, den Ertrag der Wiese um 100 ℔ Futter, und diese 100 ℔ Mehrertrag, sind der Erfolg der Wirkung von 4 ℔ Gyps.

Zur Assimilation des gebildeten schwefelsauren Ammoniaks und zur Zersetzung des Gypses ist, seiner Schwerlöslichkeit (1 Theil bedarf 400 Theile Wasser) wegen, Wasser die unentbehrlichste Bedingung, auf trockenen Feldern und Wiesen ist deshalb sein Einfluß nicht bemerkbar, während auf diesen, thie-

---

*) Der Pferdeharn enthält nach Fourcroy und Vauquelin in 1000 Theilen:

Harnstoff	7	Theile,
hippursaures Natron	24	»
Salze und Wasser .	979	»
	1000	Theile.

rischer Dünger, durch die Assimilation des gasförmigen kohlensauren Ammoniaks, was sich daraus in Folge seiner Verwesung entwickelt, seine Wirkung nicht versagt.

Die Zersetzung des Gypses durch das kohlensaure Ammoniak geht nicht auf einmal, sondern sehr allmählig vor sich, woraus sich erklärt, warum seine Wirkung mehrere Jahre anhält.

Nicht minder einfach erklärt sich jetzt die Düngung der Felder mit gebranntem Thon, die Fruchtbarkeit der eisenoxidreichen Bodenarten; man hat angenommen, daß ihre bis dahin so unbegreifliche Wirkung auf einer Anziehung von Wasser beruhe, aber die gewöhnliche trockene Ackererde besitzt diese Eigenschaft in nicht geringerem Grade, und welchen Einfluß kann man zuletzt einigen hundert Pfunden Wasser zuschreiben, welche in einem Zustande auf einem Acker vertheilt sind, wo weder die Wurzel noch die Blätter Nutzen davon ziehen können.

Eisenoxid und Thonerde zeichnen sich vor allen andern Metalloxiden durch die Fähigkeit aus, sich mit Ammoniak zu festen Verbindungen vereinigen zu können. Die Niederschläge, die wir durch Ammoniak in Thonerde- und Eisenoxidsalzen hervorbringen, sind wahre Salze, worin das Ammoniak die Rolle einer Base spielt.

Diese ausgezeichnete Verwandtschaft zeigt sich noch in der merkwürdigen Fähigkeit, welche alle eisenoxid- oder thonerdereichen Mineralien besitzen, Ammoniak aus der Luft anzuziehen und zurückzuhalten.

Ein Criminalfall gab bekanntlich Vauquelin die Veranlassung zur Entdeckung, daß alles Eisenoxid eine gewisse Quantität Ammoniak enthält; später fand Chevallier, daß das Ammoniak einen Bestandtheil aller eisenhaltigen Mineralien ausmacht, daß sogar der nicht poröse Blutstein nahe ein p. c. Ammoniak enthält, und Bouis entdeckte, daß der Geruch, den man beim Befeuchten aller thonreichen Mineralien bemerkt, zum Theil von ausgehauchtem Ammoniak herrührt; eine Menge Gyps- und Thonarten, die Pfeifenerde und andere, entwickelten selbst noch nach zwei Tagen, wenn sie mit kaustischem Kali befeuchtet wurden, so viel Ammoniak, daß darüber gehaltenes geröthetes Lackmuspapier davon blau wurde.

Eisenoxidhaltiger Boden und gebrannter Thon, dessen poröser Zustand das Einsaugen von Gas noch mehr begünstigt, sind also wahre Ammoniaksauger, welches sie durch ihre chemische Anziehung vor der Verflüchtigung schützen; sie verhalten sich gerade so, wie wenn eine Säure auf der Oberfläche des Bodens ausgebreitet wäre. Mineral- und andere Säuren würden aber in den Boden dringen, sie würden durch ihre Verbindung mit Kalk, Thonerde und anderen Basen ihre Fähigkeit, Ammoniak aus der Luft aufzunehmen, schon nach einigen Stunden verlieren. Mit jedem Regenguß tritt das eingesaugte Ammoniak an das Wasser, und wird in Auflösung dem Boden zugeführt.

Eine nicht minder energische Wirkung zeigt in dieser Beziehung das Kohlenpulver; es übertrifft sogar im frisch geglühten Zustande alle bekannten Körper in der Fähigkeit, Ammoniakgas in seinen Poren zu verdichten, da 1 Volumen davon 90 Volumina Ammoniakgas in seinen Poren aufnimmt, was sich durch bloßes Befeuchten daraus wieder entwickelt. (Saussure.)

In dieser Fähigkeit kommt der Kohle das verwesende (Eichenholz) Holz sehr nahe, da es unter der Luftpumpe, von allem Wasser befreit, 72mal sein eigenes Volumen davon verschluckt.

Wie leicht und befriedigend erklären sich nach diesen Thatsachen die Eigenschaften des Humus (der verwesenden Holzfaser). Er ist nicht allein eine lange andauernde Quelle von Kohlensäure, sondern er versieht auch die Pflanzen mit dem zu ihrer Entwickelung unentbehrlichen Stickstoff. Wir finden Stickstoff in allen Flechten, welche auf Basalten, auf Felsen wachsen; wir finden, daß unsere Felder mehr Stickstoff produciren, als wir ihnen als Nahrung zuführen; wir finden Stickstoff in allen Bodenarten, in Mineralien, die sich nie in Berührung mit organischen Substanzen befanden. Es kann nur die Atmosphäre sein, aus welcher sie diesen Stickstoff schöpfen.

Wir finden in der Atmosphäre, in dem Regenwasser, im Quellwasser, in allen Bodenarten diesen Stickstoff in der Form von Ammoniak, als Product der Verwesung und Fäulniß der ganzen, der gegenwärtigen Generation vorangegangenen, Thier- und Pflanzenwelt; wir finden, daß die Production der stickstoffreichen Bestandtheile der Pflanzen mit der Quantität Ammoniak zunimmt, die wir in dem thierischen Dünger zuführen; und kein Schluß kann wohl besser begründet sein als der, daß das Ammoniak der Atmosphäre es ist, welches den Pflanzen ihren Stickstoff liefert.

Kohlensäure, Ammoniak und Wasser enthalten in ihren Elementen, wie sich aus dem Vorhergehenden ergiebt, die Bedingungen zur Erzeugung aller Thier- und Pflanzenstoffe, während ihres Lebens. Kohlensäure, Ammoniak und Wasser sind die letzten Producte des chemischen Processes ihrer Fäulniß und Verwesung. Alle die zahllosen, in ihren Eigenschaften so unendlich verschiedenen, Producte der Lebenskraft nehmen nach dem Tode die ursprünglichen Formen wieder an, aus denen sie gebildet worden sind. Der Tod, die völlige Auflösung einer untergegangenen Generation, ist die Quelle des Lebens für eine neue.

Sind die genannten Verbindungen, kann man nun fragen, die einzigen Bedingungen des Lebens aller Vegetabilien? Diese Frage muß entschieden verneint werden.

Die anorganischen Bestandtheile der Vegetabilien.

Kohlensäure, Ammoniak und Wasser können von keiner Pflanze entbehrt werden, eben weil sie die Elemente enthalten, woraus ihre Organe bestehen; aber zur Ausbildung gewisser Organe zu besonderen Verrichtungen, eigenthümlich für jede Pflanzenfamilie, gehören noch andere Materien, welche der P anze durch die anorganische Natur dargeboten werden.

Wir finden diese Materien, wiewohl in verändertem Zustande, in der Asche der Pflanzen wieder.

Von diesen anorganischen Bestandtheilen sind viele veränderlich, je nach dem Boden, auf dem die Pflanzen wachsen; allein eine gewisse Anzahl davon ist für ihre Entwickelung unentbehrlich.

Die Wurzel einer Pflanze in der Erde verhält sich zu allen gelös'ten Stoffen wie ein Schwamm, der das Flüssige und Alles, was darin ist, ohne Auswahl einsaugt. Die der Pflanze in dieser Weise zugeführten Stoffe werden in größerer oder geringerer Menge zurückbehalten oder wieder ausgeschieden, je nachdem sie zur Assimilation verwendet werden, oder sich nicht dafür eignen.

In den Saamen aller Grasarten fehlt aber z. B. niemals phosphorsaure Bittererde in Verbindung mit Ammoniak; es ist in der äußeren hornartigen Hülle enthalten und geht durch das Mehl in das Brot und ebenfalls in das Bier über. Die Kleie des Mehls enthält die größte Menge davon, und es ist dieses Salz, aus dem im krystallisirten Zustande, die oft mehrere Pfund schweren Steine in dem Blinddarm der Müllerpferde gebildet werden, welches sich aus dem Bier in Gestalt eines weißen Niederschlags absetzt, wenn man es mit Ammoniak vermischt.

Die meisten, man kann sagen, alle Pflanzen enthalten organische Säuren von der mannichfaltigsten Zusammensetzung und Eigenschaften; alle diese Säuren sind an Basen gebunden, an Kali, Natron, Kalk oder Bittererde, nur wenige Pflanzen enthalten freie organische Säuren; diese Basen sind es offenbar, welche durch ihr Vorhandensein die Entstehung dieser Säuren vermitteln; mit dem Verschwinden der Säure bei dem Reifen der Früchte, der Weintrauben z. B., nimmt der Kaligehalt des Saftes ab.

In denjenigen Theilen der Pflanzen, in denen die Assimilation am stärksten ist, wie in dem Holzkörper, finden sich diese Bestandtheile in der geringsten Menge, ihr Gehalt ist am größten in den Organen, welche die Assimilation vermitteln; in den Blättern findet sich mehr Kali, mehr Asche, als in den Zweigen, diese sind reicher daran, als der Stamm (Saussure). Vor der Blüthe enthält das Kartoffelnkraut mehr Kali, als nach derselben (Mollerat).

In den verschiedenen Pflanzenfamilien finden wir die verschiedensten Säuren, Niemand kann nur entfernt die Ansicht hegen, daß ihre Gegenwart, daß ihre Eigenthümlichkeit ein Spiel des Zufalls sei. Die Fumarsäure, die Oxalsäure in den Flechten, die Chinasäure in den Rubiaceen, die Roccellsäure in der Roccella tinctoria, die Weinsäure in den Weintrauben, und die zahlreichen andern organischen Säuren, sie müssen in dem Leben der Panze zu gewissen Zwecken dienen. Das Bestehen einer Pflanze kann ohne ihre Gegenwart nicht gedacht werden.

In dieser Voraussetzung aber, welche für unbestreitbar gehalten werden darf, ist irgend eine alkalische Basis ebenfalls eine Bedingung ihres Lebens, denn alle diese Säuren kommen in der P anze als neutrale oder saure Salze vor. Es giebt keine Pflanze, welche nicht nach dem Einäschern eine Kohlensäure haltige Asche hinterläßt, keine also, in welcher pflanzensaure Salze fehlen.

Von diesem Gesichtspunkte aus betrachtet, gewinnen diese Basen eine für die Physiologie und Agricultur hochwichtige Bedeutung, denn es ist klar, daß die Quantitäten dieser Basen, wenn das Leben der Pflanzen in der That an ihre Gegenwart gebunden ist, unter allen Umständen ebenso unveränderlich sein muß, als es, wie man weiß, die Sättigungscapacität der Säuren ist.

Es ist kein Grund vorhanden zu glauben, daß die Pflanze im Zustande der freien ungehinderten Entwickelung mehr von der ihr eigenthümlichen Säure producire, als sie grade zu ihrem Bestehen bedarf; in diesem Falle aber wird eine Pflanze, auf welchem Boden sie auch wachsen mag, stets eine nie wechselnde Menge alkalischer Basis enthalten. Nur die Cultur wird in dieser Hinsicht eine Abweichung bewirken können.

Um diesen Gegenstand zum klaren Verständniß zu bringen, wird es kaum nöthig sein, daran zu erinnern, daß sich alle diese alkalischen Basen in ihrer Wirkungsweise vertreten können, daß mithin der Schluß, zu dem wir nothwendig gelangen müssen, in keiner Beziehung gefährdet wird, wenn eine dieser Basen in einer P anze vorkommt, während sie in einer andern P anze derselben Art fehlt.

Wenn der Schluß wahr ist, so muß die fehlende Basis ersetzt und vertreten sein, durch eine andere von gleichem Wirkungswerth, sie muß ersetzt sich vorfinden durch ein Aequivalent von einer der andern Basen. Die Anzahl der Aequivalente dieser Basen wären hiernach eine unveränderliche Größe, und hieraus würde von selbst die Regel gefolgert werden müssen, daß die Sauerstoffmenge aller alkalischen Basen zusammengenommen unter allen Umständen unveränderlich ist, — auf welchem Boden die Pflanze auch wachsen, welchen Boden sie auch erhalten mag.

Dieser Schluß bezieht sich, wie sich von selbst versteht, nur auf diejenigen alkalischen Basen, welche als pflanzensaure Salze Bestandtheile der Pflanzen ausmachen, wir finden nun grade diese in der Asche derselben als kohlensaure Salze wieder, deren Quantität leicht bestimmbar ist.

Es sind von Saussure und Berthier eine Reihe von Analysen von Pflanzenaschen angestellt worden, aus denen sich als unmittelbares Resultat ergab, daß der Boden einen entschiedenen Einfluß auf den Gehalt der Pflanzen an diesen Metalloxiden hat, daß Fichtenholzasche vom Mont Breven z. B. Bittererde enthielt, welche in der Asche desselben Baumes vom Gebirge La Salle fehlte, daß die Mengen des Kali's und Kalks in den Bäumen der beiden Standorte ebenfalls sehr verschieden war.

Man hat, wie ich glaube mit Unrecht, hieraus geschlossen, daß die Gegenwart dieser Basen in den Pflanzen in keiner besonderen Beziehung zu ihrer Entwickelung stehe, denn wenn dieß wirklich wäre, so müßte man es für das sonderbarste Spiel des Zufalls halten, daß gerade durch diese Analysen der Beweis vom Gegentheil geführt werden kann.

Diese beiden Fichtenaschen von einer so ungleichen Zusammensetzung enthalten nemlich nach de Saussure's Analyse eine gleiche Anzahl von Aequivalenten von diesen Metalloxiden.

oder, was das nemliche ist, der Sauerstoffgehalt von allen zusammen genommen ist in beiden gleich.

100 Theile Fichtenasche vom Mont Breven enthalten:

Kohlensaures Kali . .	3,60	Sauerstoffgehalt des Kalis . .	0,41
Kohlensauren Kalk . .	46,34	» » des Kalks . .	7,33
Kohlensaure Bittererde	6,77	» » der Bittererde	1,27
Summe der kohlensauren Salze . . .	56,71.	in Summe Sauerstoff	9,01.

100 Theile Fichtenasche vom Mont La Salle enthalten:

Kohlensaures Kali	7,36	Sauerstoffgehalt des Kalis	0,85
Kohlensauren Kalk	51,19	» » » Kalks	8,10
Bittererde	00,00		
Summe der kohlensauren Salze	58,55.	in Summe Sauerstoff	8,95.

Die Zahlen 9,01 und 8,95, welche den Sauerstoffgehalt aller Basen in beiden Fichtenaschen zusammen genommen ausdrücken, sind einander so nahe, wie nur in Analysen erwartet werden kann, wo die Ausmittelung desselben die ganze Aufmerksamkeit in Anspruch nimmt.

Vergleicht man Berthier's Analysen von zwei Tannenaschen mit einander, von der die eine in Norwegen, die andere in Allevard (Dep. de l'Isère) vorkommt, so findet man in der einen 50 p. c., in der andern nur 25 p. c. lösliche Salze, es giebt kaum in zwei ganz verschiedenen Pflanzengattungen eine größere Verschiedenheit in dem Gewichtsverhältniß der darin vorkommenden alkalischen Basen, und dennoch sind die Sauerstoffmengen der Basen zusammen genommen einander gleich.

100 Theile Tannenholzasche von Allevard nach Berthier (Ann. de chim. et de phys. T. XXXII. p 248.).

Kali und Natron	16,8	Sauerstoffgehalt *)		3,42
Kalk	29,5	»	»	8,20
Magnesia	3,2	»	»	1,20
	49,5.			12,82.

Das Kali und Natron ist in dieser Asche nur zum Theil mit Pflanzensäure verbunden, ein anderer Theil ist als schwefelsaures und phosphorsaures Salz und Chlormetall zugegen, in 100 Theilen sind davon 3,1 Schwefelsäure, 4,2 Phosphorsäure und 0,3 Chlorwasserstoffsäure, welche zusammen eine Quantität Basis neutralisiren, die 1,20 Sauerstoff enthält. Diese Zahl muß von 12,82 abgezogen werden. Man hat demnach 11,82 für die Sauerstoffmenge der an Pflanzensäuren in dem Tannenholz von Allevard gebundenen alkalischen Basen.

Das Tannenholz von Norwegen enthält in 100 Theilen:

Kali ...	14,1	Sauerstoffgehalt		2,4
Natron .	20,7	»	»	5,3
Kalk ...	12,3	»	»	3,45
Magnesia	4,35	»	»	1,69
	51,45.			12,84.

Zieht man von 12,84 die Sauerstoffmengen der Basen ab, die in dieser Asche mit Schwefelsäure und Phosphorsäure vereinigt sind, nemlich 1,37, so bleiben für Sauerstoff in den Basen der pflanzensauren Salze 11,47.

Diese so merkwürdige Uebereinstimmung kann nicht zufällig sein, und wenn weitere Untersuchungen sie bei andern Pflanzengattungen bestätigen, so läßt sich ihr keine andere Erklärung unterlegen. Wir wissen nicht, in welcher Form die Kieselerde,

---

*) Für gleiche Atomgewichte angenommen.

das Mangan- und Eisenoxid in der Pflanze enthalten ist, nur darüber sind wir gewiß, daß Kali, Natron und Bittererde durch bloßes Wasser in der Form von pflanzensauren Salzen aus allen Pflanzentheilen ausgezogen werden können, dasselbe ist der Fall mit dem Kalk, wenn er nicht als unlöslicher kleesaurer Kalk zugegen ist. Man muß sich daran erinnern, daß in den Oxalisarten Kleesäure und Kali vorkommt, und zwar nie als neutrales oder als vierfachsaures, sondern stets als doppeltsaures Salz, auf welchem Boden die Pflanze auch wachsen mag; wir finden in den Weintrauben das Kali immer als Weinstein, als saures Salz, nie in der Form von neutralerm. Für die Entwickelung der Früchte und Saamen, man kann sagen, für eine Menge von Zwecken, die wir nicht kennen, muß die Gegenwart dieser Säuren und Basen eine gewisse Bedeutung haben, eben weil sie niemals fehlen und weil die Form ihres Vorkommens keinem Wechsel unterliegt. Die Quantität der in einer Pflanze vorkommenden alkalischen Basen hängt aber lediglich von dieser Form ab, denn die Sättigungscapacität einer Säure ist eine unveränderliche Größe, und wenn wir sehen, daß der kleesaure Kalk in den Flechten den fehlenden Holzkörper, die Holzfaser, vertritt und ersetzt, so müssen den löslichen pflanzensauren Salzen eben so bestimmte, wenn auch abweichende Funktionen zugeschrieben werden.

Genaue und zuverlässige Untersuchungen der Asche von Pflanzen derselben Art, welche auf verschiedenen Bodenarten gewachsen sind, erscheinen hiernach als eine für die Physiologie der Gewächse höchst folgenreiche Aufgabe, sie werden entscheiden, ob sich diese merkwürdige Thatsache zu einem bestimmten Gesetze für eine jede Pflanzenfamilie gestaltet, ob also eine jede noch außerdem durch eine gewisse unveränderliche Zahl characterisirt werden kann, welche der Ausdruck des Sauerstoffgehalts der

Basen ist, die in der Form von pflanzensauren Salzen ihrem Organismus angehören.

Man kann mit einiger Wahrscheinlichkeit voraussetzen, daß diese Forschungen zu einem wichtigen Resultate führen werden, denn es ist klar, wenn die Erzeugung von bestimmten unveränderlichen Mengen von pflanzensauren Salzen durch die Eigenthümlichkeit ihrer Organe geboten, wenn sie zu gewissen Zwecken für ihr Bestehen unentbehrlich sind, so wird die P anze Kali oder Kalk aufnehmen müssen, und wenn sie nicht so viel vorfindet, als sie bedarf, so wird das Fehlende durch andere alkalische Basen von gleichem Wirkungswerthe ersetzt werden; wenn ihr keine von allen sich darbietet, so wird sie nicht zur Entwickelung gelangen.

Der Saame von Salsola Kali giebt in gewöhnliche Gartenerde gesäet eine Pflanze, welche Kali und Natron enthält, der Saame der letzteren liefert eine Pflanze, worin sich bloß Kalisalze mit Spuren von Kochsalz vorfinden. (Cadet.)

Das Vorkommen von organischen Basen in der Form von pflanzensauren Salzen giebt der Meinung, daß alkalische Basen überhaupt zur Entwickelung der Pflanzen gehören, ein großes Gewicht.

Wir sehen z. B., wenn wir Kartoffeln unter Umständen wachsen lassen, wo ihnen die Erde, als das Magazin anorganischer Basen fehlt, wenn sie z. B. in unsern Kellern wachsen, daß sich in ihren Trieben, in ihren langen, dem Lichte sich zuwendenden Keimen, ein wahres Alkali von großer Giftigkeit, des Solanin erzeugt, von dem wir nicht die kleinste Spur in den Wurzeln, dem Kraut, den Blüthen oder Früchten derjenigen Kartoffeln entdecken, die im Felde gewachsen sind. (Otto.)

In allen Chinasorten findet sich Chinasäure, aber die veränderlichsten Mengen von Chinin, Cinchonin und Kalk, man kann den Gehalt an den eigentlichen organischen Basen ziemlich genau nach der Menge von fixen Basen beurtheilen, die nach der Einäscherung zurückbleiben.

Einem Maximum der ersteren entspricht ein Minimum der andern, gerade so wie es in der That stattfinden muß, wenn sie sich gegenseitig nach ihren Aequivalenten vertreten.

Wir wissen, daß die meisten Opiumsorten Meconsäure, gebunden an die veränderlichsten Mengen von Narcotin, Morphin, Codein ꝛc. enthalten, stets vermindert sich die Quantität der einen mit dem Zunehmen der andern. Die kleinste Menge Morphin finden wir stets begleitet von einem Maximum von Narcotin.

In manchen Opiumsorten läßt sich keine Spur Meconsäure entdecken *), aber die Säure fehlt deshalb nicht, sie ist in diesem Fall durch eine anorganische Säure, durch Schwefelsäure vertreten und auch hier zeigt sich in den Sorten, wo beide vorhanden sind, daß sie zu einander stets in einem gewissen Verhältnisse stehen.

Wenn aber, wie in dem Safte des Mohns sich herauszustellen scheint, eine organische Säure in einer Pflanze vertreten sein kann durch eine anorganische, ohne daß die Entwickelung der Pflanze darunter leidet, so muß dieß in um so höherem Grade bei den anorganischen Basen stattfinden können.

Finden die Wurzeln der Pflanze, die eine Base, in hinreichender Menge vor, so wird sie um so weniger von der andern nehmen.

Im Zustande der Cultur, wo von außen her auf die Hervorbringung und Erzeugung einzelner Bestandtheile und besonderer

*) Robiquet bekam in einer Behandlung von 300 ℔ Opium keine Spur meconsauren Kalk, während andere Sorten ihm sehr beträchtliche Quantitäten davon gaben. (Ann. de chim. LIII. p. 425.)

Organe eingewirkt wird, werden diese Verhältnisse minder beständig sich zeigen.

Wenn wir die Erde, in welcher eine weiße blühende Hyazinthe steht, mit dem Safte von Phytolaca decandra begießen, so sehen wir nach einer oder zwei Stunden die weißen Blüthen eine rothe Farbe annehmen, sie färben sich vor unsern Augen, aber im Sonnenlichte verschwindet in zwei bis drei Tagen die Farbe wieder, sie werden weiß und farblos, wie sie im Anfange waren*). Offenbar ist hier der Saft ohne die geringste Aenderung in seiner chemischen Beschaffenheit in alle Theile der Pflanze übergegangen, ohne durch seine Gegenwart der Pflanze zu schaden, ohne daß man behaupten kann, sie sei für die Existenz der Pflanze nothwendig gewesen. Aber dieser Zustand war nicht dauernd, und wenn die Blüthe wieder farblos geworden ist, so wird keiner der Bestandtheile des rothen Farbstoffs mehr vorhanden sein; nur in dem Fall, daß einer davon den Zwecken ihres Lebens dienen konnte, wird sie diesen allein zurückbehalten, die übrigen werden durch die Wurzel in veränderter Form abgeschieden werden.

Ganz derselbe Fall muß eintreten, wenn wir eine Pflanze mit Auflösungen von Chlorkalium, Salpeter oder salpetersaurem Strontian begießen, sie werden wie der erwähnte Pflanzensaft in die Pflanze übergehen, und wenn wir sie zu dieser Zeit verbrennen, so werden wir die Basen in der Asche finden, ihre Gegenwart ist rein zufällig, es kann hieraus kein Schluß gegen die Nothwendigkeit des Vorhandenseins der anderen Basen gezogen werden. Wir wissen aus den schönen Versuchen von Macaire-Princep, daß Pflanzen, die man mit ihren Wur-

---

*) Siehe Biot in den Comptes rendús de Séances de l'academie des Sciences a Paris 1re Semestre 1837. p. 12.

zeln in schwachen Auflösungen von essigsaurem Bleioxid und sodann in Regenwasser vegetiren ließ, daß das letztere von derselben essigsaures Bleioxid wieder empfing, daß sie also dasjenige wieder dem Boden zurückgeben, was zu ihrer Existenz nicht nothwendig ist.

Begießen wir eine Pflanze, die im Freien dem Sonnenlichte, dem Regen und der Atmosphäre ausgesetzt ist, mit einer Auflösung von salpetersaurem Strontian, so wird das anfangs aufgenommene, aber durch die Wurzeln wieder abgeführte Salz bei jeder Benetzung des Bodens durch den Regen, von den Wurzeln weiter entfernt; nach einiger Zeit wird sie keine Spur mehr davon enthalten.

Fassen wir nun den Zustand der beiden Tannen ins Auge, deren Asche von einem der schärfsten und genauesten Analytiker untersucht worden ist. Die eine wächst in Norwegen auf einem Boden, dessen Bestandtheile sich nie ändern, dem aber durch Regenwasser lösliche Salze, und darunter Kochsalz in überwiegender Menge zugeführt werden; woher kommt es nun, kann man fragen, daß seine Asche keine entdeckbare Spur Kochsalz enthält, während wir gewiß sind, daß seine Wurzeln nach jedem Regen Kochsalz aufgenommen haben.

Wir erklären uns die Abwesenheit des Kochsalzes durch directe und positive Beobachtungen, die man an andern Pflanzen gemacht hat, indem wir sie der Fähigkeit ihres Organismus zuschreiben, Alles dem Boden wieder zurückzugeben, was nicht zu seinem Bestehen gehört.

Diese Thatsache ihrem wahren Werth nach anerkannt, müssen die alkalischen Basen, die wir in den Aschen finden, zum Bestehen der Pflanze unentbehrlich sein; denn wären sie es nicht, so wären sie nicht da.

Von diesem Gesichtspunkte aufgefaßt, ist die völlige Entwickelung einer Pflanze abhängig von der Gegenwart von Alkalien oder alkalischen Erden. Mit ihrer gänzlichen Abwesenheit muß ihrer Ausbildung eine bestimmte Grenze gesetzt sein; beim Mangel an diesen Basen wird ihre Ausbildung gehemmt sein.

Vergleichen wir, um zu bestimmten Anwendungen zu kommen, zwei Holzarten mit einander, welche ungleiche Mengen alkalischer Basen enthalten, so ergiebt sich von selbst, daß die eine auf manchen Bodenarten kräftig sich entwickeln kann, auf welchem die andere nur kümmerlich vegetirt. 10,000 Theile Eichenholz geben 250 Theile Asche, 10,000 Theile Tannenholz nur 83, dieselbe Quantität Lindenholz giebt 500, Rocken 440 und Kartoffelkraut 1500 Theile*).

Auf Granit, auf kahlem Sandboden und Haiden wird die Tanne und Fichte noch hinreichende Mengen alkalischer Basen finden, auf welchen Eichen nicht fortkommen, und Weizen wird auf einem Boden, wo Linden gedeihen, diejenigen Basen in hinreichender Menge vorfinden, die er zu seiner völligen Entwickelung bedarf.

Diese für die Forst- und Feldwirthschaft im hohen Grade wichtigen Folgerungen lassen sich mit den evidentsten Thatsachen beweisen.

Alle Grasarten, die Equisetaceen z. B., enthalten eine große Menge Kieselsäure und Kali, abgelagert in dem äußern Saum der Blätter und in dem Halm als saures kieselsaures Kali; auf einem Getreidefeld ändert sich der Gehalt an diesem Salze nicht merklich, denn es wird ihm in der Form von Dünger, als verwes'tes Stroh, wieder zugeführt.

Ganz anders stellt sich dieses Verhältniß auf einer Wiese;

---

*) Berthier in den Ann. d. chimie et de physique T. XXX. 248.

nie findet sich auf einem kaliarmen Sand- oder reinem Kalkboden ein üppiger Graswuchs*); denn es fehlt ihm ein für die Pflanze durchaus unentbehrlicher Bestandtheil. Basalte, Grauwacke, Porphyr geben unter gleichem Verhältnisse den besten Boden zu Wiesen ab, eben weil sie reich an Kali sind. Das hinweggenommene Kali ersetzt sich wieder bei dem jährlichen Wässern; der Boden selbst ist verhältnißmäßig für den Bedarf der P anze unerschöpflich an diesem Körper.

Wenn wir aber, bei dem Gypsen einer Wiese, den Graswuchs steigern, so nehmen wir mit dem Heu eine größere Menge Kali hinweg, was unter gleichen Bedingungen nicht ersetzt wird. Hiervon kommt es, daß nach Verlauf von einigen Jahren der Graswuchs auf vielen gegypsten Wiesen abnimmt; er nimmt ab, weil es an Kali fehlt.

Werden die Wiesen hingegen von Zeit zu Zeit mit Asche, selbst mit ausgelaugter Seifensiederasche überfahren, so kehrt der üppige Graswuchs zurück. Mit dieser Asche haben wir aber der Wiese nichts weiter als das fehlende Kali zugeführt.

In der Lüneburger Haide gewinnt man dem Boden von je dreißig zu dreißig oder vierzig Jahren eine Ernte an Getreide ab, indem man die darauf wachsenden Haiden (Erica vulgaris) verbrennt, und ihre Asche in dem Boden vertheilt. Diese Pflanze sammelte in dieser langen Zeit das durch den Regen zugeführte Kali und Natron; beide sind es, welche in der Asche dem Hafer, der Gerste oder dem Rocken, die sie nicht entbehren können, die Entwickelung gestatteten.

---

*) Es wäre von Wichtigkeit, die Asche von Strandgewächsen, welche in den mudenförmigen feuchten Vertiefungen der Dünen wachsen, namentlich die der Sandgräser, auf einen Alkaligehalt zu prüfen. (Hartig) Wenn das Kali darin fehlt, so ist es sicher durch Natron wie bei den Salsolaarten, oder durch Kalk wie bei den Plumbagineen, ersetzt.

In der Nähe von Heidelberg haben die Holzschläger die Vergünstigung, nach dem Schlagen von Lohholz den Boden zu ihrem Nutzen bebauen zu dürfen. Dem Einsäen des Landes geht unter allen Umständen das Verbrennen der Zweige, Wurzeln und Blätter voran, deren Asche dem darauf gepflanzten Getreide zu Gute kommt. Der Boden selbst, auf welchem die Eichen wachsen, ist in dieser Gegend Sandstein, und wenn auch der Baum hinreichende Mengen von Alkalien und alkalischen Erden für sein eigenes Bestehen in dem Boden vorfindet, so ist er dennoch unfruchtbar für Getreide in seinem gewöhnlichen Zustande.

Man hat in Bingen den entschiedensten Erfolg in Beziehung auf Entwickelung und Fruchtbarkeit des Weinstocks bei Anwendung des kräftigsten Düngers, von Hornspänen z. B., gesehen, aber der Ertrag, die Holz- und Blattbildung nahm nach einigen Jahren zum großen Nachtheil des Besitzers in einem so hohen Grade ab, daß er stets zu bereuen Ursache hatte, von der dort gebräuchlichen und als die beste anerkannte Düngungsmethode abgegangen zu sein. Der Weinstock wurde bei seiner Art zu düngen in seiner Entwickelung übertrieben, in zwei oder drei Jahren wurde alles Kali, was den künftigen Ertrag gesichert hatte, zur Bildung der Frucht, der Blätter, des Holzes verwendet, die ohne Ersatz den Weinbergen genommen wurden, denn sein Dünger enthält kein Kali.

Man hat am Rhein Weinberge, deren Stöcke über ein Jahrhundert alt sind, und dieses Alter erreichen sie nur bei Anwendung des stickstoffärmsten aber kalireichsten Kuhdüngers. Alles Kali, was die Nahrung der Kuh enthält, geht, wie man weiß, in die Excremente über.

Eins der merkwürdigsten Beispiele von der Unfähigkeit eines Bodens, Weizen und überhaupt Grasarten zu erzeugen, wenn in ihm eine der Bedingungen ihres Wachsthums fehlt, bietet das Verfahren eines Gutsbesitzers in der Nähe von Göttingen dar. Er bepflanzte sein ganzes Land zum Behufe der Pottaschserzeugung mit Wermuth, dessen Asche bekanntlich sehr reich an kohlensaurem Kali ist. Eine Folge davon war die gänzliche Unfruchtbarkeit seiner Felder für Getreidebau; sie waren auf Jahrzehnte hinaus völlig ihres Kalis beraubt.

Die Blätter und kleinen Zweige der Bäume enthalten die meiste Asche und das meiste Alkali; was durch sie bei dem Laub- und Streusammeln den Wäldern genommen wird, ist bei weitem mehr, als was das Holz enthält, welches jährlich geschlagen wird. Die Eichenrinde, das Eichenlaub enthält z. B. 6 p. c. bis 9 p. c, die Tannen- und Fichtennadeln über 8 p. c.

Mit 2650 ℔ Tannenholz, die wir einem Morgen Wald jährlich nehmen, wird im Ganzen dem Boden, bei 0,83 p. c. Asche, nur 0,114 bis 0,53 ℔ an Alkalien entzogen, aber das Moos, was den Boden bedeckt, dessen Asche reich an Alkali ist, hält in ununterbrochen fortdauernder Entwickelung das Kali an der Oberfläche des so leicht von dem Wasser durchdringbaren Sandbodens zurück, und bietet in seiner Verwesung den aufgespeicherten Vorrath den Wurzeln dar, die das Alkali aufnehmen, ohne es wieder zurückzugeben.

Von einer Erzeugung von Alkalien, Metalloxiden und anorganischen Stoffen überhaupt kann nach diesen so wohl bekannten Thatsachen keine Rede sein.

Man findet es bewundernswürdig, daß die Grasarten, deren Saamen zur Nahrung dienen, dem Menschen wie ein Hausthier folgen. Sie folgen dem Menschen, durch ähnliche Ursachen gezwungen, wie die Salzpflanzen dem Meeresstrande und Salinen, die Chenopodien den Schutthaufen ꝛc., so wie die Mistkäfer auf die Excremente der Thiere angewiesen sind, so bedürfen die Salzpflanzen des Kochsalzes, die Schuttpflanzen des Ammoniaks und salpetersaurer Salze. Keine von unseren Getreidepflanzen kann aber ausgebildete Saamen tragen, Saamen, welche Mehl geben, ohne eine reichliche Menge von phosphorsaurer Bittererde, ohne Ammoniak zu ihrer Ausbildung vorzufinden. Diese Saamen entwickeln sich nur in einem Boden, wo diese drei Bestandtheile sich vereinigt befinden, und kein Boden ist reicher daran als Orte, wo Menschen und Thiere familienartig zusammenwohnen; sie folgen dem Urin, den Excrementen derselben, weil sie ohne deren Bestandtheile nicht zum Saamentragen kommen.

Wenn wir Salzpflanzen mehrere hundert Meilen von dem Strande des Meeres entfernt in der Nähe unserer Salinen finden, so wissen wir, daß sie auf dem natürlichsten Wege dahin gelangen, Saamen von Pflanzen werden durch Winde und Vögel über die ganze Oberfläche der Erde verbreitet, aber sie entwickeln sich nur da, wo sich die Bedingungen ihres Lebens vorfinden.

In den Soolenkasten der Gradirgebäude auf der Saline Salzhausen bei Nidda finden sich zahlreiche Schaaren kleiner nicht über zwei Zoll langer Stachelfische. (Gasterosteus aculeatus.) In den Soolenkasten der 6 Stunden davon entfernten Saline Neuheim trifft man kein lebendes Wesen an, aber die letztere ist überreich an Kohlensäure und Kalk, ihre Gradirwände sind bedeckt mit Stalaktiten, in dem einen Wasser sind die durch Vögel hingebrachten Eier zur Entwickelung gekommen, in dem andern nicht *).

---

*) »Die Krätzmilben werden von Burdach als Erzeugnisse eines krankhaften Zustandes angesehen, ebenso die Läuse bei Kindern, die Erzeugung von Miesmuscheln in einem Fischteiche, von Salzpflanzen in der Nähe von Salinen, von Nesseln und Gräsern, von Fischen in den Re-

Wieviel wunderbarer und unerklärlicher erscheint die Eigenschaft feuerbeständiger Körper unter gewissen Bedingungen sich zu verflüchtigen, bei gewöhnlicher Temperatur in einen Zustand überzugehen, von dem wir nicht zu sagen vermögen, ob sie zu Gas geworden oder durch ein Gas in Auflösung übergegangen sind. Der Wasserdampf, die Vergasung überhaupt, ist bei diesen Körpern die sonderbarste Ursache der Verflüchtigung, ein in Gas übergehender, ein verdampfender flüssiger Körper ertheilt allen Materien, welche darin gelös't sind, in höherem oder geringerem Grade die Fähigkeit den nemlichen Zustand anzunehmen, eine Eigenschaft, die sie für sich nicht besitzen.

Die Borsäure gehört zu den feuerbeständigsten Materien, auch in der stärksten Weißglühhitze erleidet sie keine durch die feinsten Wagen bemerkbare Gewichtsveränderung, sie ist nicht flüchtig, aber ihre Auflösungen im Wasser können auch bei der gelindesten Erwärmung nicht verdampft werden, ohne daß den Wasserdämpfen nicht eine bemerkbare Menge Borsäure folgt. Diese Eigenschaft ist der Grund, warum wir bei allen Ana-

---

genwassertümpeln, Forellen in Gebirgsgewässern ꝛc. ist nach demselben Naturforscher nicht unmöglich.« Man bedenke, daß einem Boden, der aus verwitterten Felsarten, faulenden Vegetabilien, Regenwasser, Salzwasser ꝛc. besteht, die Fähigkeit zugeschrieben wird, Muscheln, Forellen, Salicornien ꝛc. zu erzeugen. Wie alle Forschungen vernichtend sind Meinungen dieser Art, von einem Lehrer ausgehend, der sich eines verdienten Beifalls erfreut, der sich durch gediegene Arbeiten Zutrauen und Anerkennung verschafft hat. Alles dieß sind doch zuletzt nur Gegenstände der oberflächlichsten Beobachtung gewesen, die sich zum Gegenstand gründlicher Untersuchung wohl eignen, allein das Geheimnißvolle, Dunkle, Mystische, das Räthselhafte, es ist zu verführerisch für den jugendlichen, für den philosophischen Geist, welcher die tiefsten Tiefen der Natur durchdringt, ohne wie der Bergmann eines Schachtes und Leitern zu bedürfen. Dies ist Poesie, aber keine nüchterne Naturforschung.

lysen Borsäure haltiger Mineralien, wo Flüssigkeiten, welche Borsäure enthalten, verdampft werden müssen, einen Verlust erleiden; die Quantität Borsäure, welche einem Cubicfuß siedend heißen Wasserdampfs folgt, ist durch die feinsten Reagentien nicht entdeckbar, und dennoch, so außerordentlich klein sie auch erscheinen mag, stammen die vielen tausend Centner Borsäure, welche von Italien aus in den Handel gebracht werden, von der ununterbrochenen Anhäufung dieser dem Anschein nach verschwindenden Menge her. Man läßt in den Lagunen von Castel nuovo, Cherchiago rc. die aus dem Innern der Erde strömenden siedend heißen Dämpfe durch Wasser streichen, was nach und nach daran immer reicher wird, so daß man zuletzt durch Verdunsten crystallisirte Borsäure daraus erhält. Der Temperatur dieser Wasserdämpfe nach, kommen sie aus Tiefen, wo menschliche Wesen, wo Thiere nie gelebt haben können; wie bemerkenswerth und bedeutungsvoll erscheint in dieser Beziehung der nie fehlende Ammoniakgehalt dieser Dämpfe. In den großen Fabriken zu Liverpool, wo die natürliche Borsäure zu Borax verarbeitet wird, gewinnt man daraus als Nebenproduct viele hundert Pfunde schwefelsaures Ammoniak.

Dieses Ammoniak stammt nicht von thierischen Organismen, es war vorhanden vor allen lebenden Generationen, es ist ein Theil, ein Bestandtheil des Erdkörpers.

Die von der Direction des poudres et salpêtres unter Lavoisier angestellten Versuche haben bewiesen, daß bei dem Verdampfen von Salpeterlaugen, die darinn gelösten Salze sich mit dem Wasser verflüchtigen und einen Verlust herbeiführen, über den man sich vorher keine Rechenschaft geben konnte. Ebenso bekannt ist, daß bei Stürmen von dem Meere nach dem Binnenlande hin, in der Richtung des Sturmes, sich die

Blätter der Pflanzen mit Salzkrystallen selbst auf 20—30 engl. Meilen hin, bedecken, aber es bedarf der Stürme nicht, um diese Salze zum Verflüchtigen zu bringen, die über dem Meere schwebende Luft trübt jederzeit die salpetersaure Silberlösung, jeder, auch der schwächste Luftzug entführt mit den Milliarden Centnern Seewasser, welche jährlich verdampfen, eine entsprechende Menge der darinn gelösten Salze und führt Kochsalz, Chlorkalium, Bittererde und die übrigen Bestandtheile dem festen Lande zu.

Diese Verflüchtigung ist die Quelle eines beträchtlichen Verlustes in der Salzgewinnung aus schwachen Soolen. Auf der Saline Naueim ist diese Erscheinung durch den dortigen Director, Herrn Wilhelmi, einen sehr unterrichteten und kenntnißreichen Mann, zur Evidenz nachgewiesen worden; eine Glasplatte auf einer hohen Stange zwischen zwei Gradirgebäuden befestigt, die von einander etwa 1200 Schritte entfernt standen, fand sich des Morgens nach dem Auftrocknen des Thaus auf der einen oder andern Seite nach der Richtung des Windes stets mit Salzkrystallen bedeckt.

Das in steter Verdampfung begriffene Meer *) verbreitet über die ganze Oberfläche der Erde hin, in dem Regenwasser, alle zum Bestehen einer Vegetation unentbehrlichen Salze, wir finden sie selbst da in ihrer Asche wieder, wo der Boden keine Bestandtheile liefern konnte.

In der Betrachtung umfassender Naturerscheinungen haben wir keinen Maaßstab mehr für das, was wir gewohnt sind,

---

*) Das Seewasser enthält nach Marcet in 1000 Theilen:

26,660	Kochsalz.
4,660	schwefelsaures Natron.
1,232	Chlorkalium.
5,152	Chlormagnesia.
1,5	schwefelsauren Kalk.

Organe eingewirkt wird, werden diese Verhältnisse minder beständig sich zeigen.

Wenn wir die Erde, in welcher eine weiße blühende Hyazinthe steht, mit dem Safte von Phytolaca decandra begießen, so sehen wir nach einer oder zwei Stunden die weißen Blüthen eine rothe Farbe annehmen, sie färben sich vor unsern Augen, aber im Sonnenlichte verschwindet in zwei bis drei Tagen die Farbe wieder, sie werden weiß und farblos, wie sie im Anfange waren*). Offenbar ist hier der Saft ohne die geringste Aenderung in seiner chemischen Beschaffenheit in alle Theile der Pflanze übergegangen, ohne durch seine Gegenwart der Pflanze zu schaden, ohne daß man behaupten kann, sie sei für die Existenz der Pflanze nothwendig gewesen. Aber dieser Zustand war nicht dauernd, und wenn die Blüthe wieder farblos geworden ist, so wird keiner der Bestandtheile des rothen Farbstoffs mehr vorhanden sein; nur in dem Fall, daß einer davon den Zwecken ihres Lebens dienen konnte, wird sie diesen allein zurückbehalten, die übrigen werden durch die Wurzel in veränderter Form abgeschieden werden.

Ganz derselbe Fall muß eintreten, wenn wir eine Pflanze mit Auflösungen von Chlorkalium, Salpeter oder salpetersaurem Strontian begießen, sie werden wie der erwähnte Pflanzensaft in die Pflanze übergehen, und wenn wir sie zu dieser Zeit verbrennen, so werden wir die Basen in der Asche finden, ihre Gegenwart ist rein zufällig, es kann hieraus kein Schluß gegen die Nothwendigkeit des Vorhandenseins der anderen Basen gezogen werden. Wir wissen aus den schönen Versuchen von Macaire-Princep, daß Pflanzen, die man mit ihren Wur-

*) Siehe Biot in den Comptes rendús de Séances de l'academie des Sciences a Paris 1re Semestre 1837. p. 12.

zeln in schwachen Auflösungen von essigsaurem Bleioxid und sodann in Regenwasser vegetiren ließ, daß das letztere von derselben essigsaures Bleioxid wieder empfing, daß sie also dasjenige wieder dem Boden zurückgeben, was zu ihrer Existenz nicht nothwendig ist.

Begießen wir eine Pflanze, die im Freien dem Sonnenlichte, dem Regen und der Atmosphäre ausgesetzt ist, mit einer Auflösung von salpetersaurem Strontian, so wird das anfangs aufgenommene, aber durch die Wurzeln wieder abgeführte Salz bei jeder Benetzung des Bodens durch den Regen, von den Wurzeln weiter entfernt; nach einiger Zeit wird sie keine Spur mehr davon enthalten.

Fassen wir nun den Zustand der beiden Tannen ins Auge, deren Asche von einem der schärfsten und genauesten Analytiker untersucht worden ist. Die eine wächst in Norwegen auf einem Boden, dessen Bestandtheile sich nie ändern, dem aber durch Regenwasser lösliche Salze, und darunter Kochsalz in überwiegender Menge zugeführt werden; woher kommt es nun, kann man fragen, daß seine Asche keine entdeckbare Spur Kochsalz enthält, während wir gewiß sind, daß seine Wurzeln nach jedem Regen Kochsalz aufgenommen haben.

Wir erklären uns die Abwesenheit des Kochsalzes durch directe und positive Beobachtungen, die man an andern Pflanzen gemacht hat, indem wir sie der Fähigkeit ihres Organismus zuschreiben, Alles dem Boden wieder zurückzugeben, was nicht zu seinem Bestehen gehört.

Diese Thatsache ihrem wahren Werth nach anerkannt, müssen die alkalischen Basen, die wir in den Aschen finden, zum Bestehen der Pflanze unentbehrlich sein; denn wären sie es nicht, so wären sie nicht da.

Von diesem Gesichtspunkte aufgefaßt, ist die völlige Ent-

der That, in der Form von Humussäure vorhanden wäre.

Verwesende Vegetabilien, Wasser und Kalk in Auflösung sind vorhanden, allein die gebildeten Stalaktiten enthalten keine Spur einer vegetabilischen Materie, sie enthalten keine Humus-Säure, sie sind glänzend weiß, oder gelblich, zum Theil durchsichtig wie Kalkspath und lassen sich zum Glühen erhitzen ohne Schwärzung.

In den alten Burgen in der Nähe des Rheins, der Bergstraße und der Wetterau bieten unterirdische Gewölbe, aus Sandstein, Granit und Basalt aufgeführt, eine ähnliche Erscheinung wie die Kalkhöhlen dar.

Diese Gewölbe oder Keller sind bedeckt mit einer mehrere Fuß dicken Lage von Dammerde, in der sich verwesende Vegetabilien befinden. Das Regenwasser, was auf diese Gewölbe fällt, nimmt die gebildete Kohlensäure auf, sickert durch die Erde hindurch, lös't durch seinen Kohlensäuregehalt den Kalkmörtel auf; diese Auflösung verdunstet auf der Innenseite der Gewölbe wieder und überzieht sie mit kleinen und dünnen humussäurefreien Stalaktiten.

Es sind dieß aber durch die Natur gebaute Filtrirapparate, in denen wir das Resultat eines, Jahrhunderte oder Jahrtausende fortgesetzten Versuches vor Augen haben.

Wenn das Wasser die Fähigkeit besäße, auch nur ein Hunderttausendtheil seines Gewichtes an Humussäure oder humussauren Kalk aufzulösen, so würden wir beim Vorhandensein von Humussäure die Decke dieser Gewölbe und Höhlen damit überzogen finden, allein man ist nicht im Stande, auch nur die kleinste Spur davon wahrzunehmen. Es giebt kaum schärfere und überzeugendere Beweise für die Abwesenheit der Humussäure der Chemiker in der Ackererde und Dammerde.

Die gewöhnliche Vorstellung, welche man sich über die

Wirkungsweise der Humussäure geschaffen hatte, gab Veranlassung zu einer durchaus unerklärbaren Erscheinung.

Eine sehr kleine Quantität davon im Wasser gelöst färbt dasselbe gelb oder braun. Man sollte nun denken, daß ein Boden um so fruchtbarer sein müsse, je mehr Fähigkeit er besitzt, Wasser braun zu färben, d. h. Humussäure an dasselbe abzugeben.

Sonderbarer Weise gedeiht aber in einem solchen Boden keine Pflanze und aller Dünger muß, wenn er einen wohlthätigen Einfluß auf die Vegetation äußern soll, diese Eigenschaft verloren haben. Das Wasser auf unfruchtbarem Torfboden, auf sumpfigen Wiesen, auf denen nur wenige Vegetabilien gedeihen, ist reich an dieser Humussäure und alle Landwirthe und Gärtner kommen darin überein, daß sie nur den sogenannten humificirten Dünger für nützlich und gedeihlich für die Pflanzen halten. Dieß ist nun grade derjenige, der die Eigenschaft, das Wasser zu färben, gänzlich verloren hat.

Diese im Wasser mit brauner Farbe lösliche Materie ist ein Produkt der Fäulniß aller Thier- und Pflanzenstoffe, ihr Vorhandensein ist ein Zeichen, daß es an Sauerstoff fehlt, um die Verwesung zu beginnen oder zu vollenden. An der Luft entfärben sich diese braunen Auflösungen, unter Aufnahme von Sauerstoff schlägt sich ein schwarzer kohlenähnlicher Körper, die sogenannte Humuskohle nieder.

Denken wir uns einen Boden durchdrungen von dieser Substanz, so muß er auf die Wurzeln einer Pflanze gerade so wirken, als wenn er gänzlich alles Sauerstoffs unaufhörlich beraubt würde; eine Pflanze wird eben so wenig darin wachsen können, als in einer Erde, die man mit Eisenoxidulhydrat mischt.

In einem Boden, in einem Wasser, welches keinen Sauer-

angewiesen sind, so bedürfen die Salzpflanzen des Kochsalzes, die Schuttpflanzen des Ammoniaks und salpetersaurer Salze. Keine von unseren Getreidepflanzen kann aber ausgebildete Saamen tragen, Saamen, welche Mehl geben, ohne eine reichliche Menge von phosphorsaurer Bittererde, ohne Ammoniak zu ihrer Ausbildung vorzufinden. Diese Saamen entwickeln sich nur in einem Boden, wo diese drei Bestandtheile sich vereinigt befinden, und kein Boden ist reicher daran als Orte, wo Menschen und Thiere familienartig zusammenwohnen; sie folgen dem Urin, den Excrementen derselben, weil sie ohne deren Bestandtheile nicht zum Saamentragen kommen.

Wenn wir Salzpflanzen mehrere hundert Meilen von dem Strande des Meeres entfernt in der Nähe unserer Salinen finden, so wissen wir, daß sie auf dem natürlichsten Wege dahin gelangen, Saamen von Pflanzen werden durch Winde und Vögel über die ganze Oberfläche der Erde verbreitet, aber sie entwickeln sich nur da, wo sich die Bedingungen ihres Lebens vorfinden.

In den Soolenkasten der Gradirgebäude auf der Saline Salzhausen bei Nidda finden sich zahlreiche Schaaren kleiner nicht über zwei Zoll langer Stachelfische. (Gasterosteus aculeatus.) In den Soolenkasten der 6 Stunden davon entfernten Saline Neuheim trifft man kein lebendes Wesen an, aber die letztere ist überreich an Kohlensäure und Kalk, ihre Gradirwände sind bedeckt mit Stalaktiten, in dem einen Wasser sind die durch Vögel hingebrachten Eier zur Entwickelung gekommen, in dem andern nicht *).

*) »Die Krätzmilben werden von Burdach als Erzeugnisse eines krankhaften Zustandes angesehen, ebenso die Läuse bei Kindern, die Erzeugung von Miesmuscheln in einem Fischteiche, von Salzpflanzen in der Nähe von Salinen, von Nesseln und Gräsern, von Fischen in den Re-

Wieviel wunderbarer und unerklärlicher erscheint die Eigenschaft feuerbeständiger Körper unter gewissen Bedingungen sich zu verflüchtigen, bei gewöhnlicher Temperatur in einen Zustand überzugehen, von dem wir nicht zu sagen vermögen, ob sie zu Gas geworden oder durch ein Gas in Auflösung übergegangen sind. Der Wasserdampf, die Vergasung überhaupt, ist bei diesen Körpern die sonderbarste Ursache der Verflüchtigung, ein in Gas übergehender, ein verdampfender flüssiger Körper ertheilt allen Materien, welche darin gelöst sind, in höherem oder geringerem Grade die Fähigkeit den nemlichen Zustand anzunehmen, eine Eigenschaft, die sie für sich nicht besitzen.

Die Borsäure gehört zu den feuerbeständigsten Materien, auch in der stärksten Weißglühhitze erleidet sie keine durch die feinsten Wagen bemerkbare Gewichtsveränderung, sie ist nicht flüchtig, aber ihre Auflösungen im Wasser können auch bei der gelindesten Erwärmung nicht verdampft werden, ohne daß den Wasserdämpfen nicht eine bemerkbare Menge Borsäure folgt. Diese Eigenschaft ist der Grund, warum wir bei allen Ana-

---

genwassertümpeln, Forellen in Gebirgsgewässern ꝛc. ist nach demselben Naturforscher nicht unmöglich.“ Man bedenke, daß einem Boden, der aus verwitterten Felsarten, faulenden Vegetabilien, Regenwasser, Salzwasser ꝛc. besteht, die Fähigkeit zugeschrieben wird, Muscheln, Forellen, Salicornien ꝛc. zu erzeugen. Wie alle Forschungen vernichtend sind Meinungen dieser Art, von einem Lehrer ausgehend, der sich eines verdienten Beifalls erfreut, der sich durch gediegene Arbeiten Zutrauen und Anerkennung verschafft hat. Alles dieß sind doch zuletzt nur Gegenstände der oberflächlichsten Beobachtung gewesen, die sich zum Gegenstand gründlicher Untersuchung wohl eignen, allein das Geheimnißvolle, Dunkle, Mystische, das Räthselhafte, es ist zu verführerisch für den jugendlichen, für den philosophischen Geist, welcher die tiefsten Tiefen der Natur durchdringt, ohne wie der Bergmann eines Schachtes und Leitern zu bedürfen. Dies ist Poesie, aber keine nüchterne Naturforschung.

es ist evident, das Amylon ist zur Ausbildung der Wurzeln und Blätter verzehrt worden. In diesen Versuchen hat Herr Forstmeister Heyer die interessante Beobachtung gemacht, daß diese Zweige in (ammoniakhaltigem) Schneewasser vegetirend, drei- bis viermal längere Wurzeln treiben als in reinem destillirten Wasser, das Regenwasser wird nach und nach trübe und nimmt eine gelbbräunliche Farbe an, das destillirte Wasser bleibt klar.

Bei dem Blühen des Zuckerrohrs verschwindet ebenfalls ein Theil des gebildeten Zuckers; und bei den Runkelrüben hat man die bestimmte Erfahrung gemacht, daß er sich in der Wurzel erst mit Vollendung der Blattbildung anhäuft.

Diese so wohlbegründeten Beobachtungen entfernen jeden Zweifel über den Antheil, den Zucker, Stärke und Gummi an dem Entwickelungsprocesse der Pflanzen nehmen; es hört auf räthselhaft zu sein, woher es kommt, daß diese drei Materien der entwickelten Pflanze zugeführt, keinen Antheil an ihrem Wachsthum, an ihrem Ernährungsprocesse nehmen.

Man hat — aber gewiß mit Unrecht — die gegen den Herbst hin, sich in den Pflanzen anhäufenden Vorräthe von Stärke, mit dem Fett der dem Winterschlaf unterworfenen Thiere verglichen; allein bei diesen sind alle Lebensfunctionen bis auf den Respirationsproceß in einem Zustande der Ruhe; sie bedürfen, wie eine sehr langsam brennende Oellampe, nur eine an kohlen- und wasserstoffreiche Materie, um den Verbrennungsproceß in der Lunge zu unterhalten. Mit dem Erwachen aus dem Winterschlaf ist alles Fett verschwunden, es hat nicht zur Ernährung gedient, kein Theil ihres Körpers hat durch das Fett an Masse zugenommen, die Qualität von keinem davon hat eine bemerkbare Veränderung erlitten. Das Fett hatte mit der eigentlichen Ernährung nicht das Geringste zu thun.

Die einjährige Pflanze erzeugt und sammelt die Nahrung der künftigen, auf gleiche Weise wie die perrennirende; sie speichert sie im Saamen in der Form von vegetabilischem Eiweiß von Stärkemehl und Gummi auf, sie wird beim Keimen zur Ausbildung der ersten Wurzelfasern und Blätter verwendet, mit dem Vorhandensein dieser Organe fängt die Zunahme an Masse, die eigentliche Ernährung, erst an.

Jeder Keim, jede Knospe einer perennirenden Pflanze ist der aufgepfropfte Embryo eines neuen Individuums, die im Stamme, in der Wurzel aufgespeicherte Nahrung: sie entspricht dem Albumen des Saamens.

Nahrungsstoffe in ihrer eigentlichen Bedeutung sind offenbar nur solche Materien, welche von außen zugeführt, das Leben und alle Lebensfunctionen eines Organismus zu erhalten vermögen, insofern sie von den Organen zur Hervorbringung der ihnen eigenthümlichen Bestandtheile verwendet werden können.

Bei den Thieren entspringt aus dem Blute die Substanz ihrer Muskeln und Nerven, es unterhält durch einen seiner Bestandtheile den Athmungsproceß, durch andere wieder besondere Lebensprocesse, ein jeder Theil des Körpers empfängt Nahrung durch das Blut, allein die Bluterzeugung ist eine Lebensfunktion für sich, ohne welche das Leben nicht gedacht werden kann; setzen wir die Organe der Bluterzeugung außer Thätigkeit, führen wir in die Adern eines Thieres Blut von Außen zu, so erfolgt der Tod, wenn seine Quantität eine gewisse Grenze überschreitet.

Wenn wir einem Baume Holzfaser im aufgelös'ten Zustande zuführen könnten, so würde der nemliche Fall eintreten, wie wenn wir eine Kartoffelpflanze in Stärkekleister vegetiren ließen.

Die Blätter sind vorhanden, um Stärke, Holzfaser und

Zucker zu erzeugen, führen wir Stärke, Holzfaser und Zucker durch die Wurzeln zu, so wird offenbar die Lebensfunktion der Blätter gestört; kann der Assimilationsproceß nicht eine andere Form annehmen, so muß die Pflanze sterben.

Neben der Stärke, dem Zucker und Gummi müssen in einer Pflanze aber noch andere Materien vorhanden sein, wenn sie überhaupt an der Entwickelung des Keims, der ersten Wurzelfasern und Blätter Antheil nehmen sollen.

Ein Weizenkorn enthält in seiner eigenen Masse unzweifelhaft die Bestandtheile des Keims und der ersten Wurzelfasern, und — wir müssen voraussetzen — genau in dem Verhältniß als zu ihrer Entwickelung nöthig ist.

Wenn wir diese Bestandtheile mit Stärke und Kleber bezeichnen, so ist klar, daß keiner davon allein, sondern beide zugleich an der Keim- und Wurzelbildung Antheil nehmen, denn bei Gegenwart von Luft, Feuchtigkeit und einer angemessenen Temperatur erleiden sie beide eine Metamorphose.

Die Stärke verwandelt sich in Zucker, der Kleber nimmt ebenfalls eine neue Form an, beide erhalten die Fähigkeit, sich zu lösen, d. h. einer jeden Bewegung zu folgen.

Beide werden zur Bildung der Wurzelfasern und ersten Blätter völlig aufgezehrt, ein Ueberschuß von dem einen würde ohne die Gegenwart einer entsprechenden Menge von dem andern zur Blattbildung, oder überhaupt nicht verwendet werden können.

Man schreibt bekanntlich die Verwandlung der Stärke in Zucker bei dem Keimen der Getreidekörner einer eigenthümlichen Materie, der Diastase, zu, die sich durch den Act der beginnenden Vegetation erzeugt; aber durch Kleber allein kann ihre Wirkungsweise, obwohl erst in längerer Zeit, ersetzt werden; jedenfalls enthält der gekeimte Saamen bei weitem mehr davon, als zur Umwandlung der Stärke in Zucker nöthig war, denn man kann mit einem Theile gekeimter Gerste, ein 5mal größeres Gewicht Stärke noch in Zucker überführen.

Gewiß wird man diesen Ueberschuß von Diastase nicht für zufällig ansehen können, eben weil sie selbst neben der Stärke Antheil an der Bildung der ersten Organe nimmt, sie verschwindet mit dem Zucker.

Kohlensäure, Ammoniak und Wasser sind die Nahrungsstoffe der Pflanzen; Stärke, Zucker oder Gummi dienen, wenn sie begleitet sind von einer stickstoffhaltigen Substanz, dem Embryo zur ersten Entfaltung seiner Ernährungsorgane.

Die Ernährung des Fötus, die Entwickelung des Eies geschieht in anderer Weise, als die des Thieres, was seine Mutter verlassen hat, der Abschluß der Luft, der das Leben des Fötus nicht gefährdet, würde den Tod des Thieres bewirken, so ist denn auch reines Wasser für das Gedeihen der jungen Pflanze zuträglicher, als wie ein an Kohlensäure reiches; aber nach einem Monat ist das Verhältniß umgekehrt. (Saussure.)

Die Bildung des Zuckers in den Ahornarten geht nicht in den Wurzeln, sondern in dem Holzkörper vor sich. Der Zuckergehalt des Saftes nimmt zu, wenn er bis zu einer gewissen Höhe in dem Stamme steigt, über diesem Punkt hinaus bleibt er unverändert.

Aehnlich wie in der keimenden Gerste eine Materie gebildet wird, durch deren Berührung mit Amylon das letztere seine Unauflöslichkeit verliert und in Zucker übergeht, so muß in den Wurzeln des Ahorns mit dem Beginn einer neuen Vegetation eine Substanz erzeugt werden, die im Wasser gelös't, in ihrem Wege durch den Holzkörper die Verwandlung der dort abgelagerten Stärke, oder was es sonst noch sein mag, in Zucker bewirkt; es ist sicher, daß wenn ein Loch oberhalb der Wurzeln

Die Cultur.

In dem Vorhergehenden sind die Bedingungen des Lebens aller Vegetabilien betrachtet worden. Kohlensäure, Ammoniak und Wasser liefern die Elemente aller Organe: Salze, Metalloxide, gewisse anorganische Materien, dienen zu besonderen Verrichtungen in dem Organismus der Pflanze, manche davon müssen als Bestandtheile einzelner Pflanzentheile angesehen werden.

Die atmosphärische Luft und der Boden bieten den Blättern und Wurzeln einerlei Nahrungsmittel dar.

Die erstere enthält eine verhältnißmäßig unerschöpfliche Menge Kohlensäure und Ammoniak, in dem Boden haben wir in dem Humus eine sich stets erneuernde Quelle von Kohlensäure, den Winter hindurch häuft sich in dem Regen- und Schneewasser, womit er durchdrungen wird, eine für die Entwickelung der Blüthen und Blätter ausreichende Menge Ammoniak.

Die völlige, ja man kann sagen, die absolute Unlöslichkeit in kaltem Wasser der in Verwesung begriffenen Pflanzentheile erscheint bei näherer Betrachtung als eine nicht minder weise Natureinrichtung.

Wenn der Humus auch noch einen geringeren Grad von Löslichkeit besäße, als man der sogenannten Humussäure zuschreibt, so würde er der auflösenden Kraft des Regenwassers nicht widerstehen können. Bei mehrwöchentlichem Wässern der Wiesen müßte ein großer Theil davon aus dem Boden entführt werden, heftige und anhaltende Regen müßten den Boden daran ärmer machen. Er löſ't ſich aber nur auf, inſofern er ſich mit dem Sauerſtoff verbindet und in der Form von Kohlenſäure wird er vom Waſſer aufgenommen.

Bei Abweſenheit aller Feuchtigkeit erhält ſich der Humus Jahrhunderte lang, mit Waſſer benetzt, verwandelt er den umgebenden Sauerſtoff in Kohlenſäure; von dieſem Augenblicke an verändert er ſich ebenfalls nicht mehr, denn die Wirkung der Luft hört auf, ſobald ſie ihres Sauerſtoffs beraubt iſt. Nur wenn P anzen in dieſem Boden wachſen, deren Wurzeln die gebildete Kohlenſäure hinwegnehmen, ſchreitet die Verweſung fort, aber durch lebende Pflanzen empfängt der Boden wieder, was er verloren hat, er wird nicht ärmer an Humus.

Die Tropfſteinhöhlen in Franken, in der Umgebung von Beireuth, Streitberg, ſind mit fruchtbarer Ackererde bedeckt; der Boden über dieſen Höhlen iſt mit verweſenden Vegetabilien, mit Humus angefüllt, der bei Gegenwart von Feuchtigkeit und Luft unausgeſetzt Kohlenſäure entwickelt, die ſich im Regenwaſſer löſet.

Das mit Kohlenſäure angeſchwängerte Regenwaſſer ſickert durch den poröſen Kalkſtein hindurch, der die Seitenwände und Decke der Höhlen bildet, und löſ't bei dieſem Durchgang eine der Kohlenſäure entſprechende Menge von kohlenſauerm Kalk auf.

In dem Innern der Höhle angekommen dunſtet von dieſer Auflöſung das Waſſer und die überſchüſſige Kohlenſäure ab, und der Kalkſtein, indem er ſich abſcheidet, überzieht Wände und Decke mit Kryſtallkruſten von den mannigfaltigſten Formen.

An wenigen Orten der Erde vereinigen ſich aber in gleichem Grade wie an dieſen alle Bedingungen zur Erzeugung von humusſauerm Kalk, wenn der Humus in dem Boden in

einem gehörigen Verhältniß Kleber oder Fleisch läßt sich keine Spur davon entdecken, sie sind in diesem Falle assimilirbar geworden. Kartoffeln, welche neben Heufütterung die Kräfte eines Pferdes kaum zu erhalten vermögen, geben neben Brod und Hafer ein kräftiges und gesundes Futter.

Unter diesem Gesichtspunkte wird es einleuchtend, wie sehr sich die in einer Pflanze erzeugten Produkte je nach dem Verhältniß der zugeführten Nahrungsstoffe ändern können. Ein Ueberfluß von Kohlenstoff, in der Form von Kohlensäure durch die Wurzeln zugeführt, wird bei Mangel an Stickstoff weder in Kleber noch in Eiweis, noch in Holz, noch in sonst irgend einen Bestandtheil eines Organs übergehen; er wird als Zucker, Amylon, Oel, Wachs, Harz, Mannit, Gummi in der Form also eines Excrements abgeschieden werden, oder mehr oder weniger weite Zellen und Gefäße füllen.

Bei einem Ueberschuß stickstoffhaltiger Nahrung wird sich der Kleber, der Gehalt von vegetabilischem Eiweis und Pflanzenleim vermehren, es werden Ammoniaksalze in den Säften bleiben, wenn, wie beim Anbau der Runkelrüben, ein sehr stickstoffreicher Dünger dem Boden gegeben, oder die Funktionen der Blätter unterdrückt wird, indem man die Pflanze ihrer Blätter beraubt.

Wir wissen in der That, daß die Ananas im wilden Zustande kaum genießbar ist, daß sie bei reichlichem thierischen Dünger eine Masse von Blättern treibt, ohne daß die Frucht deshalb an Zucker zunimmt; daß der Stärkegehalt der Kartoffeln in einem humusreichen Boden wächst, daß bei kräftigem animalischen Dünger die Anzahl der Zellen zunimmt, während sich der Amylongehalt vermindert; in dem ersteren Falle besitzen sie eine mehlige, in dem andern eine seifige Beschaffenheit. Die Runkelrüben auf magern Sandboden gezogen, enthalten ein Maximum von Zucker und kein Ammoniaksalz, und in gedüngtem Lande verliert die Teltower Rube ihre mehlige Beschaffenheit, denn in diesem vereinigen sich alle Bedingungen für Zellenbildung.

Eine abnorme Production von gewissen Bestandtheilen der Pflanzen setzt in den Blättern eine Kraft und Fähigkeit der Assimilation voraus, die wir mit einer gewöhnlichen, selbst der mächtigsten chemischen Action nicht vergleichen können. Man kann sich in der That keine geringe Vorstellung davon machen, denn sie übertrifft an Stärke die mächtigste galvanische Batterie, mit der wir nicht im Stande sind, den Sauerstoff aus der Kohlensäure auszuscheiden. Die Verwandtschaft des Chlors zum Wasserstoff, seine Fähigkeit, das Wasser im Sonnenlichte zu zerlegen und Sauerstoff daraus zu entwickeln, ist für nichts zu achten, gegen die Kraft und Energie, mit welcher ein von der Pflanze getrenntes Blatt das aufgesaugte kohlensaure Gas zu zerlegen vermag.

Die gewöhnliche Meinung, daß nur das direct einfallende Sonnenlicht, die Zerlegung der Kohlensäure in den Blättern der Pflanzen zu bewirken vermöge, daß das reflectirte oder Tageslicht diese Fähigkeit nicht besitzt, ist ein sehr verbreiteter Irrthum, denn in einer Menge Pflanzen erzeugen sich absolut die nemlichen Bestandtheile, gleichgültig ob sie vom Sonnenlichte getroffen werden, oder ob sie im Schatten wachsen, sie bedürfen des Lichtes und zwar des Sonnenlichtes, aber es ist für ihre Funktionen durchaus gleichgültig, ob sie die Strahlen der Sonne direct erhalten oder nicht. Ihre Funktionen gehen nur mit weit größerer Energie und Schnelligkeit im Sonnenlichte als wie im Tageslichte oder im Schatten vor sich; es kann keine andere Verschiedenheit hier gedacht werden, als wie bei ähnlichen Wirkungen, welche das Licht auf chemische Verbindungen zeigt, und diese Verschiedenheit wird bemerkbar durch einen höhern oder geringern Grad der Beschleunigung der Action.

Chlor und Wasserstoff vereinigen sich beide zu Salzsäure, im gewöhnlichen Tageslichte geht die Verbindung in einigen Stunden, im Sonnenlichte augenblicklich mit einer gewaltsamen Explosion vor sich, in völliger Dunkelheit beobachtet man nicht die geringste Veränderung.

Das Oel des ölbildenden Gases liefert mit Chlor in Berührung im Sonnenlichte augenblicklich Chlorkohlenstoff, in gewöhnlichem Tageslichte kann der letztere ebenfalls mit derselben Leichtigkeit erhalten werden, es gehört dazu nur eine längere Zeit. Während man bei diesem Versuche, wenn er im Sonnenlichte angestellt wird, nur zwei Produkte bemerkt (Salzsäure und Chlorkohlenstoff), beobachtet man bei der Einwirkung im Tageslichte eine Reihe von Zwischenstufen, von Verbindungen nemlich, deren Chlorgehalt beständig zunimmt, bis zuletzt das ganze Oel in zwei Produkte übergeht, die mit denen im Sonnenlichte erhaltenen absolut identisch sind. Im dunkeln beobachtet man auch hier nicht die geringste Zersetzung. Salpetersäure zerlegt sich im gewöhnlichen Tageslichte in Sauerstoffgas und salpetrige Säure, Chlorsilber schwärzt sich im Tageslichte so gut wie im Sonnenlichte, kurz alle Actionen ganz ähnlicher Art nehmen im Tageslichte dieselbe Form an wie im Sonnenlichte, nur in der Zeit, in der es geschieht, bemerkt man einen Unterschied. Bei den Pflanzen kann es nicht anders sein, die Art ihrer Ernährung ist bei allen dieselbe, und ihre Bestandtheile beweisen es, daß die Nahrungsstoffe absolut dieselbe Veränderung erlitten haben.

Was wir also an Kohlensäure einer P anze auch zuführen mögen, wenn ihre Quantität nicht mehr beträgt, als was von den Blättern zersetzbar ist, so wird sie eine Metamorphose erleiden. Wir wissen, daß ein Uebermaß an Kohlensäure die P anze tödtet, wir wissen aber auch, daß der Stickstoff bis zu einem gewissen Grade unwesentlich für die Zersetzung der Kohlensäure ist.

Alle bis jetzt angestellten Versuche beweisen, daß frische Blätter, von der P anze getrennt, in einem Wasser, welches Kohlensäure enthält, Sauerstoffgas im Sonnenlichte entwickeln, während die Kohlensäure verschwindet.

In diesen Versuchen ist also mit der Kohlensäure kein Stickstoff gleichzeitig zugeführt worden, und man kann hieraus keinen andern Schluß ziehen als den, daß zur Zersetzung der Kohlensäure, also zur Ausübung von einer ihrer Funktionen, kein Stickstoff erforderlich ist, wenn auch für die Assimilation der durch die Zersetzung der Kohlensäure neugebildeten Produkte, um Bestandtheile gewisser Organe der P anzen zu werden, die Gegenwart einer stickstoffhaltigen Substanz unentbehrlich zu sein scheint.

Der aus der Kohlensäure aufgenommene Kohlenstoff hat in den Blättern eine neue Form angenommen, in der er löslich und überführbar in alle Theile der Pflanze ist. Wir bezeichnen diese Form mit Zucker, wenn die Produkte süß schmecken, und mit Gummi oder Schleim, wenn sie geschmacklos sind, sie heißen Excremente, wenn sie durch die Wurzeln (Haare und Drüsen der Blätter 2c.) abgeführt werden.

Es ist hieraus klar, daß je nach den Verhältnissen der gleichzeitig zugeführten Nahrungsstoffe die Menge und Qualitäten der durch den Lebensproceß der Pflanzen erzeugten Stoffe wechseln werden.

Im freien wilden Zustande entwickeln sich alle Theile einer P anze je nach dem Verhältnisse der Nahrungsstoffe, die ihr vom Standorte dargeboten werden, sie bildet sich auf dem magersten unfruchtbarsten Boden eben so gut aus, wie auf dem fettesten und fruchtbarsten, nur in ihrer Größe und Masse, in der Anzahl der Halme, Zweige, Blätter, Blüthen oder Früchte beobachtet man einen Unterschied.

Während auf einen fruchtbaren Boden alle ihre einzelnen Organe sich vergrößern, vermindern sie sich auf einem andern, wo ihr die Materien minder reichlich zufließen, die sie zu ihrer Bildung bedarf, ihr Gehalt an stickstoffhaltigen oder stickstofffreien Bestandtheilen ändert sich mit der überwiegenden Menge stickstoffhaltiger oder stickstofffreier Nahrungsmittel.

Die Entwickelung der Halme und Blätter, der Blüthen und Früchte ist an bestimmte Bedingungen geknüpft, deren Kenntniß uns gestattet, einen gewissen Einfluß auf ihren Gehalt in ihren Bestandtheilen auf die Hervorbringung eines Maximums in Masse auszuüben.

Die Ausmittelung dieser Bedingungen ist die Aufgabe des Naturforschers; aus ihrer Kenntniß müssen die Grundsätze der Land- und Feldwirthschaft entspringen.

Es giebt kein Gewerbe, was sich an Wichtigkeit dem Ackerbau, der Hervorbringung von Nahrungsmitteln für Menschen und Thiere vergleichen läßt, in ihm liegt die Grundlage des Wohlseins, der Entwickelung des Menschengeschlechtes, die Grundlage des Reichthums der Staaten, er ist die Grundlage aller Industrie.

In keinem andern Gewerbe ist die Anwendung richtiger Principien von wohlthätigeren Folgen, von größerem und bemerkbarerem Einfluß, und es muß um so räthselhafter und unbegreiflicher erscheinen, wenn man in den Schriften der Agronomen und Physiologen vergebens nach einem leitenden Grundsatz sich umsieht.

An allen Orten, in allen Gegenden wechseln die Methoden

des Feldbaues, und wenn man nach den Ursachen dieser Abweichung frägt, so erhält man die Antwort, sie hängen von Umständen ab (Les circonstances font les assolemens), es giebt keine Antwort, in der sich die Unwissenheit offenbarer ausspricht, denn Niemand hat sich bis jetzt damit abgegeben, diese Umstände zu erforschen.

Fragt man nach der Wirkungsweise des Düngers, so erhält man von den geistreichsten Männern die Antwort, sie sei durch den Schleier der Isis verhüllt *). Man erwäge nur, was dieß eigentlich heißt; es will nichts anders sagen, als daß die Excremente von Thieren und Menschen ein unbegreifliches Etwas enthalten, was den Pflanzen zur Nahrung, zur Vermehrung ihrer Masse dient, und diese Meinung wird gefaßt, ohne daß man je versucht hat, die erforschbaren Bestandtheile des Düngers aufzusuchen, oder sich überhaupt damit bekannt zu machen.

Neben gleichen allgemeinen Bedingungen des Wachsthums aller Vegetabilien, der Feuchtigkeit, des Lichtes, der Wärme und der Bestandtheile der Atmosphäre, giebt es besondere, welche auf die Entwickelung einzelner Familien einen ausgezeichneten Einfluß ausüben. Diese besonderen Bedingungen liegen im Boden, oder sie werden ihnen gegeben in der Form von Stoffen, die man mit dem allgemeinen Namen Dünger bezeichnet.

---

*) von Schwerz in seiner praktischen Anleitung zum Ackerbau. 1828. Stuttgart bei Cotta, sagt vom Dünger: »»O des verwickelten gordischen Knotens, den die scharfsinnigsten algebraischen Formeln wohl nimmer lösen, selbst die pfropfenzieherförmigen Atome des Cartesius nicht zu Tage fördern werden! Es ist nicht gut, sagt Plato, die Aufsuchung der Dinge zu weit zu treiben. Die Naturwissenschaften finden ihre Grenzen, über die hinaus Isis Schleier das Geheimniß deckt, oder kann Jemand uns das Wesen von Kraft, Leben und Bewegung enthüllen?« (Dritter Theil. Seite 33.)

es ist evident, das Amylon ist zur Ausbildung der Wurzeln und Blätter verzehrt worden. In diesen Versuchen hat Herr Forstmeister Heyer die interessante Beobachtung gemacht, daß diese Zweige in (ammoniakhaltigem) Schneewasser vegetirend, drei- bis viermal längere Wurzeln treiben als in reinem destillirten Wasser, das Regenwasser wird nach und nach trübe und nimmt eine gelbbräunliche Farbe an, das destillirte Wasser bleibt klar.

Bei dem Blühen des Zuckerrohrs verschwindet ebenfalls ein Theil des gebildeten Zuckers; und bei den Runkelrüben hat man die bestimmte Erfahrung gemacht, daß er sich in der Wurzel erst mit Vollendung der Blattbildung anhäuft.

Diese so wohlbegründeten Beobachtungen entfernen jeden Zweifel über den Antheil, den Zucker, Stärke und Gummi an dem Entwickelungsprocesse der Pflanzen nehmen; es hört auf räthselhaft zu sein, woher es kommt, daß diese drei Materien der entwickelten Pflanze zugeführt, keinen Antheil an ihrem Wachsthum, an ihrem Ernährungsprocesse nehmen.

Man hat — aber gewiß mit Unrecht — die gegen den Herbst hin, sich in den Pflanzen anhäufenden Vorräthe von Stärke, mit dem Fett der dem Winterschlaf unterworfenen Thiere verglichen; allein bei diesen sind alle Lebensfunctionen bis auf den Respirationsproceß in einem Zustande der Ruhe; sie bedürfen, wie eine sehr langsam brennende Oellampe, nur eine an kohlen- und wasserstoffreiche Materie, um den Verbrennungsproceß in der Lunge zu unterhalten. Mit dem Erwachen aus dem Winterschlaf ist alles Fett verschwunden, es hat nicht zur Ernährung gedient, kein Theil ihres Körpers hat durch das Fett an Masse zugenommen, die Qualität von keinem davon hat eine bemerkbare Veränderung erlitten. Das Fett hatte mit der eigentlichen Ernährung nicht das Geringste zu thun.

Die einjährige Pflanze erzeugt und sammelt die Nahrung der künftigen, auf gleiche Weise wie die perrennirende; sie speichert sie im Saamen in der Form von vegetabilischem Eiweiß von Stärkemehl und Gummi auf, sie wird beim Keimen zur Ausbildung der ersten Wurzelfasern und Blätter verwendet, mit dem Vorhandensein dieser Organe fängt die Zunahme an Masse, die eigentliche Ernährung, erst an.

Jeder Keim, jede Knospe einer perennirenden Pflanze ist der aufgepfropfte Embryo eines neuen Individuums, die im Stamme, in der Wurzel aufgespeicherte Nahrung: sie entspricht dem Albumen des Saamens.

Nahrungsstoffe in ihrer eigentlichen Bedeutung sind offenbar nur solche Materien, welche von außen zugeführt, das Leben und alle Lebensfunctionen eines Organismus zu erhalten vermögen, insofern sie von den Organen zur Hervorbringung der ihnen eigenthümlichen Bestandtheile verwendet werden können.

Bei den Thieren entspringt aus dem Blute die Substanz ihrer Muskeln und Nerven, es unterhält durch einen seiner Bestandtheile den Athmungsproceß, durch andere wieder besondere Lebensprocesse, ein jeder Theil des Körpers empfängt Nahrung durch das Blut, allein die Bluterzeugung ist eine Lebensfunktion für sich, ohne welche das Leben nicht gedacht werden kann; setzen wir die Organe der Bluterzeugung außer Thätigkeit, führen wir in die Adern eines Thieres Blut von Außen zu, so erfolgt der Tod, wenn seine Quantität eine gewisse Grenze überschreitet.

Wenn wir einem Baume Holzfaser im aufgelös'ten Zustande zuführen könnten, so würde der nemliche Fall eintreten, wie wenn wir eine Kartoffelpflanze in Stärkekleister vegetiren ließen.

Die Blätter sind vorhanden, um Stärke, Holzfaser und

fenheit liegen, gehört dem Agronomen an, die seiner Zusammensetzung hat der Chemiker zu lösen. Von der letzteren kann allein nur die Rede sein.

Die Ackererde ist durch die Verwitterung von Felsarten entstanden, von den vorwaltenden Bestandtheilen dieser Felsart sind ihre Eigenschaften abhängig. Mit Sand, Kalk und Thon bezeichnen wir diese vorwaltenden Bestandtheile der Bodenarten.

Reiner Sand, reiner Kalkstein, in denen außer Kieselsäure oder kohlensauren oder kieselsauren Kalk andere anorganischen Bestandtheile fehlen, sind absolut unfruchtbar.

Von fruchtbarem Boden macht aber unter allen Umständen der Thon einen nie fehlenden Bestandtheil aus.

Wo stammt nun der Thon der Ackererde her? welches sind die Bestandtheile desselben, welche Antheil an der Vegetation nehmen?

Der Thon stammt von der Verwitterung Thonerde haltiger Mineralien, unter denen die verschiedenen Feldspathe (der gewöhnliche) Kalifeldspath, der Natronfeldspath (Albit), der Kalkfeldspath (Labrador), Glimmer und Zeolithe die verbreitetsten unter denen sind, welche verwittern.

Diese Mineralien sind Gemengtheile des Granits, Gneuß, Glimmerschiefers, Porphyrs, des Thonschiefers, der Grauwacke, der vulkanischen Gebirgsarten, des Basalts, Klingsteins, der Lava.

Als die äußersten Glieder der Grauwacke haben wir reinen Quarz, Thonschiefer und Kalk, bei den Sandsteinen Quarz und Letten. In dem Uebergangskalk, in den Dolomiten haben wir Einmengungen von Thon, von Feldspath, Feldsteinporphir, Thonschiefer; der Zechstein ist ausgezeichnet durch seinen Thongehalt. Der Jurakalk enthält 3 — 20, in der würtembergischen Alp 45 — 50 p. c. Thon. Der Muschel- und Grobkalk ist mehr oder weniger reich an Thon.

Man beobachtet leicht, daß die thonerdehaltigen Fossilien die verbreitetsten an der Erdoberfläche sind, wie schon erwähnt, fehlt der Thon niemals im fruchtbaren, und nur dann im culturfähigen Lande, wenn ein Bestandtheil desselben durch andere Quellen ersetzt wird. In dem Thon muß an und für sich eine Ursache vorhanden sein, welche Einfluß auf das Leben der Pflanzen ausübt, welche directen Antheil an ihrer Entwickelung nimmt.

Diese Ursache ist sein nie fehlender Kali- und Natrongehalt.

Die Thonerde nimmt an der Vegetation nur indirect, durch ihre Fähigkeit, Wasser und Ammoniak anzuziehen und zurückzuhalten, Antheil, nur in höchst seltenen Fällen findet sich Thonerde in den Pflanzenaschen, in allen findet sich aber Kieselerde, welche in den meisten Fällen nur durch Vermittlung von Alkalien in die Pflanze gelangt.

Um sich einen bestimmten Begriff von dem Gehalt des Thons an Alkalien zu machen, muß man sich erinnern, daß der Feldspath 17¾ p. c. Kali, der Albit 11,43 Natron, der Glimmer 3—5 p. c., die Zeolithe zusammen 13—16 p. c. an Alkalien enthalten.

Aus den zuverlässigen Analysen von Ch. Gmelin, Löwe, Fricke, Meyer, Redtenbacher weiß man, daß die Klingsteine, Basalte zwischen ¾ bis 3 p. c. Kali und 5—7 p. c. Natron, der Thonschiefer 2,75 — 3,31 Kali, daß der Letten 1½—4 p. c. Kali enthält.

Berechnet man bei Zugrundelegung des specifischen Gewichtes, wie viel Kali eine Bodenschicht enthält, welche aus der Verwitterung eines Morgens (2500 □ Meter) einer 20 Zoll dicken Lage einer dieser Felsarten entstanden ist, so ergiebt sich, daß diese Bodenschicht an Kali enthält:

aus Feldspath entstanden	1,152000 ℔
aus Klingstein	200000—400000 »
aus Basalt	47500— 75000 »
aus Thonschiefer	100000—200000 »
aus Letten	87000—300000 »

Das Kali fehlt in keinem Thon, es ist selbst im Mergel (Fuchs) enthalten; in allen Thonarten, die man auf Kali untersucht hat, ist dieser Bestandtheil gefunden worden, in dem Thon der Uebergangsgebirge des Flotzgebirges, so wie in den jüngsten Bildungen der Umgebungen von Berlin kann man durch bloßes Eintrocknen mit Schwefelsäure, durch die Bildung von Alaun (nach Mitscherlich) den Kaligehalt nachweisen, und allen Alaun-Fabrikanten ist es wohl bekannt, daß alle ihre Laugen eine gewisse Quantität Alaun fertig gebildet enthalten, dessen Kali aus der thonreichen Asche der Braun- und Steinkohlen herrührt.

Ist nach dieser außerordentlichen Verbreitung des Kali's sein Vorkommen in den Gewächsen nicht vollkommen begreiflich, ist es zu rechtfertigen, daß man, um sein Vorhandensein in den Pflanzen zu erklären, zu einer Erzeugung von einem Metalloxid durch den organischen Proceß, aus den Bestandtheilen der Atmosphäre also, seine Zuflucht nahm? Diese Meinung fand zu einer Zeit noch Anhänger, wo die Methoden, das Kali in dem Boden nachzuweisen, längst bekannt waren. Noch heutigen Tages sind Voraussetzungen dieser Art in den Schriften vieler Physiologen zu finden; man sieht sich in die Zeit zurückversetzt, wo man den Feuerstein aus Kreide entstehen ließ, wo man sich vollkommen beruhigte, Alles, was aus Mangel an Untersuchungen unbegreiflich erschien, mit einer noch bei weitem unbegreiflichern Erscheinung zu erklären.

Ein Tausendtheil Letten, dem Quarz in buntem Sandstein oder dem Kalk in den verschiedenen Kalkformationen beigemengt, giebt einem Boden von nur 20 Zoll Tiefe so viel Kali, daß ein Fichtenwald auf diesem Boden ein ganzes Jahrhundert lang damit versehen werden kann.

Ein einziger Cubicfuß Feldspath kann eine Waldfläche mit Laubholz von 2500 □Meter Fläche 5 Jahre lang mit Kali versehen.

Ein Boden, welcher ein Maximum von Fruchtbarkeit besitzt, enthält den Thon gemengt mit anderen verwitterten Gesteinen, mit Kalk und Sand in einem solchen Verhältniß, daß er der Luft und Feuchtigkeit bis zu einem gewissen Grade leichten Eingang verstattet.

Der Boden in der Nähe und Umgebung des Vesuvs läßt sich als der Typus der fruchtbarsten Bodenarten betrachten; je nach dem Verhältniß, als der Thon oder Sand darinn zu- oder abnimmt, verringert sich der Grad seiner Fruchtbarkeit.

Dieser aus verwitterter Lava entstandene Boden kann seinem Ursprung nach nicht die kleinste Spur einer vegetabilischen Materie enthalten; Jedermann weiß, daß wenn die vulkanische Asche eine Zeitlang der Luft und dem Einfluß der Feuchtigkeit ausgesetzt gewesen ist, daß alle Vegetabilien darinn in der größten Ueppigkeit und Fülle gedeihen.

Die Bedingung dieser Fruchtbarkeit sind nun die darinn enthaltenen Alkalien, welche nach und nach durch die Verwitterung die Fähigkeit erlangen, von der Pflanze aufgenommen zu werden. Bei allen Gesteinen und Gebirgsarten sind Jahrtausende erforderlich gewesen, um sie in den Zustand der Ackererde überzuführen, die Grenze der Verwitterung des Thons, d. h. die völlige Entziehung alles Alkalis, wird noch eben so viele Jahrtausende erfordern.

Wie wenig das Regenwetter aus dem Boden in Jahres-

einem gehörigen Verhältniß Kleber oder Fleisch läßt sich keine Spur davon entdecken, sie sind in diesem Falle assimilirbar geworden. Kartoffeln, welche neben Heufütterung die Kräfte eines Pferdes kaum zu erhalten vermögen, geben neben Brod und Hafer ein kräftiges und gesundes Futter.

Unter diesem Gesichtspunkte wird es einleuchtend, wie sehr sich die in einer Pflanze erzeugten Produkte je nach dem Verhältniß der zugeführten Nahrungsstoffe ändern können. Ein Ueberfluß von Kohlenstoff, in der Form von Kohlensäure durch die Wurzeln zugeführt, wird bei Mangel an Stickstoff weder in Kleber noch in Eiweis, noch in Holz, noch in sonst irgend einen Bestandtheil eines Organs übergehen; er wird als Zucker, Amylon, Oel, Wachs, Harz, Mannit, Gummi in der Form also eines Excrements abgeschieden werden, oder mehr oder weniger weite Zellen und Gefäße füllen.

Bei einem Ueberschuß stickstoffhaltiger Nahrung wird sich der Kleber, der Gehalt von vegetabilischem Eiweis und Pflanzenleim vermehren, es werden Ammoniaksalze in den Säften bleiben, wenn, wie beim Anbau der Runkelrüben, ein sehr stickstoffreicher Dünger dem Boden gegeben, oder die Funktionen der Blätter unterdrückt wird, indem man die Pflanze ihrer Blätter beraubt.

Wir wissen in der That, daß die Ananas im wilden Zustande kaum genießbar ist, daß sie bei reichlichem thierischen Dünger eine Masse von Blättern treibt, ohne daß die Frucht deshalb an Zucker zunimmt; daß der Stärkegehalt der Kartoffeln in einem humusreichen Boden wächst, daß bei kräftigem animalischen Dünger die Anzahl der Zellen zunimmt, während sich der Amylongehalt vermindert; in dem ersteren Falle besitzen sie eine mehlige, in dem andern eine seifige Beschaffenheit. Die Runkelrüben auf magern Sandboden gezogen, enthalten ein Maximum von Zucker und kein Ammoniaksalz, und in gedüngtem Lande verliert die Teltower Rube ihre mehlige Beschaffenheit, denn in diesem vereinigen sich alle Bedingungen für Zellenbildung.

Eine abnorme Production von gewissen Bestandtheilen der Pﬂanzen setzt in den Blättern eine Kraft und Fähigkeit der Assimilation voraus, die wir mit einer gewöhnlichen, selbst der mächtigsten chemischen Action nicht vergleichen können. Man kann sich in der That keine geringe Vorstellung davon machen, denn sie übertrifft an Stärke die mächtigste galvanische Batterie, mit der wir nicht im Stande sind, den Sauerstoff aus der Kohlensäure auszuscheiden. Die Verwandtschaft des Chlors zum Wasserstoff, seine Fähigkeit, das Wasser im Sonnenlichte zu zerlegen und Sauerstoff daraus zu entwickeln, ist für nichts zu achten, gegen die Kraft und Energie, mit welcher ein von der Pflanze getrenntes Blatt das aufgesaugte kohlensaure Gas zu zerlegen vermag.

Die gewöhnliche Meinung, daß nur das direct einfallende Sonnenlicht, die Zerlegung der Kohlensäure in den Blättern der Pﬂanzen zu bewirken vermöge, daß das reflectirte oder Tageslicht diese Fähigkeit nicht besitzt, ist ein sehr verbreiteter Irrthum, denn in einer Menge Pflanzen erzeugen sich absolut die nemlichen Bestandtheile, gleichgültig ob sie vom Sonnenlichte getroffen werden, oder ob sie im Schatten wachsen, sie bedürfen des Lichtes und zwar des Sonnenlichtes, aber es ist für ihre Funktionen durchaus gleichgültig, ob sie die Strahlen der Sonne direct erhalten oder nicht. Ihre Funktionen gehen nur mit weit größerer Energie und Schnelligkeit im Sonnenlichte als wie im Tageslichte oder im Schatten vor sich; es kann keine andere Verschiedenheit hier gedacht werden, als wie bei ähnlichen Wirkungen, welche das Licht auf chemische Verbindungen zeigt, und diese Verschiedenheit wird bemerkbar durch einen höhern oder geringern Grad der Beschleunigung der Action.

Chlor und Wasserstoff vereinigen sich beide zu Salzsäure, im gewöhnlichen Tageslichte geht die Verbindnng in einigen Stunden, im Sonnenlichte augenblicklich mit einer gewaltsamen Explosion vor sich, in völliger Dunkelheit beobachtet man nicht die geringste Veränderung.

Das Oel des ölbildenden Gases liefert mit Chlor in Berührung im Sonnenlichte augenblicklich Chlorkohlenstoff, in gewöhnlichem Tageslichte kann der letztere ebenfalls mit derselben Leichtigkeit erhalten werden, es gehört dazu nur eine längere Zeit. Während man bei diesem Versuche, wenn er im Sonnenlichte angestellt wird, nur zwei Produkte bemerkt (Salzsäure und Chlorkohlenstoff), beobachtet man bei der Einwirkung im Tageslichte eine Reihe von Zwischenstufen, von Verbindungen nemlich, deren Chlorgehalt beständig zunimmt, bis zuletzt das ganze Oel in zwei Produkte übergeht, die mit denen im Sonnenlichte erhaltenen absolut identisch sind. Im dunkeln beobachtet man auch hier nicht die geringste Zersetzung. Salpetersäure zerlegt sich im gewöhnlichen Tageslichte in Sauerstoffgas und salpetrige Säure, Chlorsilber schwärzt sich im Tageslichte so gut wie im Sonnenlichte, kurz alle Actionen ganz ähnlicher Art nehmen im Tageslichte dieselbe Form an wie im Sonnenlichte, nur in der Zeit, in der es geschieht, bemerkt man einen Unterschied. Bei den Pflanzen kann es nicht anders sein, die Art ihrer Ernährung ist bei allen dieselbe, und ihre Bestandtheile beweisen es, daß die Nahrungsstoffe absolut dieselbe Veränderung erlitten haben.

Was wir also an Kohlensäure einer Pflanze auch zuführen mögen, wenn ihre Quantität nicht mehr beträgt, als was von den Blättern zersetzbar ist, so wird sie eine Metamorphose erleiden. Wir wissen, daß ein Uebermaß an Kohlensäure die Pflanze tödtet, wir wissen aber auch, daß der Stickstoff bis zu einem gewissen Grade unwesentlich für die Zersetzung der Kohlensäure ist.

Alle bis jetzt angestellten Versuche beweisen, daß frische Blätter, von der Pflanze getrennt, in einem Wasser, welches Kohlensäure enthält, Sauerstoffgas im Sonnenlichte entwickeln, während die Kohlensäure verschwindet.

In diesen Versuchen ist also mit der Kohlensäure kein Stickstoff gleichzeitig zugeführt worden, und man kann hieraus keinen andern Schluß ziehen als den, daß zur Zersetzung der Kohlensäure, also zur Ausübung von einer ihrer Funktionen, kein Stickstoff erforderlich ist, wenn auch für die Assimilation der durch die Zersetzung der Kohlensäure neugebildeten Produkte, um Bestandtheile gewisser Organe der Pflanzen zu werden, die Gegenwart einer stickstoffhaltigen Substanz unentbehrlich zu sein scheint.

Der aus der Kohlensäure aufgenommene Kohlenstoff hat in den Blättern eine neue Form angenommen, in der er löslich und überführbar in alle Theile der Pflanze ist. Wir bezeichnen diese Form mit Zucker, wenn die Produkte süß schmecken, und mit Gummi oder Schleim, wenn sie geschmacklos sind, sie heißen Excremente, wenn sie durch die Wurzeln (Haare und Drüsen der Blätter ꝛc.) abgeführt werden.

Es ist hieraus klar, daß je nach den Verhältnissen der gleichzeitig zugeführten Nahrungsstoffe die Menge und Qualitäten der durch den Lebensproceß der Pflanzen erzeugten Stoffe wechseln werden.

Im freien wilden Zustande entwickeln sich alle Theile einer Pflanze je nach dem Verhältnisse der Nahrungsstoffe, die ihr vom Standorte dargeboten werden, sie bildet sich auf dem ma-

bedarf, die ihm der Humusboden nicht liefern kann, indem er keins von beiden enthält, man erhält Kraut aber keine Frucht

Woher kommt es denn, daß Weizen nicht auf Sandboden gedeiht, daß der Kalkboden, wenn er nicht eine beträchtliche Menge Thon beigemischt enthält, unfruchtbar für diese Pflanze ist? Es kommt daher, weil diese Bodenarten für dieses Gewächs nicht hinreichend Alkali enthalten, es bleibt selbst davon in seiner Entwickelung zurück, wenn ihm alles andere im Ueberfluß dargeboten wird.

Ist es denn nur Zufall, daß in den Karpathen, im Jura auf Sandstein und Kalk nur Nadelholz gedeiht, daß wir auf Gneuß, Glimmerschiefer, auf Granitboden in Baiern, daß wir auf Klingstein in der Rhön, auf Basalt im Vogelsberge, auf Thonschiefer am Rhein und in der Eifel, die schönsten Laubholzwaldungen finden, die auf Sandstein und Kalk, worauf Fichten noch gedeihen, nicht mehr fortkommen. Es kommt daher, weil die Blätter des Laubholzes, welche jährlich sich erneuern, zu ihrer Entwickelung die 6 bis 10fache Menge Alkali erfordern. Sie finden auf kaliarmem Boden das Alkali nicht vor, ohne welches sie nicht zur Ausbildung gelangen *).

Wenn auf Sandstein und Kalkboden Laubholz vorkommt, wenn wir die Rothbuche, den Vogelbeerbaum, die wilde Süßkirsche, auf Kalk üppig gedeihen sehen, so kann man mit Gewißheit darauf rechnen, daß in dem Boden eine Bedingung ihres Lebens, nemlich die Alkalien, nicht fehlen.

Kann es auffallend sein, daß nach dem Abbrennen von Nadelholzwaldungen in Amerika, durch welche der Boden das in

---

*) 1000 Theile trockener Eichenblätter geben 55 Theile Asche, worin sich 24 Theile lösliche Alkalien befinden, dieselbe Quantität Fichtenblätter giebt nur 29 Theile Asche, welche 4, 6 Theile lösliche Salze enthält (Saussure).

Jahrhunderten gesammelte Alkali empfängt, Laubholz gedeiht, daß Spartium scoparium, Erysimum latifolium, Blitum capitatum, Senecio viscosus, lauter Pflanzen, welche eine an Alkali höchst reiche Asche geben, auf Brandstätten in üppiger Fülle emporsprossen.

Nach Wermuth gedeiht kein Weizen, und umgekehrt auf Weizen kein Wermuth, sie schaden sich gegenseitig, insofern sie sich des Alkalis im Boden bemächtigen.

Hundert Theile Weizenstengel geben 15,5 Asche (H. Davy), 100 Theile trockner Gerstenstengel 8,54 Theile Asche (Schrader), 100 Theile Haferstengel nur 4,42 Asche; diese Asche ist bei allen diesen Pflanzen von einerlei Zusammensetzung.

Sieht man hier nicht genau, was die Pflanze bedarf? Auf einem und demselben Felde, das nur eine Ernte Weizen liefert, läßt sich zweimal Gerste und dreimal Hafer bauen.

Alle Grasarten bedürfen des kieselsauren Kalis; es ist kieselsaures Kali, was beim Wässern der Wiesen dem Boden zugeführt, was in dem Boden aufgeschlossen wird; in Gräben und in kleinen Bächen, an Stellen, wo durch den Wechsel des Wassers die aufgelöste Kieselerde sich unaufhörlich erneuert, auf kalireichem Letten- und Thonboden, in Sümpfen gedeihen die Equisetaceen, die Schilf- und Rohrarten, welche so große Mengen Kieselerde oder kieselsaures Kali enthalten, in der größten Ueppigkeit.

Die Menge von kieselsaurem Kali, welches in der Form von Heu den Wiesen jährlich genommen wird, ist sehr beträchtlich. Man darf sich nur an die zusammengeschmolzene glasartige Masse erinnern, die man nach einem Gewitter zwischen Mannheim und Heidelberg auf einer Wiese fand, und für einen Meteorstein hielt; es war, wie die Untersuchung ergab, kieselsaures Kali; der Blitz hatte in einen Heuhaufen einge-

Was enthält aber der Boden, was enthalten die Stoffe, die man Dünger nennt? Vor der Ausmittelung dieser Fragen kann an eine rationelle Land- und Feldwirthschaft nicht gedacht werden.

Zur vollständigen Lösung dieser Fragen werden die Kräfte und Kenntnisse des Pflanzenphysiologen, des Agronomen und Chemikers in Anspruch genommen, es muß dazu ein Anfang gemacht werden.

Die Aufgabe der Cultur ist im Allgemeinen die vortheilhafteste Hervorbringung gewisser Quantitäten, oder eines Maximums an Masse von gewissen Theilen, oder Organen verschiedenartiger Pflanzen, sie wird gelös't durch die Anwendung der Kenntniß derjenigen Stoffe, die zur Ausbildung dieser Theile oder Organe unentbehrlich sind, oder der zur Hervorbringung dieser Qualitäten erforderlichen Bedingungen.

Die Gesetze einer rationellen Cultur müssen uns in den Stand setzen, einer jeden Pflanze dasjenige zu geben, was sie zur Erreichung ihrer Zwecke vorzugsweise bedarf.

Die Cultur beasichtigt im Besonderen eine abnorme Entwickelung und Erzeugung von gewissen Pflanzentheilen oder Pflanzenstoffen, die zur Ernährung der Thiere und Menschen, oder für die Zwecke der Industrie verwendet werden.

Je nach diesen Zwecken ändern sich die Mittel, welche zu ihrer Ernährung dienen.

Die Mittel, welche die Cultur anwendet, um feines weiches biegsames Stroh für Florentiner Hüte zu erzeugen, sind denen völlig entgegengesetzt, die man wählen muß, um ein Maximum von Saamen durch die nemliche Pflanze hervorzubringen. Ein Maximum von Stickstoff in diesen Saamen bedarf wieder der Erfüllung anderer Bedingungen, man hat wieder andere zu berücksichtigen, wenn man dem Halme die Stärke und Festig-

den Urin und die festen Excremente wird aller Ueberschuß wieder abgeführt.

Man kann sich eine Vorstellung von dem Gehalt von phosphorsaurer Bittererde in dem Getreide machen, wenn man sich erinnert, daß die Steine in dem Blinddarm von Pferden, die sich von Heu und Hafer nähren, aus phosphorsaurer Bittererde und Ammoniak bestehen. Aus dem Mastdarm eines Müllerpferdes in Eberstadt wurden nach seinem Tode 29 Steine genommen, die zusammen über 3 ℔ wogen, und Dr. Fr. Simon beschrieb vor Kurzem einen Stein von einem Fuhrmannspferde, dessen Gewicht 47½ Loth (über 700 Grammen) betrug.

Es ist klar, ohne phosphorsaure Bittererde, welche einen nie fehlenden Bestandtheil der Saamen der Getreidearten ausmacht, wird sich dieser Saame nicht bilden können; er wird nicht zur Reife gelangen.

Außer Kieselsäure, Kali und Phosphorsäure, die unter keinerlei Umständen in den Culturpflanzen fehlen, nehmen die Vegetabilien aus dem Boden noch fremde Stoffe, Salze auf, von denen man voraussetzen darf, daß sie die ebengenannten zum Theil wenigstens in ihren Wirkungen ersetzen; in dieser Form kann man bei manchen Pflanzen Kochsalz, schwefelsaures Kali, Salpeter, Chlorkalium und andere als nothwendige Bestandtheile betrachten.

Der Thonschiefer enthält meistens Einmischungen von Kupferoxid, der Glimmerboden enthält Fluormetalle. Von diesen Bestandtheilen gehen geringe Mengen in den Organismus der Pflanze über, ohne daß sich behaupten läßt, sie seien ihr nothwendig.

In gewissen Fällen scheint das Fluorcalcium den phosphorsauren Kalk in den Knochen und Zähnen vertreten zu können, es läßt sich sonst wenigstens nicht erklären, woher es kommt,

daß die nie fehlende Gegenwart derselben in den Knochen der antediluvianischen Thiere als Mittel dienen kann, um sie von Knochen aus späteren Perioden zu unterscheiden; die Schädelknochen von Menschen aus Pompeji sind eben so reich an Flußsäure wie die der vorweltlichen Thiere. Werden sie gepulvert in einem verschließbaren Glasgefäß mit Schwefelsäure übergossen, so findet sich dieses auf der Innenseite nach 24 Stunden aufs Heftigste corrodirt (J. L.), während die Knochen und Zähne der jetzt lebenden Thiere nur Spuren davon enthalten. (Berzelius.)

Beachtenswerth für das Wachsthum der Pflanzen ist die Erfahrung von de Saussure, daß in den verschiedenen Stadien ihrer Entwickelung die Vegetabilien ungleiche Mengen von den Bestandtheilen des Bodens bedürfen. Weizenpflanzen lieferten ihm einen Monat vor der Blüthe 77/1000, in der Blüthe 54/1000, und mit reifen Saamen nur 33/1000 Asche. Man sieht offenbar, daß sie dem Boden, von der Blüthe an, einen Theil seiner anorganischen Bestandtheile wieder zurückgeben, aber die phosphorsaure Bittererde ist im Saamen zurückgeblieben.

Die Brache ist, wie sich aus dem Vorhergehenden ergiebt, die Periode der Cultur, wo man das Land einer fortschreitenden Verwitterung vermittelst des Einflusses der Atmosphäre überläßt, in der Weise, daß eine gewisse Quantität Alkali wieder fähig gemacht wird, von einer Pflanze aufgenommen zu werden.

Es ist klar, daß die sorgfältige Bearbeitung des Brachlandes seine Verwitterung beschleunigt und vergrößert; für den Zweck der Cultur ist es völlig gleichgültig, ob man das Land mit Unkraut sich bedecken läßt, oder ob man eine Pflanze darauf baut, welche dem Boden das aufgeschlossene Alkali nicht entzieht.

Unter der Familie der Leguminosen sind viele Arten, ausgezeichnet durch ihren geringen Gehalt von Alkalien und Salzen überhaupt; die Bohne der Vicia faba enthält z. B. kein freies Alkali, und an phosphorsaurem Kalk und Bitterde noch kein ganzes Procent (Einhof); die grünen Blätter und Schoten von Pisum sativum enthalten nur 1/1000 phosphorsaure Salze, die reifen Erbsen geben im Ganzen nur 1,93 Asche, darinn 0,29 phosphorsauren Kalk. (Einhof.) Die Bohne von Phaseolus vulgaris enthält nur Spuren von Salzen. (Braconnot.) Der Stamm von Medicago Sativa enthält nur 0,83 p. c., Ervum lens nur 0,57 p. c. phosphorsauren Kalk mit Eiweiß. (Crome.) Der Buchweizen, an der Sonne getrocknet, liefert im Ganzen nur 0,681 p. c. Asche und darinn nur 0,09 Theile löslicher Salze. (Zenneck.)

Die obenerwähnten Pflanzen gehören zu den sogenannten Brachfrüchten, in ihrer Zusammensetzung liegt der Grund, warum sie dem Getreide, was nach ihnen gepflanzt wird, nicht schaden; sie entziehen dem Boden keine Alkalien, sondern nur eine verschwindende Menge von phosphorsauren Salzen.

Es ist klar, daß zwei Pflanzen neben einander wachsend sich gegenseitig schaden, wenn sie dem Boden einerlei Nahrungsstoffe entziehen, und es kann nicht auffallend sein, daß Matricaria Chamomilla, Spartium scoparium das Aufkommen des Getreides hindern, wenn man berücksichtigt, daß beide 7 bis 7,43 p. c. Asche geben, die 6/10 kohlensaures Kali enthält.

Der Lolch (Trespe), das Freisamkraut (Erigeron acre), kommen gleichzeitig mit dem Getreide zur Blüthe und Fruchtbildung; in dem Getreide wachsend werden sich beide Pflanzen in die Bestandtheile des Bodens theilen, mit der Stärke der Entwickelung der einen, wird die der andern abnehmen müssen, was die eine aufnimmt, entgeht der andern.

frist aufzulösen vermag, sehen wir an der Zusammensetzung des Flußwassers, des Wassers der Bäche und Quellen; es sind dieß gewöhnlich weiche Wasser, und der nie fehlende Kochsalzgehalt auch der weichsten Wasser beweist, daß dasjenige an alkalischen Salzen, was durch Flüsse und Ströme dem Meere zufließt, durch Seewinde und Regen dem Lande wieder zurückgebracht wird.

Die Natur selbst zeigt uns, was die Pflanze, ihr Keim, die erste Wurzelfaser, im Anfang ihrer Entwickelung bedarf. Bequerel hat nachgewiesen, daß die Saamen der Gramineen, Leguminosen, Cruciferen, Chicoraceen, Umbelliferen, Corniferen, Cucurbitaceen, beim Keimen, Essigsäure ausscheiden. Eine Pflanze, welche aus der Erde, ein Blatt, was aus der Knospe hervorbricht, enthält zu dieser Zeit eine Asche, welche eben so stark und gewöhnlich mehr mit alkalischen Salzen beladen ist, als in einer andern Periode der Vegetation. (Saussure.) Wir wissen nun aus Bequerels Versuchen, wie und auf welche Weise diese alkalischen Salze in die junge Pflanze gelangen, die gebildete Essigsäure verbreitet sich in dem nassen und feuchten Boden, sie sättigt sich mit Alkalien, Kalk, Bittererde, und wird von den Wurzelfasern in der Form von neutralen Salzen wieder aufgenommen.

Nach dem Aufhören des Lebens, wo die Bestandtheile der Pflanze den Zerstörungsprocessen der Fäulniß und Verwesung unterliegen, erhält der Boden wieder, was ihm entzogen wurde.

Denken wir uns einen Boden, der aus den Bestandtheilen des Granits, der Grauwacke, des Zechsteins, Porphyrs 2c. durch Verwitterung entstanden ist und auf dem seit Jahrtausenden die Vegetation nicht gewechselt hat, er wird ein Magazin von Alkalien in einem von den Wurzeln der Pflanzen assimilirbaren Zustande enthalten.

Die schönen Versuche von Struve haben dargethan, daß ein kohlensäurehaltiges Wasser, die Gebirgsarten, welche Alkalien enthalten, zerlegt, daß es einen Gehalt von kohlensaurem Alkali empfängt. Es ist klar, daß die P anzen selbst, insofern ihre Ueberreste durch Verwesung Kohlensäure erzeugen, insofern ihre Wurzeln im lebenden Zustande Säuren ausschwitzen, nicht minder kräftig dem Zusammenhang der Gebirgsarten entgegenwirken.

Neben der Einwirkung der Luft, des Wassers und Temperaturwechsels, sind die Pflanzen selbst, die mächtigsten Ursachen der Verwitterung.

Luft, Wasser, Temperaturwechsel bewirken die Vorbereitung der Felsarten zu ihrer Aufschließung, d. h. zur Auflösung der darinn enthaltenen Alkalien durch die P anzen.

Auf einem Boden, welcher Jahrhunderte lang allen Ursachen der Verwitterung ausgesetzt gewesen ist, von dem aber die aufgeschlossenen Alkalien nicht fortgeführt wurden, werden alle Vegetabilien, die zu ihrer Entwickelung beträchtliche Mengen Alkalien bedürfen, eine lange Reihe von Jahren hindurch hinreichende Nahrung finden, allein nach und nach muß er erschöpft werden, wenn das Alkali, was ihm entzogen wurde, nicht wieder ersetzt wird; es muß ein Punkt eintreten, wo er von Zeit zu Zeit der Verwitterung wieder ausgesetzt werden muß, um einer neuen Ernte Vorrath von auflösbaren Alkalien zu geben.

So wenig Alkali es auch im Ganzen betragen mag, was die Pflanzen bedürfen, sie kommen ohne dieses Alkali nicht zur Entwickelung; sie können es nicht entbehren.

Nach einem Zeitraume von einem oder mehreren Jahren,

während welcher Zeit das Alkali dem Boden nicht entzogen wird, kann man wieder auf eine neue Ernte rechnen.

Die ersten Colonisten fanden in Virginien einen Boden von der obenerwähnten Beschaffenheit vor; ohne Dünger erntete man auf einem und demselben Felde, ein ganzes Jahrhundert lang, Weizen oder Taback, und jetzt sieht man ganze Gegenden verlassen und in unfruchtbares Weideland verwandelt, was kein Getreide, keinen Taback mehr, ohne Dünger, hervorbringt. Einem Morgen von diesem Lande wurden aber in 100 Jahren in den Blättern, dem Korn und Stroh über 1200 ℔ Alkali entzogen; er wurde unfruchtbar, weil der aufgeschlossene Boden gänzlich seines Alkali's beraubt war und weil dasjenige, was im Zeitraum von einem Jahre durch den Einfluß der Witterung zur Aufschließung gelangte, nicht hinreichte, um die Bedürfnisse der Pflanze zu befriedigen.

In diesem Zustande befindet sich im Allgemeinen alles Culturland in Europa. Die Brache ist die Zeit der Verwitterung.

Man giebt sich einer unbegreiflichen Täuschung hin, indem man dem Verschwinden des Humusgehaltes in diesem Boden zuschreibt, was eine bloße Folge der Entziehung von Alkalien ist.

Man versetze sich in die Umgebungen Neapels, welche bekannt sind als fruchtbares Getreideland; die Ortschaften und Dörfer liegen 6—8 Stunden entfernt von einander, von Wegen ist in diesen Gegenden keine Rede, noch viel weniger von Dünger; seit Jahrtausenden wird auf diesen Feldern Getreide gezogen, ohne daß dem Boden wiedergegeben wird, was man ihm jährlich nimmt. Wie kann man unter solchen Verhältnissen dem Humus eine Wirkung zuschreiben, die nach tausend Jahren noch bemerkbar ist, dem Humus, von dem man nicht einmal weiß, ob er je ein Bestandtheil dieses Bodens war.

Die Methode der Cultur, die man in diesen Gegenden anwendet, erklärt diese Verhältnisse vollkommen; es ist in den Augen unserer Landwirthe die schlechteste von allen, für diese Gegenden hingegen die vortheilhafteste, die man wählen kann. Man bebaut nemlich das Feld nur von drei zu drei Jahren, und läßt es in der Zwischenzeit Viehheerden zu einer spärlichen Weide dienen. Während der zweijährigen Brache hat das Feld keine andere Aenderung erlitten, als daß der Boden den Einflüssen der Witterung ausgesetzt gewesen ist, eine gewisse Menge der darinn enthaltenen Alkalien ist wieder in den Zustand der Aufschließbarkeit übergegangen.

Man muß erwägen, daß die Thiere, welche auf diesen Feldern sich ernährt haben, dem Boden nichts gaben, was er nicht vorher besaß. Die Unkrautpflanzen, von denen sie lebten, stammten von diesem Boden, was sie ihm in den Excrementen zurückgaben, mußte jedenfalls weniger betragen, als was sie von ihm empfingen. Durch das Beweiden hat das Feld nichts gewonnen, es hat im Gegentheil von seinen Bestandtheilen verloren.

Als Princip des Feldbaues betrachtet man die Erfahrung, daß sich Weizen nicht mit Weizen verträgt; der Weizen gehört wie der Taback zu den P anzen, welche den Boden erschöpfen.

Wenn aber der Humus dem Boden die Fähigkeit geben kann, Getreide zu erzeugen, woher kommt es denn, daß der humusreiche Boden in vielen Gegenden Brasiliens, daß auch in unserm Klima der Weizen in reiner Holzerde nicht gedeiht, daß der Halm keine Stärke erhält und sich frühzeitig umlegt? Es kommt daher, weil die Festigkeit des Halmes von kieselsaurem Kali herrührt, weil das Korn phosphorsaure Bittererde

schagen, an dessen Stelle man nichts weiter als die zusammengeflossene Asche des Heues fand.

Das Kali ist aber für die meisten Gewächse nicht die einzige Bedingung ihrer Existenz; es ist darauf hingewiesen worden, daß es in vielen ersetzbar ist durch Kalk, Bittererde und Natron, aber die Alkalien reichen allein nicht hin, um das Leben der Pflanzen zu unterhalten.

In einer jeden bis jetzt untersuchten Pflanzenasche fand man Phosphorsäure, gebunden an Alkalien und alkalische Erden; die meisten Saamen enthalten gewisse Mengen davon, die Saamen der Getreidearten sind reich an Phosphorsäure, sie findet sich darin vereinigt mit Bittererde.

Die Phosphorsäure wird aus dem Boden von der P anze aufgenommen, alles culturfähige Land, selbst die Lüneburger Haide, enthält bestimmbare Mengen davon. In allen auf Phosphorsäure untersuchten Mineralwassern hat man gewisse Quantitäten davon entdeckt, wo sie nicht gefunden worden ist, hat man sie nicht aufgesucht. Die der Oberfläche der Erde am nächsten liegenden Schichten von Schwefelbleilagern enthalten krystallisirtes phosphorsaures Bleioxid (Grünbleierz); der Kieselschiefer, welcher große Lager bildet, findet sich an vielen Orten bedeckt mit Krystallen von phosphorsaurer Thonerde (Wawellit); alle Bruchflächen sind damit überzogen. Phosphorsaurer Kalk (Apatit) findet sich selbst in den vulkanischen Bomben des Laacher See's.

Aus dem Boden gelangt die Phosphorsäure in die Saamen, Blätter und Wurzeln der Pflanzen, aus diesen in den Organismus der Thiere, indem sie zur Bildung der Knochen, der phosphorhaltigen Bestandtheile des Gehirns verwendet wird. Durch Fleischspeisen, Brot, Hülsenfrüchte gelangt bei weitem mehr Phosphor in den Körper, als er bedarf; durch den Urin und die festen Excremente wird aller Ueberschuß wieder abgeführt.

Man kann sich eine Vorstellung von dem Gehalt von phosphorsaurer Bittererde in dem Getreide machen, wenn man sich erinnert, daß die Steine in dem Blinddarm von Pferden, die sich von Heu und Hafer nähren, aus phosphorsaurer Bittererde und Ammoniak bestehen. Aus dem Mastdarm eines Müllerpferdes in Eberstadt wurden nach seinem Tode 29 Steine genommen, die zusammen über 3 ℔ wogen, und Dr. Fr. Simon beschrieb vor Kurzem einen Stein von einem Fuhrmannspferde, dessen Gewicht 47½ Loth (über 700 Grammen) betrug.

Es ist klar, ohne phosphorsaure Bittererde, welche einen nie fehlenden Bestandtheil der Saamen der Getreidearten ausmacht, wird sich dieser Saame nicht bilden können; er wird nicht zur Reife gelangen.

Außer Kieselsäure, Kali und Phosphorsäure, die unter keinerlei Umständen in den Culturpflanzen fehlen, nehmen die Vegetabilien aus dem Boden noch fremde Stoffe, Salze auf, von denen man voraussetzen darf, daß sie die ebengenannten zum Theil wenigstens in ihren Wirkungen ersetzen; in dieser Form kann man bei manchen Pflanzen Kochsalz, schwefelsaures Kali, Salpeter, Chlorkalium und andere als nothwendige Bestandtheile betrachten.

Der Thonschiefer enthält meistens Einmischungen von Kupferoxid, der Glimmerboden enthält Fluormetalle. Von diesen Bestandtheilen gehen geringe Mengen in den Organismus der Pflanze über, ohne daß sich behaupten läßt, sie seien ihr nothwendig.

In gewissen Fällen scheint das Fluorcalcium den phosphorsauren Kalk in den Knochen und Zähnen vertreten zu können, es läßt sich sonst wenigstens nicht erklären, woher es kommt,

daß die nie fehlende Gegenwart derselben in den Knochen der antediluvianischen Thiere als Mittel dienen kann, um sie von Knochen aus späteren Perioden zu unterscheiden; die Schädelknochen von Menschen aus Pompeji sind eben so reich an Flußsäure wie die der vorweltlichen Thiere. Werden sie gepulvert in einem verschließbaren Glasgefäß mit Schwefelsäure übergossen, so findet sich dieses auf der Innenseite nach 24 Stunden aufs Heftigste corrodirt (J. L.), während die Knochen und Zähne der jetzt lebenden Thiere nur Spuren davon enthalten. (Berzelius.)

Beachtenswerth für das Wachsthum der Pflanzen ist die Erfahrung von de Saussure, daß in den verschiedenen Stadien ihrer Entwickelung die Vegetabilien ungleiche Mengen von den Bestandtheilen des Bodens bedürfen. Weizenpflanzen lieferten ihm einen Monat vor der Blüthe $^{79}/_{1000}$, in der Blüthe $^{54}/_{1000}$, und mit reifen Saamen nur $^{33}/_{1000}$ Asche. Man sieht offenbar, daß sie dem Boden, von der Blüthe an, einen Theil seiner anorganischen Bestandtheile wieder zurückgeben, aber die phosphorsaure Bittererde ist im Saamen zurückgeblieben.

Die Brache ist, wie sich aus dem Vorhergehenden ergiebt, die Periode der Cultur, wo man das Land einer fortschreitenden Verwitterung vermittelst des Einflusses der Atmosphäre überläßt, in der Weise, daß eine gewisse Quantität Alkali wieder fähig gemacht wird, von einer Pflanze aufgenommen zu werden.

Es ist klar, daß die sorgfältige Bearbeitung des Brachlandes seine Verwitterung beschleunigt und vergrößert; für den Zweck der Cultur ist es völlig gleichgültig, ob man das Land mit Unkraut sich bedecken läßt, oder ob man eine Pflanze darauf baut, welche dem Boden das aufgeschlossene Alkali nicht entzieht.

Unter der Familie der Leguminosen sind viele Arten, ausgezeichnet durch ihren geringen Gehalt von Alkalien und Salzen überhaupt; die Bohne der Vicia faba enthält z. B. kein freies Alkali, und an phosphorsaurem Kalk und Bitterde noch kein ganzes Procent (Einhof); die grünen Blätter und Schoten von Pisum sativum enthalten nur $^1/_{1000}$ phosphorsaure Salze, die reifen Erbsen geben im Ganzen nur 1,93 Asche, darinn 0,29 phosphorsauren Kalk. (Einhof.) Die Bohne von Phaseolus vulgaris enthält nur Spuren von Salzen. (Braconnot.) Der Stamm von Medicago Sativa enthält nur 0,83 p. c., Ervum lens nur 0,57 p. c. phosphorsauren Kalk mit Eiweiß. (Crome.) Der Buchweizen, an der Sonne getrocknet, liefert im Ganzen nur 0,681 p. c. Asche und darinn nur 0,09 Theile löslicher Salze. (Zenneck.)

Die obenerwähnten Pflanzen gehören zu den sogenannten Brachfrüchten, in ihrer Zusammensetzung liegt der Grund, warum sie dem Getreide, was nach ihnen gepflanzt wird, nicht schaden; sie entziehen dem Boden keine Alkalien, sondern nur eine verschwindende Menge von phosphorsauren Salzen.

Es ist klar, daß zwei Pflanzen neben einander wachsend sich gegenseitig schaden, wenn sie dem Boden einerlei Nahrungsstoffe entziehen, und es kann nicht auffallend sein, daß Matricaria Chamomilla, Spartium scoparium das Aufkommen des Getreides hindern, wenn man berücksichtigt, daß beide 7 bis 7,43 p. c. Asche geben, die $^6/_{10}$ kohlensaures Kali enthält.

Der Lolch (Trespe), das Freisamkraut (Erigeron acre), kommen gleichzeitig mit dem Getreide zur Blüthe und Fruchtbildung; in dem Getreide wachsend werden sich beide Pflanzen in die Bestandtheile des Bodens theilen, mit der Stärke der Entwickelung der einen, wird die der andern abnehmen müssen, was die eine aufnimmt, entgeht der andern.

daß die nie fehlende Gegenwart derselben in den Knochen der antediluvianischen Thiere als Mittel dienen kann, um sie von Knochen aus späteren Perioden zu unterscheiden; die Schädelknochen von Menschen aus Pompeji sind eben so reich an Flußsäure wie die der vorweltlichen Thiere. Werden sie gepulvert in einem verschließbaren Glasgefäß mit Schwefelsäure übergossen, so findet sich dieses auf der Innenseite nach 24 Stunden aufs Heftigste corrodirt (J. L.), während die Knochen und Zähne der jetzt lebenden Thiere nur Spuren davon enthalten. (Berzelius.)

Beachtenswerth für das Wachsthum der Pflanzen ist die Erfahrung von de Saussure, daß in den verschiedenen Stadien ihrer Entwickelung die Vegetabilien ungleiche Mengen von den Bestandtheilen des Bodens bedürfen. Weizenpflanzen lieferten ihm einen Monat vor der Blüthe $^{79}/_{1000}$, in der Blüthe $^{54}/_{1000}$, und mit reifen Saamen nur $^{33}/_{1000}$ Asche. Man sieht offenbar, daß sie dem Boden, von der Blüthe an, einen Theil seiner anorganischen Bestandtheile wieder zurückgeben, aber die phosphorsaure Bittererde ist im Saamen zurückgeblieben.

Die Brache ist, wie sich aus dem Vorhergehenden ergiebt, die Periode der Cultur, wo man das Land einer fortschreitenden Verwitterung vermittelst des Einflusses der Atmosphäre überläßt, in der Weise, daß eine gewisse Quantität Alkali wieder fähig gemacht wird, von einer Pflanze aufgenommen zu werden.

Es ist klar, daß die sorgfältige Bearbeitung des Brachlandes seine Verwitterung beschleunigt und vergrößert; für den Zweck der Cultur ist es völlig gleichgültig, ob man das Land mit Unkraut sich bedecken läßt, oder ob man eine Pflanze darauf baut, welche dem Boden das aufgeschlossene Alkali nicht entzieht.

Unter der Familie der Leguminosen sind viele Arten, ausgezeichnet durch ihren geringen Gehalt von Alkalien und Salzen überhaupt; die Bohne der Vicia faba enthält z. B. kein freies Alkali, und an phosphorsaurem Kalk und Bitterde noch kein ganzes Procent (Einhof); die grünen Blätter und Schoten von Pisum sativum enthalten nur $^1/_{1000}$ phosphorsaure Salze, die reifen Erbsen geben im Ganzen nur 1,93 Asche, darinn 0,29 phosphorsauren Kalk. (Einhof.) Die Bohne von Phaseolus vulgaris enthält nur Spuren von Salzen. (Braconnot.) Der Stamm von Medicago Sativa enthält nur 0,83 p. c., Ervum lens nur 0,57 p. c. phosphorsauren Kalk mit Eiweiß. (Crome.) Der Buchweizen, an der Sonne getrocknet, liefert im Ganzen nur 0,681 p. c. Asche und darinn nur 0,09 Theile löslicher Salze. (Zenneck.)

Die obenerwähnten Pflanzen gehören zu den sogenannten Brachfrüchten, in ihrer Zusammensetzung liegt der Grund, warum sie dem Getreide, was nach ihnen gepflanzt wird, nicht schaden; sie entziehen dem Boden keine Alkalien, sondern nur eine verschwindende Menge von phosphorsauren Salzen.

Es ist klar, daß zwei Pflanzen neben einander wachsend sich gegenseitig schaden, wenn sie dem Boden einerlei Nahrungsstoffe entziehen, und es kann nicht auffallend sein, daß Matricaria Chamomilla, Spartium scoparium das Aufkommen des Getreides hindern, wenn man berücksichtigt, daß beide 7 bis 7,43 p. c. Asche geben, die $^6/_{10}$ kohlensaures Kali enthält.

Der Lolch (Trespe), das Freisamkraut (Erigeron acre), kommen gleichzeitig mit dem Getreide zur Blüthe und Fruchtbildung; in dem Getreide wachsend werden sich beide Pflanzen in die Bestandtheile des Bodens theilen, mit der Stärke der Entwickelung der einen, wird die der andern abnehmen müssen, was die eine aufnimmt, entgeht der andern.

Zwei Pflanzen werden neben einander oder hinter einander gedeihen, wenn sie aus dem Boden verschiedenartige Materien zu ihrer Ausbildung nöthig haben, oder wenn die Stadien ihres Wachsthums, die Blüthe und Fruchtbildung weit auseinander liegen.

Auf einem an Kali reichen Boden kann man mit Vortheil Weizen nach Taback bauen, denn der Taback bedarf keiner phosphorsauren Salze, die dem Weizen nicht fehlen dürfen; diese Pflanze hat nur Alkalien und stickstoffreiche Nahrungsmittel nöthig.

Nach der Analyse von Posselt und Reimann enthalten 1000 Theile Tabacksblätter 16 Theile phosphorsauren Kalk, 8,8 Kieselerde und keine Bittererde, während die gleiche Menge Weizenstroh 47,3 Theile, und die nemliche Quantiät Weizenkörner 99,45 Theile phosphorsaure Salze enthält. (Saussure.)

Nehmen wir an, daß die Weizenkörner halb so viel wiegen als das Stroh, so verhalten sich die phosphorsauren Salze, welche vom Weizen und Taback von gleichen Gewichten derselben entzogen werden wie 97,7 : 16. Dieß ist ein höchst bedeutender Unterschied. Die Wurzeln des Tabacks nehmen so gut wie die des Weizens die in dem Boden enthaltenen phosphorsauren Salze auf, allein der erstere giebt sie ihm wieder zurück, weil sie zu seiner Ausbildung nicht wesentlich nothwendig sind.

Die Wechselwirthschaft und der Dünger.

Man hat seit Langem schon die Erfahrung gemacht, daß einjährige Culturgewächse, auf einem und demselben Boden hintereinander folgend, in ihrem Wachsthum zurückbleiben, daß ihr Ertrag an Frucht oder Kraut abnimmt, daß trotz des Verlustes an Zeit eine größere Menge Getreide geerntet wird, wenn man das Feld ein Jahr lang unbebaut liegen läßt. Nach dieser Zeit sogenannter Ruhe erhält der Boden zum großen Theil seine ursprüngliche Fruchtbarkeit wieder.

Man hat ferner beobachtet, daß gewisse Pflanzen, wie Erbsen, Klee, Lein, auf einem und demselben Felde erst nach einer Reihe von Jahren wieder gedeihen, daß andere, wie Hanf, Taback, Topinambur, Rocken, Hafer, bei gehöriger Düngung hintereinander gebaut werden können; man hat gefunden, daß manche den Boden verbessern, andere ihn schonen, und die letzte und häufigste Klasse den Boden angreifen oder erschöpfen. Zu diesen gehören die Brachrüben, Kopfkohl, Runkelrüben, Dinckel, Sommer- und Wintergerste, Rocken und Hafer; man rechnet sie zu den angreifenden; Weizen, Hopfen, Krapp, Stoppelrüben, Raps, Hanf, Mohn, Karden, Lein, Pastel, Wau, Süßholz betrachtet man als erschöpfende.

Die Excremente von Thieren und Menschen sind seit den ältesten Zeiten als Mittel angesehen worden, um die Fruchtbarkeit des Bodens zu steigern. Es ist eine durch zahllose Erfahrungen festgestellte Wahrheit, daß sie dem Boden gewisse

Bestandtheile wiedergeben, welche ihm in der Form von Wurzeln, von Kraut oder Frucht genommen wurden.

Aber auch bei der reichlichsten Düngung mit diesen Materien hat man die Erfahrung gemacht, daß die Ernte nicht immer mit der Düngung im Verhältniß steht, daß der Ertrag vieler Pflanzen, trotz dem scheinbaren Ersatz durch Dünger, abnimmt, wenn sie mehrere Jahre hinter einander auf dem nemlichen Felde gebaut wird.

Auf der andern Seite machte man die Beobachtung, daß ein Feld, was unfruchtbar für eine gewisse Pflanzengattung war, deßhalb nicht aufgehört hatte, fruchtbar für eine andere zu sein, und hieraus hat sich denn in einer Reihe von Jahren ein System der Feldwirthschaft entwickelt, dessen Hauptaufgabe es ist, einen möglichst hohen Ertrag mit dem kleinsten Aufwand von Dünger zu erzielen.

Es ging aus diesen Erfahrungen zusammengenommen hervor, daß die Pflanzen verschiedenartige Bestandtheile des Bodens zu ihrem Wachsthum bedürfen, und sehr bald sah man ein, daß die Mannigfaltigkeit der Cultur so gut wie die Ruhe (Brache) die Fruchtbarkeit des Bodens erhalte. Es war offenbar, daß alle Pflanzen dem Boden in verschiedenen Verhältnissen gewisse Materien zurückgeben mußten, die zur Nahrung einer folgenden Generation verwendet werden konnten.

Von chemischen Principien, gestützt auf die Kenntniß der Materien, welche die Pflanzen dem Boden entziehen, und was ihm in dem Dünger zurückgegeben wird, ist bis jetzt in der Agricultur keine Rede gewesen. Ihre Ausmittelung ist die Aufgabe einer künftigen Generation, denn was kann von der gegenwärtigen erwartet werden, welche mit einer Art von Scheu und Mißtrauen alle Hülfsmittel zurückweis't, die ihr von der Chemie dargeboten werden, welche die Kunst nicht kennt, die Entdeckungen der Chemie auf eine rationelle Weise zur Anwendung zu bringen. Eine kommende Generation wird aus diesen Hülfsmitteln unberechenbare Vortheile ziehen.

Unter allen Vorstellungen, die man sich über die Ursache der Vortheilhaftigkeit des Fruchtwechsels geschaffen hat, verdient die Theorie des Herrn de Candolle als die einzige genannt zu werden, welche eine feste Grundlage besitzt.

De Candolle nimmt an, daß die Wurzeln der Pflanzen, indem sie jede Art von löslichen Materien aufsaugen, unter diesen eine Menge Substanzen in ihre Masse aufnehmen, welche unfähig zu ihrer Nahrung sind. Diese Materien werden durch die Wurzeln wieder abgeschieden, und kehren als Excremente in den Boden zurück.

Als Excremente können sie von derselben Pflanze zu ihrer Assimilation nicht verwendet werden, und je mehr der Boden von diesen Stoffen enthält, desto unfruchtbarer muß er für die nemliche Pflanze werden.

Diese Materien können aber, nach de Candolle, von einer zweiten Pflanzengattung assimilirbar sein; indem sie einer andern Pflanze zur Nahrung dienen, wird diese den Boden von diesen Excrementen befreien und damit ihn wieder für die erste Pflanze fruchtbar machen, wenn sie selbst durch ihre Wurzeln Stoffe absondert, die der ersteren zur Nahrung dienen, so wird der Boden dadurch auf doppelte Weise gewinnen.

Eine Menge Erfahrungen scheinen von vorne herein dieser Ansicht einen hohen Grad von Wahrscheinlichkeit zu geben. Jeder Gärtner weiß, daß man an der Stelle eines Fruchtbaums keinen zweiten derselben Art zum Wachsen bringt, oder erst nach einer gewissen Reihe von Jahren. Bei den Ausrotten von Weinbergen geht einer neuen Bepflanzung mit Weinstöstöcken stets die mehrjährige Bebauung des Bodens mit andern Culturgewächsen voraus.

Man hat damit die Erfahrung in Verbindung gebracht, daß manche Pflanzen aufs beste nebeneinander gedeihen, daß sich hingegen andere gegenseitig in ihrer Entwickelung hindern. Man folgerte daraus, daß die Begünstigung in einer Art von gegenseitiger Ernährung, und umgekehrt die Hinderung des Wachsthums auf einer Art von Vergiftung durch die Excremente beruhe.

Eine Reihe directer Versuche von Macaire-Princep, durch welche die Fähigkeit vieler Pflanzen, durch ihre Wurzeln extractartige Materien abzusondern, auf eine evidente Weise bewiesen und außer allem Zweifel gestellt wurde, gaben dieser Theorie ein großes Gewicht; er fand, daß die Excretionen reichlicher waren bei Nacht als am Tage (?), daß das Wasser, worinn er Pflanzen aus der Familie der Leguminosen hatte vegetiren lassen, sich braun färbte; Pflanzen derselben Art, die er in diesem mit Excrementen angeschwängerten Wasser vegetiren ließ, blieben in ihrem Wachsthum zurück und welkten ziemlich schnell; Getreidepflanzen hingegen wuchsen darinn fort, und es war eine bemerkbare Abnahme der Farbe der Flüssigkeit damit wahrnehmbar, so daß es schien, als ob in der That eine gewisse Menge der Excremente der Leguminosen in die Getreidepflanzen übergegangen sei.

Als Resultat dieser Versuche stellte sich heraus, daß die Beschaffenheit und die Eigenschaften der Excremente verschiedenartiger Pflanzengattungen von einander abweichen; die einen sondern scharfe und harzartige, die anderen milde (douce) und gummiähnliche Stoffe aus, die ersteren können nach Macaire-Princep als Gifte, die anderen als Nahrungsmittel angesehen werden.

Diese Versuche sind positive Beweise, daß die Wurzeln, man kann sagen aller Pflanzen, Materien absondern, die in ihrem Organismus weder in Holzfaser noch in Stärke, vegetabilisches Eiweiß, Kleber ꝛc. verwandelt werden konnten, denn ihre Ausscheidung setzt voraus, daß sie hierzu völlig unfähig sind; aber sie können nicht als Bestätigungen der Theorie des Herrn de Candolle angesehen werden, denn sie lassen völlig unentschieden, ob die Stoffe aus dem Boden stammen, oder ob sie durch den Lebensproceß der Pflanze gebildet worden sind.

Es ist sicher, daß die gummigen (gommeux) und harzigen Excremente, welche Macaire-Princep beobachtete, nicht in dem Boden enthalten waren, und da der Boden an Kohlenstoff durch die Cultur nicht ärmer wird, sondern im Gegentheile sich noch verbessert, so muß man hieraus schließen, daß alle Excremente, welche Kohlenstoff enthalten, von den Nahrungsmitteln herrühren, welche die Pflanze aus der Luft aufnimmt. Es sind dieß Verbindungen, die in Folge der Metamorphose der Nahrungsmittel, in Folge der neuen Formen, gebildet werden, die sie annehmen, wenn sie zu Bestandtheilen des Organismus werden.

Die Ansicht des Herrn de Candolle ist eigentlich eine Art von Erläuterung einer frühern Theorie der Wechselwirthschaft, welche voraussetzt, daß die Wurzeln verschiedener Pflanzen verschiedene Nahrungsmittel dem Boden entziehen, jede Pflanze eine Materie von besonderer Beschaffenheit, die sich gerade zu ihrer Assimilation eignet. Die ältere Ansicht setzt voraus, daß die nicht assimilirbaren Stoffe dem Boden nicht entzogen, die Ansicht des Hrn. de Candolle, daß sie ihm in der Form von Excrementen wieder zurückgegeben werden.

Nach beiden erklärt sich, woher es kommt, daß man nach Getreide kein Getreide, nach Erbsen keine Erbsen ꝛc. mit Vor-

in den Ansichten de Candolle's und Macaire Princep's entnehmen können. Die Stoffe, welche der erstere mit Excrementen bezeichnet, gehörten dem Boden an, es sind unverdaute Nahrungsmittel, welche die eine Pflanze verwenden kann, während sie einer andern entbehrlich sind. Die Materien hingegen, welche Macaire-Princep mit Excrementen bezeichnet, sie können nur in einer einzigen Form zur Nahrung der Vegetabilien dienen.

Es ist wohl kaum nöthig daran zu erinnern, daß diese Excremente im zweiten Jahr ihre Beschaffenheit geändert haben müssen; in dem ersten ist der Boden damit angeschwängert worden, während des Herbstes und Winters gehen sie durch die Einwirkung des Wassers und der Luft einer Veränderung entgegen, sie werden in Fäulniß und durch häufige Berührung mit der Luft, durch Umackern, in Verwesung übergeführt. Mit dem Beginn des Frühlings sind sie ganz oder zum Theil in eine Materie übergegangen, welche den Humus ersetzt, in eine Substanz, die sich in einem fortdauernden Zustand der Kohlensäure-Entwickelung befindet.

Die Schnelligkeit dieser Verwesung hängt von den Bestandtheilen des Bodens, von seiner mehr oder weniger porösen Beschaffenheit ab. In einem an Kalk reichen Boden erhöht die Berührung mit diesem alkalischen Bestandtheile die Fähigkeit der organischen Excremente, Sauerstoff anzuziehen und zu verwesen, sie wird durch die meistens porösere Beschaffenheit dieser Bodenart, welche der Luft freien Zutritt gestattet, ausnehmend beschleunigt. In schwererem Thon- oder Lehmboden erfordert sie längere Zeit.

In dem einen Boden wird man die nämliche Pflanze nach dem 2ten Jahre, in andern Bodenarten nach dem 5ten oder 9ten Jahre mit Vortheil wieder bauen können, weil die Verwandlung und Zerstörung der auf ihre Entwickelung schädlich einwirkenden Excremente, in dem einen Fall, schon in dem 2ten und im andern erst im 9ten Jahre vollendet ist.

In der einen Gegend geräth der Klee auf dem nämlichen Felde erst im 6ten, in andern erst im 12ten, der Lein im 3ten und 2ten Jahre wieder. Alles dieses hängt von der chemischen Beschaffenheit des Bodens ab, denn in den Gegenden, wo die Zeit der Cultur einer und der nämlichen Pflanze, weit auseinander gelegt werden muß, wenn sie mit Vortheil gebaut werden sollen, hat man die Erfahrung gemacht, daß selbst bei Anwendung von reichlichem Dünger diese Zeit nicht verkürzt werden kann, eben weil die Zerstörung ihrer eigenen Excremente einer neuen Cultur vorangehen muß.

Lein, Erbsen, Klee, selbst Kartoffeln gehören zu denjenigen Pflanzen, deren Excremente auf Thonboden die längste Zeit zu ihrer Humifizirung bedürfen, aber es ist klar, daß die Anwendung von Alkalien, von selbst kleinen Mengen unausgelaugter Asche, gebranntem Kalke das Feld in bei weitem kürzerer Zeit wieder in den Stand setzen muß, den Anbau der nämlichen Pflanze wieder zu gestatten.

Der Boden erlangt in der Brache einen Theil seiner früheren Fruchtbarkeit schon dadurch wieder, weil in der Zeit der Brache, neben der fortschreitenden Verwitterung, die Zerstörung oder Humifizirung der darinn enthaltenen Excremente erfolgt.

Eine Ueberschwemmung ersetzt die Brache in kalireichem Boden in der Nähe des Rheins, des Nils, wo man ohne Nachtheil auf denselben Aeckern hintereinander Getreide baut. Eben so vertritt das Wässern der Wiesen die Wirkung der Brache; das an Sauerstoff so reiche Wasser der Bäche und Flüsse bewirkt, indem es sich unaufhörlich erneuert und alle Theile des Bodens durchdringt, die schnellste und vollständigste

Verwesung der angehäuften Excremente. Wäre es das Wasser allein, was der Boden aufnimmt, so würden sumpfige Wiesen die fruchtbarsten sein.

Es ergiebt sich aus dem Vorhergehenden, daß die Vortheilhaftigkeit des Fruchtwechsels auf zwei Ursachen beruht.

In einem fruchtbaren Boden muß eine Pflanze alle zu ihrer Entwickelung unentbehrlichen anorganischen Bestandtheile in hinreichender Menge und in einem Zustande vorfinden, welcher der Pflanze ihre Aufnahme gestattet.

Alle Pflanzen bedürfen der Alkalien, die eine Pflanze, wie die Gramineen, in der Form von kieselsauren, die andere in der Form von weinsauren, citronensauren, essigsauren, kleesauren 2c. Salzen.

Enthalten sie das Alkali an Kieselsäure gebunden, so geben sie beim Verbrennen eine Asche, welche mit Säuren keine Kohlensäure entwickelt, sind die Alkalien mit organischen Säuren vereinigt gewesen, so braus't ihre Asche mit Säuren auf.

Eine dritte Pflanzengattung bedarf des phosphorsauren Kalks, eine andere der phosphorsauren Bittererde, manche können ohne kohlensauren Kalk nicht gedeihen.

Die Kieselsäure ist die erste feste Substanz, welche in die Pflanze gelangt, sie scheint die Materie zu sein, von der aus die Holzbildung ihren Anfang nimmt, und ähnlich zu wirken, wie ein Stäubchen, an das sich in einer krystallisirenden Salzlösung die ersten Krystalle bilden. Aehnlich wie die Holzfaser bei vielen Lichenen durch ein kristallisirbares Salz, durch kleesauren Kalk sich vertreten findet, nimmt die Kieselerde bei den Equisetaceen und dem Bambus die Form und Funktion des Holzkörpers an.

Bepflanzen wir nun einen Boden mehrere Jahre hintereinander mit verschiedenen Gewächsen, von welchen die erste in dem Boden die anorganischen Bestandtheile zurückläßt, welche die zweite, diese wieder, was die dritte bedarf, so wird er für diese drei Pflanzengattungen fruchtbar sein.

Wenn nun die erste P anze z. B. Weizen ist, welcher die größte Menge kieselsaures Kali consumirt, während die auf ihn folgenden Pflanzen nur geringe Mengen Kali dem Boden entziehen, wie Leguminosen, Hackfrüchte ꝛc., so wird man nach dem vierten Jahre wieder Weizen mit Vortheil bauen können, denn während dreier Jahre ist der Boden durch die Verwitterung wieder fähig geworden, kieselsaures Kali in hinreichender Menge an die jungen P anzen abzugeben.

Für die andern anorganischen Bestandtheile muß für verschiedene Pflanzen, wenn sie hinter einander gedeihen sollen, ein ähnliches Verhältniß berücksichtigt werden.

Eine Aufeinanderfolge von Gewächsen, welche dem Boden einerlei Bestandtheile entziehen, muß im Allgemeinen ihn nach und nach völlig unfruchtbar für diese P anzen machen.

Eine jede dieser P anzen hat während ihres Wachsthums eine gewisse Menge kohlenstoffreicher Materien an den Boden zurückgegeben, welche nach und nach in Humus übergingen, die meisten so viel Kohlenstoff, als sie in der Form von Kohlensäure von dem Boden empfingen; allein, wenn auch dieser Gehalt in der Periode des Wachsthums für manche P anzen ausreicht, um sie zur vollendeten Entwickelung zu bringen, so ist er dennoch nicht hinreichend, um gewisse Theile ihrer Organe derselben, Saamen und Wurzeln, mit einem Maximum von Nahrung zu versehen. Die Pflanze dient in der Agricultur als Mittel, um Gegenstände des Handels oder Nahrungsmittel für Thiere und Menschen zu produciren, aber ein Maximum am Ertrag steht genau im Verhältniß zu der Menge

welche wie Raps und Lein vorzugsweise des Humus bedürfen von unschätzbarem Werthe.

Die Ursachen der Vortheilhaftigkeit des Fruchtwechsels, die eigentlichen Principien der Wechselwirthschaft, beruhen hiernach auf einer künstlichen Humuserzeugung und auf der Bebauung des Feldes mit verschiedenartigen Pflanzen, die in einer solchen Ordnung auf einander folgen, daß eine jede nur gewisse Bestandtheile entzieht, während sie andere zurückläßt oder wiedergiebt, die eine zweite und dritte Pflanzengattung zu ihrer Ausbildung und Entwickelung bedürfen.

Wenn nun auch der Humusgehalt eines Bodens durch zweckmäßige Cultur in einem gewissen Grade beständig gesteigert werden kann, so erleidet es demungeachtet nicht den kleinsten Zweifel, daß der Boden an den besonderen Bestandtheilen immer ärmer werden muß, die in den Saamen, Wurzeln und Blättern, welche wir hinweggenommen haben, enthalten waren.

Nur in dem Fall wird die Fruchtbarkeit des Bodens sich unverändert erhalten, wenn wir ihnen alle diese Substanzen wieder zuführen und ersetzen.

Dieß geschieht durch den Dünger.

Wenn man erwägt, daß ein jeder Bestandtheil des Körpers der Thiere und Menschen, von den Pflanzen stammt, daß kein Element davon durch den Lebensproceß gebildet werden kann, so ist klar, daß alle anorganischen Bestandtheile der Thiere und Menschen, in irgend einer Beziehung, als Dünger betrachtet werden müssen.

Während ihres Lebens werden die anorganischen Bestandtheile der Pflanzen, welche der animalische Organismus nicht bedurfte, in der Form von Excrementen wieder ausgestoßen, nach ihrem Tode geht der Stickstoff, der Kohlenstoff in den

Processen der Fäulniß und Verwesung als Ammoniak und Kohlensäure wieder in die Atmosphäre über; es bleibt zuletzt nichts weiter als die anorganischen Materien, der phosphorsaure Kalk und andere Salze in den Knochen zurück.

Eine rationelle Agricultur muß diesen erdigen Rückstand, so gut wie die Excremente, als kräftigen Dünger für gewisse Pflanzen betrachten, der dem Boden, von dem er in einer Reihe von Jahren entnommen worden ist, wiedergegeben werden muß, wenn seine Fruchtbarkeit nicht abnehmen soll.

Sind nun, kann man fragen, die Excremente der Thiere, welche als Dünger dienen, alle von einerlei Beschaffenheit, besitzen sie einerlei Fähigkeit, das Wachsthum der Pflanzen zu befördern, ist ihre Wirkungsweise in allen Fällen die nämliche?

Diese Fragen sind durch die Betrachtung der Zusammensetzung der Excremente leicht zu lösen, denn durch die Kenntniß derselben erfahren wir, was denn eigentlich der Boden durch sie wieder empfängt.

Nach der gewöhnlichen Ansicht über die Wirkung der festen thierischen Excremente, beruht sie auf den verwesbaren organischen Substanzen, welche den Humus ersetzen, und auf ihrem Gehalte an stickstoffreichen Stoffen, denen man die Fähigkeit zuschreibt, von der Pflanze assimilirt und in Kleber und die anderen stickstoffhaltigen Bestandtheile verwendet zu werden.

Diese Ansicht entbehrt, in Beziehung auf den Stickstoffgehalt des Kothes der Thiere, einer jeden Begründung.

Diese Excremente enthalten nemlich so wenig Stickstoff, daß ihr Gehalt davon nicht in Rechnung genommen werden kann; sie können durch ihren Stickstoffgehalt unmöglich eine Wirkung auf die Vegetation ausüben.

Ohne weitere Untersuchung wird man sich eine klare Vorstellung über ihre chemische Beschaffenheit, in Hinsicht auf ihren Stickstoffgehalt machen können, wenn man die Excremente eines Hundes mit seiner Nahrung vergleicht. Wir geben dem Hunde Fleisch und Knochen, beide sind reich an organischen stickstoffhaltigen Substanzen, und wir erhalten als das Resultat ihrer Verdauung ein völlig weißes, mit Feuchtigkeit durchdrungenes Excrement, was in der Luft zu einem trockenen Pulver zerfällt und was, außer dem phosphorsauren Kalk der Knochen, kaum 1/100 einer fremden orgaanischen Substanz enthält.

Der ganze Ernährungsproceß im Thier, ist eine fortschreitende Entziehung des Stickstoffs aller zugeführten Nahrungsmittel; was sie in irgend einer Form als Excremente von sich geben, muß, in Summa, weniger Stickstoff als das Futter oder die Speise enthalten.

Einen directen Beleg hierzu liefern uns die Analysen des Pferdemistes von Macaire und Marcet; er war frisch gesammelt und unter der Luftpumpe über Schwefelsäure aller Feuchtigkeit beraubt worden. 100 Theile davon (entsprechend im frischen Zustande 350—400 Theilen) enthielten 0,8 Stickstoff. Jedermann, welcher einige Erfahrung in dieser Art von Bestimmungen hat, weiß, daß ein Gehalt, der unter einem Procent beträgt, nicht mehr mit Genauigkeit bestimmbar ist. Man nimmt immer noch ein Maximum an, wenn man ihn auf die Hälfte herabsetzt. Ganz frei an Stickstoff sind übrigens die Excremente des Pferdes nicht; denn sie entwickeln, mit Kali geschmolzen, geringe Quantitäten Ammoniak.

Die Excremente der Kuh geben beim Verbrennen mit Kupferoxid ein Gas, was auf 30 bis 26 Volumen Kohlensäure, 1 Volumen Stickgas enthielt.

100 Theile frischer Excremente enthielten:

Stickstoff	0,506
Kohlenstoff	6,204
Wasserstoff	0,824
Sauerstoff	4,818
Asche	1,748
Wasser	85,900
	100,000

Wenn wir nun annehmen, daß das Heu, nach Boussingault's Analysen, welche das meiste Vertrauen verdienen, ein p. c. Stickstoff enthält, so wird eine Kuh in 25 ℔ Heu, was sie täglich zu sich nimmt, ¼ ℔ Stickstoff zu ihrer Nahrung assimilirt haben. Diese Stickstoffmenge würde, in Muskelfaser verwandelt, 8,3 ℔ Fleisch in seinem natürlichen Zustande gegeben haben *).

Die Zunahme an Masse beträgt täglich bei weitem weniger als dieß Gewicht und wir finden in der That im Harn und in der Milch den Stickstoff, der hier zu fehlen scheint. Die milchgebende Kuh giebt weniger und einen an Stickstoff ärmeren Harn, als im gewöhnlichen Zustande; so lange sie reichlich Milch giebt, kann sie nicht gemästet werden.

Es sind mithin die flüssigen Excremente, in denen wir den nicht assimilirten Stickstoff zu suchen haben; wenn die festen auf die Vegetabilien überhaupt von Einfluß sind, so beruht er nicht auf ihrem Stickstoffgehalt; ein dem trocknen Koth gleiches Heu, müßte sonst dieselbe Wirkung äußern d. h. 20 — 25 ℔ Heu müßten, in das Feld gebracht, soviel wirken, als 100 ℔

*) 100 ℔ frisches Fleisch enthalten durchschnittlich 15,86 Muskelfaser; in 100 Theilen der letzteren sind 18 Theile Stickstoff.

beträgt, was man als Kraut, Stroh und Frucht hinwegnimmt, daß das Regenwasser in einem Zeitraume von 6 bis 12 Jahren in der Kohlensäure bei weitem mehr Kohlenstoff zuführt, als dieser Dünger, so wird man seinen Einfluß nicht sehr hoch anschlagen können.

Es bleibt demnach die eigentliche Wirkung der festen Excremente auf die anorganischen Materien beschränkt, welche dem Boden wiedergegeben werden, nachdem sie ihm in der Form von Getreide, von Wurzelgewächsen, von grünem und trocknem Futter genommen worden waren.

In dem Kuhdünger, den Excrementen der Schafe geben wir dem Getreideland kieselsaures Kali und phosphorsaure Salze, in den menschlichen Excrementen phosphorsauren Kalk und Bittererde, in den Excrementen der Pferde phosphorsaure Bittererde und kieselsaures Kali.

In dem Stroh, was als Streu gedient hat, bringen wir eine neue Quantität von kieselsaurem Kali und phosphorsaure Salze hinzu, wenn es verwes't ist, bleiben diese genau in dem von der Pflanze assimilirbaren Zustande im Boden.

Wie man leicht bemerkt, ändert sich bei sorgfältiger Vertheilung und Sammlung des Düngers die Beschaffenheit des Feldes nur wenig; ein Verlust einer gewissen Menge phosphorsaurer Salze ist demungeachtet unvermeidlich, denn wir führen jedes Jahr in dem Getreide und gemästeten Vieh ein bemerkbares Quantum aus, was den Umgebungen großer Städte zufließt. In einer wohleingerichteten Wirthschaft muß dieser Verlust ersetzt werden. Zum Theil geschieht dieß durch die Wiesen.

Zu hundert Morgen Getreideland rechnet man in Deutschland als nothwendiges Erforderniß einer zweckmäßigen Cultur, 20 Morgen Wiesen, welche durchschnittlich 500 Ctr. Heu produciren; bei einem Gehalt von 6,82 p. c. Asche erhält man jährlich in den Excrementen der Thiere, denen es zur Nahrung gegeben wird, 341 ℔ kieselsaures Kali und phosphorsauren Kalk und Bittererde, welche den Getreidefeldern zu Gute kommen und den Verlust bis zu einem gewissen Grade decken.

Der wirkliche Verlust an phosphorsauren Salzen, die nicht wieder in Anwendung kommen, vertheilt sich auf eine so große Fläche, daß er kaum verdient in Anschlag gebracht zu werden. In der Asche des Holzes, was in den Haushaltungen verbraucht wird, ersetzen wir den Wiesen wieder, was sie an phosphorsauren Salzen verloren haben.

Wir können die Fruchtbarkeit unserer Felder in einem stets gleichbleibenden Zustande erhalten, wenn wir ihren Verlust jährlich wieder ersetzen, eine Steigerung der Fruchtbarkeit, eine Erhöhung ihres Ertrags ist aber nur dann möglich, wenn wir mehr wiedergeben, als wir ihnen nehmen.

Unter gleichen Bedingungen wird von zwei Aeckern der eine um so fruchtbarer werden, je leichter und in je größerer Menge die Pflanzen, die wir darauf cultuviren, die besonderen Bestandtheile sich darauf aneignen können, die sie zu ihrem Wachsthum und zu ihrer Entwicklung bedürfen.

Man wird aus dem Vorhergehenden entnehmen können, daß die Wirkung der thierischen Excremente ersetzbar ist, durch Materien, die ihre Bestandtheile enthalten.

In Flandern wird der jährliche Ausfall vollständig ersetzt durch das Ueberfahren der Felder mit ausgelaugter oder unausgelaugter Holzasche, durch Knochen, die zum großen Theil aus phosphorsaurem Kalk und Bittererde bestehen.

Die ausnehmende Wichtigkeit der Aschendüngung ist von sehr vielen Landwirthen durch die Erfahrung schon anerkannt, in der Umgend von Marburg und der Wetterau legt man einen so hohen Werth auf dieses kostbare Material, daß man einen Transport von 6, 8 Stunden Weges nicht scheut, um es für die Düngung zu erhalten.

Diese Wichtigkeit fällt in die Augen, wenn man in Erwägung zieht, daß die mit kaltem Wasser ausgelaugte Holzasche, kieselsaures Kali grade in dem Verhältniß wie im Stroh enthält ($10\ Si\ O_3 + K\ O$), daß sie außer diesem Salze nur phosphorsaure Salze enthält.

Die verschiedenen Holzaschen besitzen übrigens einen höchst ungleichen, die Eichenholzasche den geringsten, die Buchenholzasche den höchsten Werth.

Die Eichenholzasche enthält nur Spuren von phosphorsauren Salzen, die Buchenholzasche enthält den fünften Theil ihres Gewichtes, der Gehalt der Fichten- und Tannenholzasche beträgt 9 — 15 p. c (Die Fichtenholzasche aus Norwegen enthält das Minimum von phosphorsauren Salzen, nemlich nur 1,8 p. c. Phosphorsäure. Berthier.)

Mit je hundert Pfund ausgelaugter Buchenholzasche bringen wir mithin auf das Feld eine Quantität phosphorsaurer Salze, welche gleich ist dem Gehalt von 460 ℔ frischen Menschenexcrementen.

Nach de Saussure's Analyse enthalten 100 Th. Asche von Weizenkörnern 32 Th. lösliche und 44,5 unlösliche, im Ganzen 76,5 phosphorsaure Salze. Die Asche von Weizenstroh enthält im Ganzen 11,5 p. c. phosphorsaure Salze. Mit 100 Pfd. Buchenholzasche bringen wir mithin auf das Feld eine Quantität Phosphorsäure, welche hinreicht für die Erzeugung von 3820 ℔ Stroh (zu 4,3 p. c. Asche, de Saussure), oder zu 15 — 18000 ℔ Weizenkörner (die Asche zu 1,3 p. c. angenommen, de Saussure).

Eine noch größere Wichtigkeit in dieser Beziehung besitzen

die Knochen. Die letzte Quelle der Bestandtheile der Knochen ist das Heu, Stroh, überhaupt das Futter, was die Thiere genießen. Wenn man nun in Anschlag bringt, daß die Knochen 55 p. c. phosphorsauren Kalk und Bittererde enthalten (Berzelius), und annimmt, daß das Heu soviel davon als das Weizenstroh enthält, so ergiebt sich, daß 8 ℔ Knochen so viel phosphorsauren Kalk als wie 1000 ℔ Heu oder Weizenstroh enthalten, oder 2 ℔ davon so viel als in 1000 ℔ Weizen oder Haferkörner sich vorfindet.

In diesen Zahlen hat man kein genaues aber ein sehr annäherndes Maaß in Beziehung auf die Quantität phosphorsaurer Salze, die der Boden diesen Planzen jährlich abgiebt.

Die Düngung eines Morgen Landes mit 40 ℔ frischen Knochen reicht hin, um drei Ernten (Weizen, Klee und Hackfrüchte) mit phosphorsauren Salzen zu versehen. Die Form, in welcher die phosphorsauren Salze dem Boden wiedergegeben werden, scheint hierbei aber nicht gleichgültig zu sein. Je feiner die Knochen zertheilt und je inniger sie mit dem Boden gemischt sind, desto leichter wird ihre Assimilirbarkeit sein, das beste und zweckmäßigste Mittel wäre unstreitig, die Knochen fein gepulvert, mit ihrem halben Gewichte Schwefelsäure und 3 – 4 Th. Wasser eine Zeitlang in Digestion zu stellen, den Brei mit etwa 100 Th. Wasser zu verdünnen und mit dieser sauren Flüssigkeit (phosphorsaurem Kalk und Bittererde) den Acker vor dem Pflügen zu besprengen. In wenigen Sekunden würde sich die freie Säure mit den basischen Bestandtheilen des Bodens verbinden, es würde ein höchst fein zertheiltes neutrales Salz entstehen. Versuche, die in dieser Beziehung auf Grauwacke-Boden angestellt wurden, haben das positive Resultat gegeben, daß Getreide und Gemüsepflanzen durch diese Düngungsweise nicht leiden, daß sie sich im Gegentheile aufs kräftigste entwickeln.

In der Nähe von Knochenleim-Fabriken werden jährlich viele tausend Centner einer Auflösung von phosphorsauren Salzen in Salzsäure unbenutzt verloren, es wäre wichtig zu untersuchen, in wie weit diese Auflösung die Knochen ersetzen kann. Die freie Salzsäure würde sich mit den Alkalien, mit dem Kalk auf dem Acker verbinden, es würde ein lösliches Kalksalz entstehen, dessen Wirkung als wohlthätig auf die Vegetation an und für sich schon anerkannt ist; der salzsaure Kalk (Chlorcalcium) ist eins der Salze, die Wasser mit großer Begierde aus der Luft anziehen und zurückhalten, was den Gyps beim Gypsen vollkommen zu ersetzen vermag, indem es mit kohlensaurem Ammoniak sich zu Salmiak und kohlensaurem Kalk umsetzt.

Eine Auflösung der Knochen in Salzsäure im Herbste oder Winter auf den Acker gebracht, würde nicht allein dem Boden einen nothwendigen Bestandtheil wiedergeben, sondern demselben die Fähigkeit geben, alles Ammoniak, was in dem Regenwasser in Zeit von 6 Monaten auf den Acker fällt, darauf zurückzuhalten.

Die Asche von Braunkohlen und Torf enthält mehrentheils kieselsaures Kali; es ist klar, daß diese Asche einen Hauptbestandtheil des Kuh- und Pferdedüngers vollständig ersetzt, sie enthalten ebenfalls Beimischungen von phosphorsauren Salzen.

Es ist von ganz besonderer Wichtigkeit für den Oekonomen, sich über die Ursache der Wirksamkeit der so eben besprochenen Materien nicht zu täuschen. Man weiß, daß sie einen höchst günstigen Einfluß auf die Vegetation haben, und ebenso gewiß ist es, daß die Ursache in einem Stoff liegt, der, abgesehen von ihrer Wirkungsweise durch ihre Form, Porosität, Fähigkeit

Wasser anzuziehen und zurückzuhalten, Antheil an dem Pflanzenleben nimmt. Man muß auf Rechenschaft über diesen Einfluß verzichten, wenn man den Schleier der Isis darüber deckt.

Die Medizin hat Jahrhunderte lang auf der Stufe gestanden, wo man die Wirkungen der Arzneien durch den Schleier der Isis verhüllte, aber alle Geheimnisse haben sich auf eine sehr einfache Weise gelös't. Eine ganz unpoetische Hand erklärte die anscheinend unbegreifliche Wunderkraft der Quellen in Savoyen, wo sich die Walliser ihre Kröpfe vertreiben, durch einen Gehalt an Jod; in den gebrannten Schwämmen, die man zu demselben Zweck benutzte, fand man ebenfalls Jod; man fand, daß die Wunderkraft der China in einem darin in sehr geringer Menge vorhandenen krystallinischen Stoff, dem Chinin, daß die mannigfaltige Wirkungsweise des Opiums in einer eben so großen Mannigfaltigkeit von Materien liegt, die sich daraus darstellen lassen.

Einer jeden Wirkung entspricht eine Ursache; suchen wir die Ursachen uns deutlich zu machen, so werden wir die Wirkungen beherrschen.

Als Princip des Ackerbaues muß angesehen werden, daß der Boden in vollem Maaße wieder erhalten muß, was ihm genommen wird, in welcher Form dieß Wiedergeben geschieht, ob in der Form von Excrementen, oder von Asche oder Knochen, dieß ist wohl ziemlich gleichgültig. Es wird eine Zeit kommen, wo man den Acker mit einer Auflösung von Wasserglas (kieselsaurem Kali), mit der Asche von verbranntem Stroh, wo man ihn mit phosphorsauren Salzen düngen wird, die man in chemischen Fabriken bereitet, gerade so wie man jetzt zur Heilung des Fiebers und der Kröpfe chemische Präparate giebt.

Es giebt Pflanzen, welche Humus bedürfen, ohne bemerk-

menschlichen Excrementen das Hauptmittel, um seine Fruchtbarkeit auf eine außerordentliche Weise zu steigern; denselben Nutzen hat er natürlich für alle Bodenarten überhaupt, aber zur Düngung der ersteren können die Excremente von Thieren nicht entbehrt werden.

Von dem Stickstoffgehalt der festen Excremente abgesehen, haben wir nur eine einzige Quelle von stickstoffhaltigen Dünger, und diese Quelle ist der Harn der Thiere und Menschen.

Wir bringen den Harn entweder als Mistjauche oder in der Form der Excremente selbst, die davon durchdrungen sind, auf die Felder; es ist der Harn, der den letzteren die Fähigkeit giebt, Ammoniak zu entwickeln, eine Fähigkeit, die er an und für sich nur in einem höchst geringen Grade besitzt.

Wenn wir untersuchen, was wir in dem Harn den Feldern eigentlich geben, so kommen wir als einziges und mittelbares Resultat auf Ammoniaksalze, welche Bestandtheile des Harns sind, auf Harnsäure, welche ausnehmend reich an Stickstoff ist, und auf phosphorsaure Salze, die im Harne sich gelöst befinden.

Nach der Analyse von Berzelius enthalten 1000 Theile Menschenharn:

Harnstoff	30,10
Freie Milchsäure Milchsaures Ammoniak Fleisch-Extract Extractivstoffe	17,14
Harnsäure	1,00
Harnblasenschleim	0,32
Schwefelsaures Kali	3,71
Schwefelsaures Natron	3,16
Latus	55,43

Transport	55,43
Phosphorsaures Natron	2,94
Zweifach-phosphorsaures Ammoniak	1,65
Kochsalz	4,45
Salmiak	1,50
Phosphorsaure Bittererde und Kalk	1,00
Kieselerde	0,03
Wasser	933,00
	1000,00

Nehmen wir aus dem Harn den Harnstoff, das milchsaure Ammoniak, die freie Milchsäure, Harnsäure, phosphorsaures Ammoniak und Salmiak hinweg, so bleiben 1 p. c. fester Stoffe, die aus anorganischen Salzen bestehen, die natürlicher Weise auf den vegetabilischen Organismus ganz gleich wirken müssen, ob wir sie im Harn oder in Wasser gelöst auf's Feld bringen.

Es bleibt, wie man sieht, nichts übrig, als die kräftige Wirkungsweise des Urins dem Harnstoff oder den andern Ammoniaksalzen zuzuschreiben.

Der Harnstoff ist in dem Urin des Menschen zum Theil in der Form von milchsaurem Harnstoff (Henry), eine andere Portion davon ist frei vorhanden.

Untersuchen wir nun, was geschehen wird, wenn wir den Harn sich selbst überlassen, faulen lassen, wenn er also in den Zustand übergeht, in welchem er als Dünger dient; aller an Milchsäure gebundener Harnstoff verwandelt sich in milchsaures Ammoniak, aller frei vorhandene geht in äußerst flüchtiges kohlensaures Ammoniak über.

In wohlbeschaffenen, vor der Verdunstung geschützten Düngerbehältern wird das kohlensaure Ammoniak gelöst bleiben, bringen wir den gefaulten Harn auf unsere Felder, so wird ein Theil des

kohlensauren Ammoniaks mit dem Wasser verdunsten, eine andere Portion davon wird von thon- und eisenoxidhaltigem Boden eingesaugt werden, im Allgemeinen wird aber nur das milchsaure, phosphorsaure und salzsaure Ammoniak in der Erde bleiben, der Gehalt an diesen allein, macht den Boden fähig, im Verlauf der Vegetation auf die Pflanzen eine directe Wirkung zu äußern, keine Spur davon wird den Wurzeln der Pflanzen entgehen.

Das kohlensaure Ammoniak macht bei seiner Bildung den Harn alkalisch, in normalem Zustande ist er, wie man weiß, sauer; wenn es, was in den meisten Fällen eintritt, sich verflüchtigt und in die Luft verliert, so ist der Verlust, den wir erleiden, beinahe gleich dem Verlust an dem halben Gewichte Urin; wenn wir es fixiren, d. h. ihm seine Flüchtigkeit nehmen, so haben wir seine Wirksamkeit aufs Doppelte erhöht.

Das Vorhandensein von freiem kohlensauren Ammoniak in gefaultem Urin hat selbst in früheren Zeiten zu dem Vorschlage Veranlassung gegeben, die Mistjauche auf Salmiak zu benutzen. Von manchem Oekonomen ist dieser Vorschlag in Ausführung gebracht worden zu einer Zeit, wo der Salmiak einen hohen Handelswerth besaß. Die Mistjauche wurde in Gefäßen von Eisen der Destillation unterworfen und das Destillat auf gewöhnliche Weise in Salmiak verwandelt. (Demachy.)

Es versteht sich von selbst, daß die Agricultur eine solche widersinnige Anwendung verwerfen muß, da der Stickstoff von 100 ℔ Salmiak (welche 26 Theile Stickstoff enthalten) gleich ist dem Stickstoffgehalte von 1200 ℔ Weizenkörnern, 1480 ℔ Gerstenkörnern oder 2500 ℔ Heu. (Boussingault.)

Das durch Fäulniß des Urins erzeugte kohlensaure Ammoniak kann auf mannigfaltige Weise fixirt, d. h. seiner Fähigkeit sich zu verflüchtigen beraubt werden.

Denken wir uns einen Acker mit Gyps bestreut, den wir mit gefaultem Urin, mit Mistjauche überfahren, so wird alles kohlensaure Ammoniak sich in schwefelsaures verwandeln, was in dem Boden bleibt.

Wir haben aber noch einfachere Mittel, um alles kohlensaure Ammoniak den Pflanzen zu erhalten, ein Zusatz von Gyps, Chlorcalcium, von Schwefelsäure oder Salzsäure, oder am besten von saurem phosphorsaurem Kalk, lauter Substanzen, deren Preis ausnehmend niedrig ist, bis zum Verschwinden der Alkalinität des Harns, wird das Ammoniak in ein Salz verwandeln, was seine Fähigkeit sich zu verflüchtigen gänzlich verloren hat.

Stellen wir eine Schaale mit concentrirter Salzsäure in einen gewöhnlichen Abtritt hinein, in welchem die obere Oeffnung mit dem Düngbehälter in offener Verbindung steht, so findet man sie nach einigen Tagen mit Krystallen von Salmiak angefüllt. Das Ammoniak, dessen Gegenwart die Geruchsnerven schon anzeigen, verbindet sich mit der Salzsäure und verliert seine Flüchtigkeit; über der Schaale bemerkt man stets dicke weiße Wolken oder Nebel von neuentstandenem Salmiak. In einem Pferdestall zeigt sich die nämliche Erscheinung. Dieses Ammoniak geht nicht allein der Vegetation gänzlich verloren, sondern es verursacht noch überdieß eine langsam aber sicher erfolgende Zerstörung der Mauer. In Berührung mit dem Kalk des Mörtels verwandelt es sich in Salpetersäure, welche den Kalk nach und nach auflös't, der sogenannte Salpeterfraß (Entstehung von löslichem salpetersaurem Kalk) ist die Folge seiner Verwesung.

Das Ammoniak, was sich in Ställen und aus Abtritten entwickelt, ist unter allen Umständen mit Kohlensäure verbunden. Kohlensaures Ammoniak und schwefelsaurer Kalk (Gyps) können bei gewöhnlicher Temperatur nicht mit einander in Berührung gebracht werden, ohne sich gegenseitig zu zersetzen. Das Ammoniak vereinigt sich mit der Schwefelsäure, die Kohlensäure mit dem Kalk zu Verbindungen, welche nicht flüchtig, d. h. geruchlos sind. Bestreuen wir den Boden unserer Ställe von Zeit zu Zeit mit gepulvertem Gyps, so wird der Stall seinen Geruch verlieren, und wir werden nicht die kleinste Quantität Ammoniak, was sich gebildet hat, für unsere Felder verlieren.

Die Harnsäure, nach dem Harnstoff das stickstoffreichste unter den Producten des lebenden Organismus, ist im Wasser löslich, sie kann durch die Wurzeln der Pflanzen aufgenommen und ihr Stickstoff in der Form von Ammoniak, von kleesaurem, blausaurem oder kohlensaurem Ammoniak assimilirt werden.

Es wäre von außerordentlichem Interesse, die Metamorphosen zu studiren, welche die Harnsäure in einer lebenden Pflanze erfährt, als Düngmittel in reinem Zustande unter ausgeglühtes Kohlenpulver gemischt, in welchem man Pflanzen vegetiren läßt, würde die Untersuchung des Saftes der Pflanze oder der Bestandtheile des Saamens oder der Frucht leicht die Verschiedenheiten erkennen lassen.

In Beziehung auf den Stickstoffgehalt sind 100 Theile Menschenharn ein Aequivalent für 1300 Theile frischer Pferdeexcremente nach Macaire's und Marcet's Analysen und 600 Theile frischer Excremente der Kuh. Man wird hieraus leicht entnehmen, von welcher Wichtigkeit es für den Ackerbau ist, auch nicht den kleinsten Theil davon zu verlieren. Die kräftige Wirkung des Harns im Allgemeinen ist in Flandern vorzüglich anerkannt, allein nichts läßt sich mit dem Werthe vergleichen, den das älteste aller Ackerbau treibenden Völker, das Chinesische, den menschlichen Excrementen zuschreibt, die Gesetze des Staates verbieten das Hinwegschütten derselben, in jedem Hause sind mit der größten Sorgfalt Reservoirs angelegt, in denen sie gesammelt werden, nie wird dort für Getreidefelder ein andrer Dünger verwendet.

China ist die Heimath der Experimentirkunst, das unabläs- sige Bestreben, Versuche zu machen, hat das chinesische Volk seit Jahrtausenden zu Entdeckungen geführt, welche die Europäer Jahrhunderte lang, in Beziehung auf Färberei, Malerei, Porzellan- und Seidebereitung, Lack- und Malerfarben, bewunderten, ohne sie nachahmen zu können, man ist dort dazu gelangt, ohne durch wissenschaftliche Principien geleitet zu werden, denn man findet in allen ihren Büchern Recepte und Vorschriften, aber niemals Erklärungen.

Ein halbes Jahrhundert genügte den Europäern, die Chinesen in den Künsten und in den Gewerben nicht allein zu erreichen, sondern sie zu übertreffen, und dieß geschah ausschließlich nur durch die Anwendung richtiger Grundsätze, die aus dem Studium der Chemie hervorgingen, aber wie unendlich weit ist der europäische Ackerbau hinter dem chinesischen zurück. Die Chinesen sind die bewundernswürdigsten Gärtner und Erzieher von Gewächsen, für jedes wissen sie eigends zubereiteten Dünger anzuwenden. Der Ackerbau der Chinesen ist der vollkommenste in der Welt, und man legt in diesem Lande, dessen Klima in den fruchtbarsten Bezirken sich von dem europäischen nur wenig entfernt, den Excrementen der Thiere nur einen höchst geringen Werth bei. Bei uns schreibt man dicke Bücher, aber man stellt keine Versuche an, man drückt in Procenten aus, was die eine und die andere Pflanze an Dünger verzehrt, und weiß nicht, was Dünger ist!

Wenn wir annehmen, daß die flüssigen und festen Excremente eines Menschen täglich nur 1½ ℔ betragen (⁵/₄ ℔ Urin und $1/4$ ℔ fester Excremente), daß beide zusammengenommen 3 p. c. Stickstoff enthalten, so haben wir in einem Jahre 547 ℔ Excremente, welche 16,41 ℔ Stickstoff enthalten, eine Quantität, welche hinreicht, um 800 ℔ Weizen-, Rocken-, Hafer- und 900 ℔ Gerstenkörnern (Boussingault) den Stickstoff zu liefern.

Dieß ist bei weitem mehr, als man einem Morgen Land hinzuzusetzen braucht, um mit dem Stickstoff, den die Pflanzen aus der Atmosphäre auffaugen, ein jedes Jahr die reichlichsten Ernten zu erzielen. Eine jede Ortschaft, eine jede Stadt könnte bei Anwendung von Fruchtwechsel alle ihre Felder mit dem stickstoffreichsten Dünger versehen, der noch überdieß der reichste an phosphorsauren Salzen ist. Bei Mitbenutzung der Knochen und der ausgelaugten Holzasche würden alle Excremente von Thieren völlig entbehrlich sein.

Die Excremente der Menschen lassen sich, wenn durch ein zweckmäßiges Verfahren die Feuchtigkeit entfernt und das freie Ammoniak gebunden wird, in eine Form bringen, welche die Versendung, auch auf weite Strecken hin, erlaubt.

Dieß geschieht schon jetzt in manchen Städten, und die Zubereitung der Menschenexcremente in eine versendbare Form, macht einen nicht ganz unwichtigen Zweig der Industrie aus. Aber die Grundsätze, die man befolgt, um diesen Zweck zu erreichen, sind die verkehrtesten und widersinnigsten, die man sich denken kann. Die in den Häusern in Paris in Fässern gesammelten Excremente werden in Montfaucon in tiefen Gruben gesammelt und sind zum Verkaufe geeignet, wenn sie einen gewissen Grad der Trockenheit durch Verdampfung an der Luft gewonnen haben; durch die Fäulniß derselben in den Behältern in den Häusern verwandelt sich aller Harnstoff zum größten Theil in kohlensaures Ammoniak; es entsteht milch- und phosphorsaures Ammoniak, die vegetabilischen Theile, welche darinn enthalten sind, gehen ebenfalls in Fäulniß über, alle schwefelsauren Salze werden zersetzt, der Schwefel bildet Schwefelwasserstoff und flüchtiges Schwefelammonium. Die an der Luft trocken gewordene Masse hat mehr wie die Hälfte ihres Stickstoffgehalts mit dem verdampfenden Wasser verloren, der Rückstand besteht neben phosphorsaurem und milchsaurem Ammoniak, zum größten Theil aus phosphorsaurem Kalk, etwas harnsaurer Bittererde und fettigen Substanzen; er ist nichts desto weniger noch ein sehr kräftiger Dünger, aber seine Fähigkeit zu düngen wäre verdoppelt und verdreifacht worden, wenn man die Excremente vor diesem Eintrocknen durch eine wohlfeile Mineralsäure neutralisirt hätte.

In andern Fabriken mengt man die weichen Excremente mit Holzasche oder mit Erde, die eine reichliche Quantität ätzendem Kalk enthält, und bewirkt damit eine völlige Austreibung alles Ammoniaks, wobei sie ihren Geruch aufs Vollständigste verlieren. Wenn dieser Rückstand düngt, so geschieht dieß lediglich nur durch die phosphorsauren Salze, die er noch enthält, denn alle Ammoniakverbindungen sind zersetzt und das Ammoniak ist ausgetrieben worden.

In dem sterilen Boden der Küsten Südamerika's düngt man mit Guano, mit harnsauren und anderen Ammoniaksalzen, und erhält damit eine üppige Vegetation und die reichsten Ernten. In China giebt man den Getreidefeldern keinen anderen Dünger als Menschenexcremente; bei uns überfährt man die Felder jährlich mit dem Saamen von allen Unkrautpflanzen, die in der Beschaffenheit und Form, welche sie besitzen, unverdaut mit ihrer ganzen Keimkraft in die Excremente der Thiere wieder übergehen, und man wundert sich, daß das Unkraut trotz aller Anstrengung auf den Aeckern, wo es sich einmal eingenistet hat, nicht vertrieben werden kann; man begreift es nicht, und säet es jedes Jahr von neuem an. Ein berühmter Botaniker, der in den neunziger Jahren mit der holländischen Gesandtschaft nach China reis'te, konnte auf den chinesischen Getreidefeldern kaum irgend eine andere Pflanze finden als das Korn selbst. (Ingenhouß, die Ernährung der Pflanzen S. 129).

Der Harn der Pferde ist weit weniger reich an Stickstoff und phosphorsauren Salzen. Nach Foucroy und Vauquelin enthält er nur 5 p. c. feste Substanz, und darinn nur 0,7 Harnstoff. 100 Theile Menschenharn enthalten mehr wie viermal so viel.

Der Kuhharn ist vorzüglich reich an Kalisalzen; nach Rouelle und Brande enthält er sogar keine Natronsalze. Der Harn der Schweine ist vorzüglich reich an phosphorsaurem Bittererde-Ammoniak, welches die so häufig vorkommenden Steine in den Harnblasen dieser Thiere bildet.

Es ist klar, daß wenn wir die festen und flüssigen Excremente der Menschen, und die flüssigen der Thiere in dem Verhältnisse zu dem Stickstoff auf unsere Aecker bringen, den wir in der Form von Gewächsen darauf geerntet haben, so wird die Summe des Stickstoffs auf dem Gute jährlich wachsen müssen. Denn zu dem, welchen wir in dem Dünger zuführen, ist aus der Atmosphäre eine gewisse Quantität hinzugekommen. Was wir in der Form von Getreide und Vieh an Stickstoff ausführen, was sich davon in großen Städten anhäuft, kommt andern Feldern zu gut, wenn wir ihn nicht ersetzen. Ein Gut, was keine Wiesen hat und nicht Felder genug für den Anbau von Futtergewächsen besitzt, muß stickstoffhaltigen Dünger von Außen einführen, wenn man auf ihm ein Maximum von Ertrag erzielen will. Auf größeren Gütern ersetzen die Wiesen den jährlichen Ausfall an Stickstoff aufs Vollständigste wieder.

Der einzige wirkliche Verlust an Stickstoff beschränkt sich demnach auf diejenige Quantität, welche die Menschen mit in ihre Gräber nehmen, aber diese kann im Maximo nicht über 3 ℔ für jedes Individuum betragen, welche sich auf ein ganzes Menschenalter vertheilen; sie bleibt, wie man weiß, den Gewächsen unverloren, denn durch Fäulniß und Verwesung kehrt dieselbe in der Form von Ammoniak in die Atmosphäre zurück.

Eine gesteigerte Cultur erfordert eine gesteigerte Düngung, mit derselben wird die Ausfuhr an Getreide und Vieh wachsen, sie wird gehemmt durch den Mangel an Dünger.

Der höchste Werth als stickstoffhaltigen Dünger muß nach dem Vorhergehenden vor Allem den flüssigen Excrementen der Thiere und Menschen beigelegt werden. Der größte Theil des Mehrertrages, des Zuwachses also, dessen Steigerung wir in der Hand haben, geht von ihnen ausschließlich aus.

Wenn man erwägt, daß jedes Pfund Ammoniak, welches unbenutzt verdampft, einem Verlust von 60 ℔ Getreide gleichkommt, daß mit jedem Pfunde Urin ein Pfund Weizen gewonnen werden kann, so ist die Leichtfertigkeit unbegreiflich, mit welcher gerade die flüssigen Excremente betrachtet werden; man benutzt an den meisten Orten nur die, von welchen die festen durchdrungen und befeuchtet sind; man schützt die Düngerstätten weder vor dem Regen, noch vor der Verdunstung. Die festen Excremente enthalten die unlöslichen, die flüssigen alle löslichen phosphorsauren Salze, und die letzteren enthalten alles Kali, was die verzehrten Pflanzen in der Form von organischsauern Salzen enthalten.

Die frischen Knochen, Wolle, Lumpen, Haare, Klauen und Horn sind stickstoffhaltige Dünger, welche gleichzeitig durch ihren

Gehalt an phosphorsauren Salzen Antheil an dem vegetabilischen Lebensprocesse nehmen.

100 Th. trockner Knochen enthalten 32—33 p. c. trockne Gallerte, nehmen wir darinn denselben Gehalt an Stickstoff wie im thierischen Leim an, so enthalten sie 5,28 p. c. Stickstoff, sie sind mithin als Aequivalent für 250 Th. Menschen-Urin zu betrachten.

Die Knochen halten sich in trocknem oder selbst feuchtem Boden (z. B. die in Lehm oder Gyps sich findenden Knochen urweltlicher Thiere) bei Luftabschluß Jahrtausende unverändert, indem der innere Theil durch den äußern vor dem Angriff des Wassers geschützt wird. In feingepulvertem feuchtem Zustande erhitzen sie sich, es tritt Fäulniß und Verwesung ein, die Gallerte, die sie enthalten, zersetzt sich; ihr Stickstoff verwandelt sich in kohlensaures Ammoniak und in andere Ammoniaksalze, welche zum größten Theil von dem Pulver zurückgehalten werden (1 Vol. wohl ausgeglühte weißgebrannte Knochen absorbiren 7,5 Vol. reines Ammoniakgas).

Als ein kräftiges Hülfsmittel zur Beförderung des Pflanzenwuchses auf schwerem und namentlich auf Thonboden muß schließlich noch das Kohlenpulver betrachtet werden.

Schon Ingenhouß hat die verdünnte Schwefelsäure als Mittel vorgeschlagen, um die Fruchtbarkeit des Bodens zu steigern, auf Kalkboden erzeugt sich beim Besprengen mit verdünnter Schwefelsäure augenblicklich Gyps, den sie also aufs vollständigste ersetzen kann. 100 Th. concentrirte Schwefelsäure mit 800 bis 1000 Th. Wasser verdünnt, sind ein Aequivalent für 176 Th. Gyps.

Anhang zur Seite 57.

Beobachtungen über eine Pflanze
(Ficus Australis),
welche 8 Monate hintereinander in dem Gewächshause des botanischen Gartens in Edinburg in der Luft hangend, ohne mit der Erde sich in Berührung zu befinden, gelebt hat,

von

William Magnab, *)
Director des Pflanzengartens in Edinburg.

Die Ficus australis stammen aus dem südlichen Theile Neuhollands und sind durch Sir Joseph Banks 1789 in unsere Gärten eingeführt worden; sie sind jetzt ziemlich verbreitet in England, wo man sie wie die Pflanzen in den mäßig warmen Treibhäusern (green house) behandelt. In einem solchen guten

---

*) Nach einer Angabe in Turner's Elements of Chemistry, London 1834, Seite 932. lebte diese Pflanze noch 16 Jahre nach dem in der Abhandlung angeführten Datum.

Treibhause gedeihen sie wirklich, obgleich sie im Allgemeinen empfindlicher gegen die Wirkungen der Kälte, als andere Pflanzen der nämlichen Gegend sind.

Bei meiner Ernennung zum Director des Gartens von Edinburg im Jahre 1810 fand ich diese Pflanze ein wenig kränkelnd im Greene-House; nachdem ich sie aber 1811 in das heiße Treibhaus verpflanzt hatte, fing sie sogleich mit großer Ueppigkeit zu gedeihen an.

Der Stengel der Pflanze, von dem Boden angerechnet bis an den Anfang der Zweige, hatte ungefähr 1 Fuß Höhe. Auf einem der Zweige sah ich eine Wurzel hervorkommen, 2 Fuß entfernt von seiner Vereinigung mit dem Stiele. Als sie einen Fuß Länge erreicht hatte, stellte ich einen irdnen Topf mit Untersatz darunter; sobald dieser Topf mit Wurzelfasern angefüllt war, beschloß ich zu untersuchen, ob er bei häufigem Begießen zur Ernährung der ganzen Pflanze hinreichen würde,

Im August 1816 hörte ich deshalb auf das erste Gefäß zu begießen, während die Erde des zweiten im Gegentheil oft befeuchtet wurde; das Ganze blieb so acht Monate lang. Nun gab augenscheinlich die völlig ausgetrocknete Erde des ersten Topfes der Pflanze keine Nahrung mehr; demungeachtet aber war sie so üppig, als werde ihr noch von den ursprünglichen Wurzeln Leben zugeführt. Um alle Zweifel zu heben, wurde das Gefäß, worin sich diese ersten Wurzeln befanden, im Frühling 1817 weggethan; die sie umgebende, von der Sonne ausgetrocknete Erde fiel durch ein leichtes Rütteln ab; die Pflanze aber schien nicht im Geringsten darunter zu leiden; nur die Wurzeln zeigten sich an ihren verschiedenen Theilen in größerer Anzahl, als es bisher der Fall war.

Eine dieser neuen Wurzeln — von einem Zweige, 3 Fuß von dem Stiele aus in der entgegengesetzten Richtung von derjenigen, welche seit einiger Zeit die Pflanze ernährte — wurde zu Ende des Sommers 1817 in einen neuen Topf gepflanzt; sobald eine gewisse Anzahl Wurzelfasern sich gebildet hatten, wurde sie oft begossen, während man, das nämliche Verfahren befolgend, aufhörte den 2ten Topf zu begießen; die Pflanze litt nicht im Mindesten. Im Frühling 1818 nahm ich das durchaus trockne zweite Gefäß hinweg und schüttelte, wie es bei den ersten Wurzeln geschehen, die daran hängende Erde wieder los.

Dieser dritte Topf, von welchem nun die Pflanze alle Nahrung empfing, war 4 Fuß von dem äußersten Ende des Stieles — und sehr wenig von der Spitze eines der Zweige entfernt. Die ursprünglichen Wurzeln sowohl, als die in dem zweiten Topf verpflanzten, schwebten in der Luft. Bei einem dritten Versuche — den vorhergehenden in allem gleich — der im Mai 1819 angestellt wurde, nahm die Pflanze ihre Nahrung von einem einzigen sehr kleinen Gefäße (von nur 2 Zoll im Durchmesser), welches man am äußersten Ende eines der Zweige unter der Wurzel angebracht hatte.

Endlich im Juli 1819 dachte ich zu versuchen, ob die Pflanze — wenn schwebend in der Luft, und ohne, daß einer ihrer Theile die Erde berühre — leben könne. Ich nahm den oben erwähnten kleinen Topf hinweg, ließ die Erde an den Wurzeln fallen und begnügte mich, zweimal des Tages die Blätter mit Wasser zu besprengen; nun aber — obgleich dieser Versuch seit 8 Monaten dauert — ist die an einem Spalier hängende Pflanze eben so üppig, als andere in Erde gezogene Individuen derselben Art.

Bemerkenswerth ist noch, daß diese Pflanze, welche, nach der gewöhnlichen Weise behandelt, selten Früchte trägt, an dem Spalier aufgezogen, mit solchen beladen war; 2 Feigen sind an dem Blattwinkel fast eines jeden Blattes entstanden, und ich habe deren kaum dickere in den Treibhäusern von Kew gesehen.

Von dem äußersten Ende der Wurzel bis an das der Blätter hat die Pflanze jetzt (Februar 1819) 7½ Fuß. Der Stengel, da wo er am stärksten ist, hat 5½ Zoll im Umfang. Sie fährt fort zu wachsen und sich auszubreiten, obgleich seit 8 Monaten sie schwebend hängt, ohne daß einer ihrer Theile in Berührung mit Erde steht.

(Ausgezogen mit einigen Abkürzungen aus den Annales de Chimie et de Physique. T. XV. 13. Edinbourg philosophical Journal No. 5.)

Versuche und Beobachtungen über die Wirkung der vegetabilischen Kohle auf die Vegetation,

von

Eduard Lucas.

In einer Abtheilung eines niederen Warmhauses des botanischen Gartens zu München wurde ein Beet für junge tropische Pflanzen, statt der sonst gebräuchlichen Lohe, mit Kohlenstaub, der überall sehr leicht zu erhalten war, nachdem durch ein Sieb die größern Kohlenstücke entfernt worden, ausgefüllt. Die Heitzung lief mittelst einer 6 Zoll weiten Röhre von Eisenblech durch dieses Beet in einen hohlen Raum und theilte ihm so eine gelinde Wärme mit, was bei der Lohe durch den

Proceß ihrer Gährung bezweckt wurde. Die in dieses Kohlenbeet eingesenkten Pflanzen zeichneten sich gar bald durch eine lebhafte Vegetation und ihr frisches gesundes Ansehen aus. Wie es in dergleichen Beeten immer der Fall ist, daß nemlich die Wurzeln vieler Pflanzen durch die Abzugslöcher der Töpfe hindurchdringen und sich dann ausbreiten, so auch hier, nur zeigte sich das Auffallende, daß diese in Kohle durchgewurzelten Pflanzen sich durch Trieb und Ueppigkeit vor allen anderen, z. B. in Lohe durchgewurzelten, sehr auszeichneten. Einige, unter denen ich nur die schöne Thunbergia alata und die Gattung Peireskia nenne, wucherten zum Erstaunen; erstere blühete so reichlich, daß Jeder, der sie sah, bestätigte, noch nie solche Exemplare gefunden zu haben. Auch setzte sie, was sonst meist nur nach künstlicher Bestäubung geschieht, ohne Zuthun eine Menge Saamen an. Die Peireskien kamen so stark in Trieb, daß die Aculeata Loten von mehreren Ellen trieb und P. grandifolia Blätter von einem Fuß Länge machte. Solche Erscheinungen, wozu noch viele scheinbar geringere, wie das rasche Aufkeimen von Saamen, die sich selbst ausgestreut hatten, das häufige Erscheinen junger Filices kommen, mußten natürlich meine Aufmerksamkeit rege machen, und ich wurde so nach und nach zu einer Reihe von Versuchen geführt, deren Resultate in doppelter Beziehung nicht uninteressant sein dürften, denn außer dem technischen Nutzen für die Cultur der meisten Pflanzen bieten sie auch in physiologischer Beziehung Manches dar.

Das Nächste, was die Natur der Sache mit sich brachte, war, daß ich zu verschiedenen Pflanzen einen Theil vegetabilischer Kohle der Erde beimischte und in dem Quantum steigerte, je mehr ich die Vortheile dieser Methode einsah. Ganz vorzüglich zeigte sich z. B. ein Beisatz von ²/₃ Kohle unter Laub-

erde bei Gesneria und Glorinia, so wie bei den tropischen Aroideen mit knolligen Wurzeln. Die beiden ersteren Gattungen erregten bald durch die größte Ueppigkeit aller ihrer Theile die Bewunderung der Kenner. Die Stengel übertrafen an Dicke, so wie die Blätter an dunkler Färbung und Straffheit, die auf gewöhnliche Weise cultivirten Exemplare; die Blüthe ließ nichts zu wünschen übrig, und ihre Vegetation dauerte ausnehmend lange, so daß jetzt in Mitte des Novembers, wo die meisten der anderen Exemplare bis auf die Knole abgestorben, diese noch in üppiger Frische dastehen und theilweise blühen. Die Aroideen zeigten ein sehr rasches Wurzelvermögen, und ihre Blätter übertreffen an Größe die nicht so behandelten um Vieles; die Arten, welche wir ihrer schönen Färbung der Blätter wegen als Zierpflanzen ziehen (man denke nur an Caladium bicolor, pictum, paecile ꝛc.), machten sich durch das lebhafteste Colorit noch bemerkbarer; auch trat hier der Fall wieder ein, daß ihre Vegetationsperiode ungewöhnlich lang fortdauerte. Cactus, die in einer Mischung von gleichen Theilen Kohle und Erde gepflanzt wurden, wucherten förmlich und überwuchsen ihre vorherige Größe in einigen Wochen um die Hälfte. Bei einigen Bromeliaceen und Liliaceen leistete die Anwendung der Kohle wesentliche Vortheile, ebenso bei Citrus, Begonia und selbst bei Palmen. In geringeren Quantitäten bei fast allen Pflanzenarten, bei denen man Sand zur Lockererhaltung der Erde anwendet; nach dem Verhältniß des Sandzusatzes, anstatt diesen beigemischt, verfehlte die Kohle ihre Wirkung nicht und erzielte immer eine kräftige Vegetation.

Zugleich mit obigen Versuchen der Untermischung der Kohle unter Erdarten wurde sie auch rein ohne Zusatz zur Vermehrung der Pflanzen angewendet und auch hierbei erhielt ich die erfreulichsten Resultate. Stöcklinge, von den verschiedensten

Gattungen bewurzelten sich darin sehr schnell und gut; ich erwähne nur Euphorbia fastuosa und fulgens in 10 Tagen, Pandanus utilis in 3 Monaten, P. amaryllifolius, Chamaedorea elatior in 4 Wochen, Piper-nigrum, Begonia, Ficus, Cecropia, Chiococca, Buddleja, Hakea, Phyllanthus, Capparis, Laurus, Stifftia, Jacquinia, Mimosa, Cactus in 8 bis 10 Tagen einige 40 Species, Ilex und viele andere. Doch auch Blätter und Blattstücke, selbst Pedunculi, wurden zum Wurzeln und theilweise zur Augenbildung in reine Kohle gebracht. So gelang es unter Anderm, die Foliola mehrerer Cycadeen zum Wurzeln zu bringen, eben so einzelne Theile des gefiederten Blattes von Bignonia Telsairiae und Jacaranda brasiliensis, Blätter von Euphorbia fastuosa, Oxalis Barrelieri, Ficus, Cyclamen, Polyanthes, Mesembrianthemum, auch zartlaubige Pflanzen, wie Lophospermum und Martynia, Stücke eines Blattes der Agave americana, Nadelbündel von Pinus 2c., alle ohne einen Ansatz eines vorbereiteten Auges.

Zu Kurmittel für kranke Pflanzen hat sich auch die reine Kohle sehr vortrefflich bewiesen. So wurde z. B. eine Dorianthes excelsa, die seit drei Jahren immer nur zurückgegangen war, in kurzer Zeit völlig gesund hergestellt. Einem Pomeranzenbäumchen, welches die leider sehr häufige Krankheit, das Gelbwerden der Blätter, hatte, wurde dadurch, daß die obere Erdschicht hinweggenommen und 1 Zoll dick ein Ring von Kohle in die Peripherie des Topfes gestreut wurde, binnen 4 Wochen seine gesunde grüne Farbe wieder gegeben. Derselbe Fall war bei Gardenia.

Es würde zu weit führen, alle Versuche mit ihren Resultaten, die mit der Kohle angestellt wurden, hier aufzuzählen; es gehört auch nicht mehr in das Bereich dieser Blätter, indem nur im Allgemeinen gezeigt werden sollte, wie die Kohle ihre Wirkungen auf die Vegetation äußerte. Ausführlichere Mittheilungen mögen die verehrlichen Leser, die besonderes Interesse an diesem Gegenstande finden, in der Allgemeinen deutschen Gartenzeitung von Otto und Dietrich in Berlin in der Folge nachsehen.

Die Kohle, die zu obigen Versuchen angewendet wurde, war nur der staubige Abfall von Föhren- oder Fichtenkohle, wie derselbe bei Schmieden, Schlossern rc. in Menge umsonst zu haben ist. Dieses Kohlenpulver zeigte sich am wirksamsten, nachdem es einen Winter hindurch der Luft exponirt gewesen war. Für die Folge werden aber auch Versuche mit Kohle von harten Holzarten, so mit Torfkohle, und mit thierischer Kohle angestellt werden, obgleich wohl mit Wahrscheinlichkeit vorauszusehen, daß keine derselben so entsprechen wird, als die Fichtenkohle, ihrer Porosität und leichtern Zersetzbarkeit wegen.

Zu bemerken ist übrigens, daß alle auf erwähnte Art zu behandelnden Pflanzen reichliches Begießen bedürfen, indem es leicht begreiflich ist, daß ohne dieses, da die Luft bei weitem leichter die Wurzelballen durchdringen und austrocknen kann, ein Mißlingen jedes Versuchs fast unvermeidlich ist.

Dieser Wirksamkeit der Kohle liegt wohl zuerst zu Grunde, die Theile der Pflanzen, die mit ihr in Berührung gebracht werden, seien es Wurzeln, Zweige, Blätter oder Blattstücke, eine geraume Zeit unverändert in ihrer Lebensthätigkeit zu erhalten, so daß das Individuum Zeit gewinnt, aus sich selbst die Organe zu entwickeln, die zu seiner weiteren Erhaltung und Fortpflanzung nothwendig sind. Es leidet auch wohl fast keinen Zweifel, daß die Kohle bei ihrer Zersetzung — nach mehreren, vielleicht 5 bis 6 Jahren ist dieselbe, wenn sie beständig in Thätigkeit bleibt, zu Kohlenerde geworden — Kohlenstoff oder Kohlenoxid der Pflanze in reichlicher Menge zuführt und durch diese Mittheilung des Hauptbestandtheils der pflanzlichen Nahrung Wirkungen hervorzubringen vermag; wie wäre denn sonst das tiefere Grün und die Ueppigkeit der Blätter, ja das ganzen Wachsthums zu erklären, die bei der besten Cultur in irgend einer Erdart nach dem Urtheil erfahrener Männer nicht erzielt werden konnte. Sie wirkt auch insofern äußerst günstig, als sie die von den Wurzeln absorbirten Theile zersetzt und auffaugt und dadurch die Erde immer rein von faulenden Substanzen, die oft Ursache des Absterbens der Spongiolen sind, erhält. Ihre Porosität, so wie das Vermögen, das Wasser rasch aufzusaugen und nach geschehener Sättigung alles übrige durchsickern zu lassen, sind gewiß nicht minder Ursache der günstigen Ergebnisse. Welche nahe Verwandtschaft übrigens die Bestandtheile der Kohle zu allen Pſanzen haben müssen, geht daraus hervor, daß alle angestellten Versuche die Bemühungen krönten, und zwar bei der großen Verschiedenheit der Pflanzenfamilien, die denselben unterworfen wurden. (Buchner's Repertorium, II. Reihe XIX. Bd. S. 38.)

Ueber Ernährung der Pflanzen

vom

Forst-Rathe Dr. Th. Hartig.

Wenn heute eine Sandschelle, deren Boden kaum erkennbare Spuren von Humus enthält, mit Kiefern angesäet und sorgfältig bewirthschaftet wird, so liefert nach einer Reihe von Jahren der aus der Saat hervorgegangene Holzbestand nicht allein eine beträchtliche Kohlenstoffmasse in der Holzernte, sondern auch die Fruchtbarkeit des Bodens zeigt sich durch einen erhöhten Humusgehalt gesteigert. Wo kann diese Kohlenstoffmasse herstammen, wenn nicht aus der Luft.

Kann in diesem Falle ein Holzbestand auf schlechtem Boden seinen und seines Bodens Kohlenstoff aus der Luft beziehen, so wird er diese Fähigkeit auf einem in seinen anorganischen Bestandtheilen besseren Boden in nicht geringerem Grade besitzen.

Wenn es eine nicht in Abrede zu stellende Thatsache ist, daß der jährliche Laubabfall geschlossener Waldbestände hinreicht, auf fruchtbarem Boden mehr als hinreichend ist, denselben in seinem Humusgehalte zu erhalten, so ist es mathematisch gewiß, daß die gesammte Holz-Production der Wälder ihrer Masse nach aus der Atmosphäre stamme.

Eben so bestimmt erkennen wir in unsern Wäldern, daß

der atmosphärische Kohlenstoff durch die Blätter in die Pflanze, aufgenommen wird, denn in geschlossenen Beständen ist der Blattschirm so dicht, daß nur die gröbsten Niederschläge, und diese erst dann, wenn sie wenig Kohlenstoff enthalten, den Boden erreichen; alle feineren atmosphärischen Niederschläge und die mit Kohlensäure reichlich geschwängerten ersten Tropfen gröberer Niederschläge werden von den Blättern gierig eingesogen und erreichen den Boden nicht.

Trotz dem erkennen wir eine weit größere Abhängigkeit des Pflanzenwuchses von der Bodenbeschaffenheit als vom Klima. Guter Boden vermag in weit höherem Grade die Ungunst des Klima als eine günstige Atmosphäre die schlechte Beschaffenheit des Bodens zu heben; den Erfahrungen über Abhängigkeit des Pflanzenwuchses vom Boden, über den günstigen Einfluß, welchen besonders der Humus äußert, müssen sich alle Resultate wissenschaftlicher Untersuchungen, alle Erkenntniß der Nahrung und Ernährung des Pflanzenkörpers unterordnen.

Es ist die Frage: worin die Abhängigkeit des Pflanzenwuchses von der Beschaffenheit des Standorts begründet sei, eine der wichtigsten für den Acker- und Forstwirth. Meine Erfahrungen und Ansichten hierüber sind enthalten im ersten Bande der achten Auflage des Lehrbuches für Förster (Luft-, Boden- und Pflanzenkunde in ihrer Anwendung auf Forstwirthschaft). Stuttgart bei Cotta 1840.

Neuere Versuche haben mir einige für die Lehre von der Ernährung der Pflanzen nicht unwichtige Resultate geliefert. Dem Wunsche des verehrten Herrn Verfassers vorliegenden Werkes entsprechend theile ich dieselben in Folgendem mit.

1) Die Pflanzen nehmen keine sogenannten Extractivstoffe, keine Humusauflösung aus dem Boden auf.

Vier größere Glascylinder wurden gefüllt mit einer Auflösung sogenannter Humussäure aus Dammerde in Kali, und zwar in der Art, daß dem ersten Glase die Auflösung sehr concentrirt und dunkel-schwarzbraun jedem der folgenden Gläser mit der Hälfte Wasser verdünnt gegeben wurde, so daß das zweite Glas nur ½, das dritte nur ¼, das vierte nur ⅛ der Humusauflösung enthielt. In diesen Gläsern wurden junge Bohnenpflanzen erzogen, und es zeigte sich ein verhältnißmäßig kräftigeres und rascheres Wachsen der Pflänzchen, je mehr Humus die Auflösung enthielt. Nachdem ich mich auf diese Weise von der günstigen Wirkung des aufgelös'ten humussauren Kali im Allgemeinen überzeugt hatte, kam es darauf zu erforschen, ob und wieviel dieses Stoffes von den Wurzeln der Pflanze aufgesogen werde. Zu diesem Zwecke wurden sehr kleine Glascylinder von 3 Zoll Länge, 4 Linien innerem Durchmesser und 0,35 Loth Wassergehalt mit einer Lösung von humussaurem Kali gefüllt, in welcher 0,057 p. c. des Wassergewichtes oder in 0,35 Loth Wasser 0,0002 Loth trocknes humussaures Kali aufgelös't waren.

In die gefüllten Cylinder wurden kleine Bohnenpflänzchen gebracht, welche freudig wuchsen und bald eine Menge Wurzeln entwickelten. In den ersten 14 Tagen wurde täglich die Hälfte der stets durch destillirtes Wasser ergänzten Flüssigkeit, in den folgenden 14 Tagen, von Morgens 5½ Uhr bis Abends 7 Uhr ¾, in der Nacht ¼ derselben, binnen 24 Stunden daher durchschnittlich die ganze Wassermasse des Gefäßes, das Doppelte des Gewichts der Pflanze betragend, von den Wurzeln derselben eingesogen. Die Gewichtzunahme der einzelnen

Pflanze während der einmonatlichen Versuchszeit betrug 0,1076 Loth. Die Pflanzen hatten eine Höhe von 5 Zoll und eine Stammdicke von 1½ Par. Linien erreicht. Während der Versuchszeit konnte das Auge eine Verminderung des Humus in der Lösung nicht entdecken. War am Abende heißer und sonniger Tage die Flüssigkeit bis auf ¼ aufgesogen, so zeigte sich der Rückstand verhältnißmäßig dunkler gefärbt und erhielt nach dem Auffüllen mit destillirtem Wasser und Mengung desselben mit dem Rückstande wieder die ursprüngliche Färbung. Die Wurzeln nahmen also das Wasser mit Zurücklassung der Humuslösung auf. Nach Verlauf eines Monats wurde die Flüssigkeit, in welcher die Pflanzen gewachsen, untersucht und es ergab sich eine Verminderung der Humusmenge von 0,0001 Loth. Diese höchst unbedeutende Verminderung rührt theils daher, daß sich etwas Humussäure an den Wurzeln der Pflanze flockig niedergeschlagen hatte. Wollte man annehmen, daß die Hälfte der Verminderung = 0,00005 Loth von den Wurzeln wirklich aufgesogen, nicht durch Bildung von Kohlensäure verschwunden sei, so ist dennoch die Menge im Verhältniß zur Gewicht- und Volumvermehrung der Pflanzen so gering, daß man sie füglich als unwesentlich beim Ernährungsprocesse außer Acht lassen kann.

Dieselben Gläser mit denselben Pflanzen wurden nun nach dieser ersten Untersuchung mit einer filtrirten Abkochung reiner Dammerde von dunkelbrauner Färbung angefüllt. Nach Verlauf von drei Wochen konnte auch hier das Auge keine Lichtung der Flüssigkeit entdecken.

Dieselben Versuche wurden mit humussaurem Ammoniak und mit humussaurem Natron wiederholt; aber nirgend ließ sich eine Verminderung der aufgelösten Stoffe und Entfärbung der Flüssigkeit entdecken, obgleich die Pflanzen täglich fast die ganze

Flüssigkeit der Gefäße absorbirten. Ich glaube daher zu dem Schlusse berechtigt zu sein, daß die Pflanzenwurzeln keine Humuslösung aus dem Boden aufnehmen.

2) Die Pflanzen nehmen Kohlensäure durch die Wurzeln aus dem Boden auf.

Zwei Glasröhren von 8 Zoll Länge und 4 Linien innerem Durchmesser wurden am unteren Ende durch eine sehr enge gebogene Glasröhre in Verbindung gesetzt, so daß die beiden Schenkel parallel neben einander standen. Nachdem der Apparat mit kohlensaurem Wasser gefüllt worden, wurde in die obere Oeffnung des einen Schenkels eine reich bewurzelte junge Bohnenpflanze, deren Wurzeln 2½ Zoll tief in die Flüssigkeit hinab reichten, eingesenkt, und die Oeffnung mit Kautschuck luftdicht verschlossen, der Luftzutritt zum kohlensauren Wasser im zweiten Schenkel des Apparats durch eine Oelschicht verhindert. Die Pflanze absorbirte täglich ihr eigenes Gewicht an Feuchtigkeit, welche alle Abende in dem mit Oel abgesperrten Schenkel durch destillirtes Wasser ergänzt wurde.

Die Menge des kohlensauren Wassers im Apparate lieferte ursprünglich mit Kalkwasser einen Niederschlag von 0,0035 Loth kohlensaurem Kalke; nachdem die Pflanze acht Tage in der Flüssigkeit vegetirt hatte, wog der Niederschlag nur noch 0,0012 Loth. Bei der Untersuchung wurde die obere Oeffnung des Schenkels ohne Pflanze luftdicht verschlossen, aus dem andern Schenkel die Pflanze herausgenommen und die Flüssigkeit schichtenweise von 2½ zu 2½ Zoll untersucht. In der oberen Schicht, welche die Pflanzenwurzeln umgeben hatte, fanden sich kaum Spuren von Kohlensäure; die darauf folgenden Schichten zeigten kaum eine Verringerung derselben gegen den ursprünglichen Säuregehalt. Der Schenkel ohne Pflanze enthielt natürlich nur wenig Kohlensäure, da sein kohlensaures Wasser in den Pflanzenschenkel größtentheils eingesogen und durch destillirtes Wasser ersetzt worden war.

Wenn sich hieraus ergiebt, daß die Pflanzen kohlensaures Wasser aus dem Boden durch die Wurzeln aufnehmen, so muß auch, da das Endresultat der Zersetzung des Humus Kohlensäure ist, dem Kohlenstoff der Dammerde Ernährungsfähigkeit zugestanden werden.

Es ergiebt sich ferner aus dem Versuche, daß, da die Wurzeln das kohlensaure Wasser in ihrer nächsten Umgebung entsäuert hatten, die Kohlensäure mit Auswahl und Abscheidung von den Wurzeln aufgenommen wird.

Der Versuch wurde mehrere Male wiederhohlt und ziemlich übereinstimmende Resultate erlangt.

3) Die Kohlensäure im Boden ist nicht unbedingt nöthig zum Wachsthume der Pflanzen, selbst nicht zur Blüthe und Fruchtbildung.

Bohnenpflanzen, gezogen in geglühtem, pulverisirten und geschlemmten Quarz, wie solcher zur Porcellan-Fabrication verwendet wird, begossen mit destillirtem Wasser lieferten mir Blüthe und Früchte. Ich habe eine solche Pflanze mit vier kräftigen Schoten vor mir stehen, von denen die älteste bereits 2 Zoll 9 Linien lang und 5½ Linien breit ist. Organische Stoffe waren hier gänzlich ausgeschlossen. Leider zeigte sich bei einer nachträglichen Untersuchung des Quarzes derselbe nicht so frei von Kalk, Talk und Eisen, daß sich aus dem Aschenrückstande Schlüsse auf das Bedürfniß der Pflanze an anorganischen Stoffen ziehen ließen; bei wiederholtem Versuche werde ich diesen Fehler beseitigen. Auffallend ist der ungemein große Gehalt der im Quarz gezogenen Pflanzen an Kieselerde.

erde bei Gesneria und Glorinia, so wie bei den tropischen Aroideen mit knolligen Wurzeln. Die beiden ersteren Gattungen erregten bald durch die größte Ueppigkeit aller ihrer Theile die Bewunderung der Kenner. Die Stengel übertrafen an Dicke, so wie die Blätter an dunkler Färbung und Straffheit, die auf gewöhnliche Weise cultivirten Exemplare; die Blüthe ließ nichts zu wünschen übrig, und ihre Vegetation dauerte ausnehmend lange, so daß jetzt in Mitte des Novembers, wo die meisten der anderen Exemplare bis auf die Knole abgestorben, diese noch in üppiger Frische dastehen und theilweise blühen. Die Aroideen zeigten ein sehr rasches Wurzelvermögen, und ihre Blätter übertreffen an Größe die nicht so behandelten um Vieles; die Arten, welche wir ihrer schönen Färbung der Blätter wegen als Zierpflanzen ziehen (man denke nur an Caladium bicolor, pictum, paecile rc.), machten sich durch das lebhafteste Colorit noch bemerkbarer; auch trat hier der Fall wieder ein, daß ihre Vegetationsperiode ungewöhnlich lang fortdauerte. Cactus, die in einer Mischung von gleichen Theilen Kohle und Erde gepflanzt wurden, wucherten förmlich und überwuchsen ihre vorherige Größe in einigen Wochen um die Hälfte. Bei einigen Bromeliaceen und Liliaceen leistete die Anwendung der Kohle wesentliche Vortheile, ebenso bei Citrus, Begonia und selbst bei Palmen. In geringeren Quantitäten bei fast allen Pflanzenarten, bei denen man Sand zur Lockererhaltung der Erde anwendet; nach dem Verhältniß des Sandzusatzes, anstatt diesen beigemischt, verfehlte die Kohle ihre Wirkung nicht und erzielte immer eine kräftige Vegetation.

Zugleich mit obigen Versuchen der Untermischung der Kohle unter Erdarten wurde sie auch rein ohne Zusatz zur Vermehrung der Pflanzen angewendet und auch hierbei erhielt ich die erfreulichsten Resultate. Stöcklinge, von den verschiedensten

Gattungen bewurzelten sich darin sehr schnell und gut; ich erwähne nur Euphorbia fastuosa und fulgens in 10 Tagen, Pandanus utilis in 3 Monaten, P. amaryllifolius, Chamaedorea elatior in 4 Wochen, Piper-nigrum, Begonia, Ficus, Cecropia, Chiococca, Buddleja, Hakea, Phyllanthus, Capparis, Laurus, Stifftia, Jacquinia, Mimosa, Cactus in 8 bis 10 Tagen einige 40 Species, Ilex und viele andere. Doch auch Blätter und Blattstücke, selbst Pedunculi, wurden zum Wurzeln und theilweise zur Augenbildung in reine Kohle gebracht. So gelang es unter Anderm, die Foliola mehrerer Cycadeen zum Wurzeln zu bringen, eben so einzelne Theile des gefiederten Blattes von Bignonia Telsairiae und Jacaranda brasiliensis, Blätter von Euphorbia fastuosa, Oxalis Barrelieri, Ficus, Cyclamen, Polyanthes, Mesembrianthemum, auch zartlaubige Pflanzen, wie Lophospermum und Martynia, Stücke eines Blattes der Agave americana, Nadelbündel von Pinus rc., alle ohne einen Ansatz eines vorbereiteten Auges.

Zu Kurmittel für kranke Pflanzen hat sich auch die reine Kohle sehr vortrefflich bewiesen. So wurde z. B. eine Doryanthes excelsa, die seit drei Jahren immer nur zurückgegangen war, in kurzer Zeit völlig gesund hergestellt. Einem Pomeranzenbäumchen, welches die leider sehr häufige Krankheit, das Gelbwerden der Blätter, hatte, wurde dadurch, daß die obere Erdschicht hinweggenommen und 1 Zoll dick ein Ring von Kohle in die Peripherie des Topfes gestreut wurde, binnen 4 Wochen seine gesunde grüne Farbe wieder gegeben. Derselbe Fall war bei Gardenia.

Es würde zu weit führen, alle Versuche mit ihren Resultaten, die mit der Kohle angestellt wurden, hier aufzuzählen; es gehört auch nicht mehr in das Bereich dieser Blätter, in-

Chemische Metamorphosen.

Die organischen Verbindungen, Holzfaser, Zucker, Gummi und alle übrigen erleiden bei Berührung mit andern Körpern gewisse Aenderungen in ihren Eigenschaften, sie erleiden eine Zersetzung.

Diese Zersetzungsweisen nehmen in der organischen Chemie zweierlei Formen an.

Denken wir uns eine aus zwei zusammengesetzten Körpern bestehende Verbindung, die krystallisirte Oxalsäure z. B., die wir mit concentrirter Schwefelsäure in Berührung bringen, so erfolgt bei der gelindesten Erwärmung eine vollkommne Zersetzung. Die krystallisirte Oxalsäure ist eine Verbindung von Wasser mit Oxalsäure, die concentrirte Schwefelsäure besitzt zu dem Wasser eine bei weitem größere Anziehung als die Oxalsäure, sie entzieht der krystallisirten alles Wasser. In Folge dieser Wasserentziehung wird wasserfreie Oxalsäure abgeschieden, aber diese Säure kann für sich, ohne mit einem andern Körper verbunden zu sein, nicht bestehen; ihre Bestandtheile theilen sich in Kohlensäure und Kohlenoxid, die sich zu gleichen Raumtheilen gasförmig entwickeln.

In diesem Beispiel ist Zersetzung in Folge des Austretens zweier Bestandtheile (der Elemente des Wassers) vor sich gegangen, die sich mit der Schwefelsäure vereinigt haben. Die

Ueber Ernährung der Pflanzen

vom

Forst-Rathe Dr. Th. Hartig.

Wenn heute eine Sandschelle, deren Boden kaum erkennbare Spuren von Humus enthält, mit Kiefern angesäet und sorgfältig bewirthschaftet wird, so liefert nach einer Reihe von Jahren der aus der Saat hervorgegangene Holzbestand nicht allein eine beträchtliche Kohlenstoffmasse in der Holzernte, sondern auch die Fruchtbarkeit des Bodens zeigt sich durch einen erhöhten Humusgehalt gesteigert. Wo kann diese Kohlenstoffmasse herstammen, wenn nicht aus der Luft.

Kann in diesem Falle ein Holzbestand auf schlechtem Boden seinen und seines Bodens Kohlenstoff aus der Luft beziehen, so wird er diese Fähigkeit auf einem in seinen anorganischen Bestandtheilen besseren Boden in nicht geringerem Grade besitzen.

Wenn es eine nicht in Abrede zu stellende Thatsache ist, daß der jährliche Laubabfall geschlossener Waldbestände hinreicht, auf fruchtbarem Boden mehr als hinreichend ist, denselben in seinem Humusgehalte zu erhalten, so ist es mathematisch gewiß, daß die gesammte Holz-Production der Wälder ihrer Masse nach aus der Atmosphäre stamme.

Eben so bestimmt erkennen wir in unsern Wäldern, daß

der atmosphärische Kohlenstoff durch die Blätter in die Pflanze, aufgenommen wird, denn in geschlossenen Beständen ist der Blattschirm so dicht, daß nur die gröbsten Niederschläge, und diese erst dann, wenn sie wenig Kohlenstoff enthalten, den Boden erreichen; alle feineren atmosphärischen Niederschläge und die mit Kohlensäure reichlich geschwängerten ersten Tropfen gröberer Niederschläge werden von den Blättern gierig eingesogen und erreichen den Boden nicht.

Trotz dem erkennen wir eine weit größere Abhängigkeit des Pflanzenwuchses von der Bodenbeschaffenheit als vom Klima. Guter Boden vermag in weit höherem Grade die Ungunst des Klima als eine günstige Atmosphäre die schlechte Beschaffenheit des Bodens zu heben; den Erfahrungen über Abhängigkeit des Pflanzenwuchses vom Boden, über den günstigen Einfluß, welchen besonders der Humus äußert, müssen sich alle Resultate wissenschaftlicher Untersuchungen, alle Erkenntniß der Nahrung und Ernährung des Pflanzenkörpers unterordnen.

Es ist die Frage: worin die Abhängigkeit des Pflanzenwuchses von der Beschaffenheit des Standorts begründet sei, eine der wichtigsten für den Acker- und Forstwirth. Meine Erfahrungen und Ansichten hierüber sind enthalten im ersten Bande der achten Auflage des Lehrbuches für Förster (Luft-, Boden- und Pflanzenkunde in ihrer Anwendung auf Forstwirthschaft). Stuttgart bei Cotta 1840.

Neuere Versuche haben mir einige für die Lehre von der Ernährung der Pflanzen nicht unwichtige Resultate geliefert. Dem Wunsche des verehrten Herrn Verfassers vorliegenden Werkes entsprechend theile ich dieselben in Folgendem mit.

Chlor noch mit Stickstoff verbinden, und die Berührung irgend einer festen Substanz reicht bei dem Jodstickstoff und dem Silberoxid-Ammoniak hin, um ein Zerfallen mit Explosion zu Wege zu bringen.

Niemand hat je daran gedacht, die Ursache der Zerlegung dieser Körper einer besonderen von der chemischen Verwandtschaft verschiedenen Kraft zuzuschreiben, welche thätig wird z. B. durch Berührung mit dem Barte einer Feder und die in Folge ihres Auftretens die Zersetzung bedingt; man betrachtete von jeher diese Körper als chemische Verbindungen der schwächsten Art, in denen also die Bestandtheile in einem Zustande der Spannung sich befinden, die in jeder auch der geringsten Störung die chemische Verwandtschaft überwiegt. Diese Verbindungen bestehen nur durch die Kraft der Trägheit (vis inertiae), ein jedes in Bewegung setzen, die Reibung, ein Stoß, reichen hin, um das statische Moment der Anziehung der Bestandtheile, d. h. das Bestehen in einer bestimmten Form, aufzuheben.

Das Wasserstoffhyperoxid gehört zu dieser Klasse von Körpern; es zerlegt sich mit allen Substanzen, die ihm den Sauerstoff entziehen, es zerlegt sich selbst augenblicklich durch Berührung mit vielen Körpern, wie mit Platin und metallischem Silber, welche keine Verbindung hierbei eingehen, und in dieser Beziehung wird seine Zersetzung offenbar durch die nemliche Ursache bedingt, welche das Zerfallen des Jodstickstoffs und Knallsilbers veranlaßt. Bei dem Wasserstoffhyperoxide hat man, merkwürdiger Weise, die Ursache der plötzlichen Trennung seiner Bestandtheile als eine, von den gewöhnlichen Ursachen verschiedene angesehen, und sie einer neuen Kraft zugeschrieben, der man den Namen katalytische Kraft gegeben hat; man hat dabei aber nicht erwogen, daß die Wirkung des Platins und Silbers nur eine beschleunigende ist, denn auch ohne Berührung mit diesen Metallen zerlegt es sich unabwendbar von selbst, obwohl erst in längerer Zeit, beim bloßen Aufbewahren. Die plötzliche Trennung der Bestandtheile des Wasserstoffhyperoxids unterscheidet sich von der des gasförmigen Chloroxids oder des festen Jodstickstoffs nur insofern, als seine Zersetzung in einer Flüssigkeit vor sich geht.

Die merkwürdigste Erscheinung in dem Verhalten des Wasserstoffhyperoxids, und gerade diejenige, welche vor allem Andern die Aufmerksamkeit fesselt, insofern sie aus der Reihe der bekannten heraustritt, ist die Reduction, welche gewisse Oxide bei Berührung mit Wasserstoffhyperoxid erleiden, in dem Augenblicke, wo sich sein Sauerstoff von dem Wasser trennt; hierher gehören Silberoxid, Bleihyperoxid und andere, in denen aller oder ein Theil des Sauerstoffs nur mit einer schwachen Kraft gebunden ist.

Während andere Oxide, in denen die Bestandtheile durch eine mächtige Verwandtschaft zusammengehalten werden, durch Berührung mit dem Wasserstoffhyperoxid seine Zerlegung bewirken, ohne die geringste Aenderung zu erleiden, trennt sich, bei Anwendung von Silberoxid, mit dem sich entwickelnden Sauerstoff des Wasserstoffhyperoxids aller Sauerstoff des Silberoxids und es bleibt metallisches Silber; von dem Bleihyperoxid trennt sich, unter denselben Umständen, die Hälfte Sauerstoff und entweicht als Gas. Man ist selbst im Stande, auf diesem Wege eine Zerlegung des Manganhyperoxids in Sauerstoffgas und Oxidul zu bewerkstelligen, wenn man gleichzeitig eine chemische Verwandtschaft auf das Manganoxidul in Thätigkeit treten läßt, eine Säure z. B., welche mit dem Oxidul ein lösliches Salz bildet. Versetzt man Wasserstoffhyperoxid mit Salzsäure und bringt sodann gepulvertes Manganhyperoxid hinzu, so erhält man bei weitem mehr Sauerstoffgas als das erstere für sich zu liefern im Stande ist, man findet aber in der rückständigen Flüssigkeit ein Manganoxidulsalz, entstanden aus Manganhyperoxid, dessen Hälfte Sauerstoff sich als Gas entwickelt hat.

Eine ganz ähnliche Erscheinung bietet das kohlensaure Silberoxid dar, wenn es mit manchen organischen Säuren zusammengebracht wird. Pyro-Traubensäure z. B. verbindet sich leicht mit reinem Silberoxid zu einem weißen im Wasser schwerlöslichen Salze; mit kohlensaurem Silberoxid zusammengebracht, trennt sich mit der entweichenden Kohlensäure der Sauerstoff von einem Theil des Silberoxids und es bleibt regulinisches Silber als schwarzes Pulver zurück. (Berzelius)

Man kann den angeführten Erscheinungen keine andere Erklärung unterlegen, als daß hierbei Zersetzung oder Verbindung in Folge der Berührung mit einem andern Körper herbeigeführt wird, der sich selbst im Zustande der Zersetzung oder Verbindung befindet. Es ist klar, daß die Action, in der sich die Atome des einen Körpers befinden, auf die Atome des danebenliegenden zweitens Körpers von Einfluß ist; sind diese Atome fähig, die nämliche Veränderung zu erfahren, so erleiden sie diese Veränderung; sie gehen Verbindungen oder Zersetzungen ein; allein wenn sie diese Fähigkeit für sich nicht besitzen, so hört ihre weitere Veränderung von dem Augenblick an auf, wo sich die Atome des ersteren Körpers in Ruhe befinden, wo mithin die Veränderung oder die Metamorphose dieses Körpers vollendet ist.

Der eine Körper übt auf den andern eine ähnliche Wirkung aus, wie wenn ein brennender Körper mit einem verbrennlichen zusammengebracht wird, nur mit dem Unterschiede, daß die Ursache der Mittheilung des Zustandes und der Fortdauer dieses Zustandes, eine andere ist. Bei dem verbrennlichen Körper ist diese Ursache die Temperatur, welche sich in jedem Zeitmomente wieder neu erzeugt; in den Zersetzungs- und Verbindungserscheinungen, die wir betrachten, ist diese Ursache ein in chemischer Action begriffener Körper, und nur so lange thätig, als diese Action dauert.

Wir kennen aus zahllosen Erfahrungen, welchen Einfluß das bloße in Bewegung setzen auf die Aeußerung der chemischen Kräfte ausübt, in einer Menge von Salzlösungen äußert sich z. B. die Cohäsionskraft nicht, wenn sie in der Wärme gesättigt, bei völliger Ruhe erkalten; das aufgelöste Salz scheidet sich nicht kristallinisch aus, aber ein Sandkorn in die Flüssigkeit geworfen, die kleinste Erschütterung reicht hin, um die ganze Auflösung plötzlich und unter Wärmeentwickelung zum Erstarren zu bringen; wir sehen die nämliche Erscheinung bei Wasser, was weit unter 0° bei völliger Ruhe erkaltet werden kann, ohne zu gefrieren, was aber in dem Momente fest wird, wo seine Theile in Bewegung gesetzt werden.

Um in einer bestimmten Weise sich anzuziehen und zu ordnen, muß die Trägheit zuerst überwunden werden, die Atome müssen in Bewegung gesetzt werden.

Eine verdünnte Auflösung eines Kalisalzes mit Weinsäure gemischt, giebt in der Ruhe keinen Niederschlag; setzt man die Flüssigkeit durch heftiges Umschütteln in Bewegung, so treibt sie sich augenblicklich und setzt Kristalle von Weinstein ab.

Eine Auflösung von einem Bittererdesalz, welche durch phosphorsaures Ammoniak nicht getrübt wird, setzt augenblicklich phosphorsaures Bittererde-Ammoniak an den Gefäßwänden ab, an den Stellen, wo sie mit einem Glasstabe in der Flüssigkeit gerieben werden.

Die Bewegung, mithin die Ueberwindung der Trägheit,

des Beharrungsvermögens, verursacht in den so eben angeführten Bildungs- und Zersetzungsprocessen eine augenblickliche andere Lagerung der Atome eines Körpers, d. h. die Entstehung einer Verbindung, die vorher nicht vorhanden war.

Wie sich von selbst versteht, müssen diese Atome die Fähigkeit besitzen, sich auf diese bestimmte Weise zu ordnen, denn sonst würde Reibung und Bewegung, ohne den geringsten Einfluß darauf sein.

Das bloße Beharren in der Lage, wo sich die Atome eines Körpers befinden, macht, daß uns viele Körper in anderen Zuständen mit anderen Eigenschaften begabt erscheinen, als sie nach ihren natürlichen Anziehungen besitzen. Geschmolzener und rasch erkalteter Zucker und Glas sind durchsichtig, von muschlichem Bruch, beide bis zu einem gewissen Grade elastisch und biegsam; der erstere wird beim Aufbewahren matt und undurchsichtig und zeigt alsdann im Bruche regelmäßige Spaltungsflächen, welche dem kristallisirten Zucker angehören; das Glas nimmt diesen Zustand an und wird weiß und undurchscheinend, hart, so daß es am Stahle Funken giebt, wenn es lange Zeit hindurch bei einer hohen Temperatur im weichen Zustande erhalten wird. Offenbar besaßen die Atome der beiden Körper, in diesen verschiedenen Zuständen, verschiedene Lagen, in dem ersteren war ihre Anziehung nicht in den Richtungen thätig, in denen ihre Cohäsionskraft am stärksten war. Wir wissen, daß der geschmolzene Schwefel beim raschen Abkühlen in kaltem Wasser weich, durchsichtig und elastisch bleibt und sich in lange Fäden ziehen läßt, und daß er erst nach Stunden oder Tagen wieder hart und krystallinisch wird.

Das Bemerkenswertheste hierbei ist unstreitig, daß der amorphe Zucker oder Schwefel, ohne Mitwirken einer äußeren Ursache, in den kristallinischen Zustand wieder zurückkehrt, denn dieß setzt voraus, daß ihre Atome eine andere Lage angenommen haben, daß sie mithin selbst im festen Zustande bis zu einem gewissen Grade Beweglichkeit besitzen. Die rascheste Umsetzung oder Formänderung dieser Art kennt man vom Arragonit, identisch in seiner chemischen Zusammensetzung mit dem Kalkspath, beweis't seine verschiedene Krystallform und Härte, daß seine Atome auf eine andere Weise geordnet sind, als wie beim Kalkspath; beim Erwärmen eines Arragonitkrystalls, bei dem Inbewegungsetzen seiner Atome durch die Ausdehnung heben wir ihr Beharrungsvermögen auf und mit großer Kraft zerspringt in Folge dessen der Arragonitkrystall zu einem Haufwerk von Krystallen und Kalkspath.

Es ist unmöglich, sich über die Ursachen dieser Veränderungen zu täuschen, sie ist eine Aufhebung des Zustandes der Ruhe, in Folge welcher die in Bewegung gesetzten Theilchen eines Körpers entweder andern, oder ihren eigenen natürlichen Anziehungen folgen.

Wenn aber, wie sich aus dem Vorhergehenden ergiebt, die mechanische Bewegung schon hinreicht, um bei vielen Körpern eine Form und Zustandsänderung zu bewirken, so kann es um so weniger zweifelhaft erscheinen, daß ein im Zustand der Verbindung oder Zersetzung begriffener Körper fähig ist, gewissen andern Körpern den nämlichen Zustand der Bewegung oder Thätigkeit zu ertheilen, in welchem sich seine Atome befinden, durch seine Berührung also mit andern Körpern, diese zu befähigen, Verbindungen einzugehen oder Zersetzungen zu erleiden.

Dieser Einfluß ist durch die angeführten Thatsachen aus dem Verhalten anorganischer Körper hinreichend belegt worden, er zeigt sich bei den organischen Materien bei weitem häufiger und nimmt die Form an von den umfassendsten und bewunderswürdigsten Naturerscheinungen.

Chemische Metamorphosen.

Die organischen Verbindungen, Holzfaser, Zucker, Gummi und alle übrigen erleiden bei Berührung mit andern Körpern gewisse Aenderungen in ihren Eigenschaften, sie erleiden eine Zersetzung.

Diese Zersetzungsweisen nehmen in der organischen Chemie zweierlei Formen an.

Denken wir uns eine aus zwei zusammengesetzten Körpern bestehende Verbindung, die krystallisirte Oxalsäure z. B., die wir mit concentrirter Schwefelsäure in Berührung bringen, so erfolgt bei der gelindesten Erwärmung eine vollkommne Zersetzung. Die krystallisirte Oxalsäure ist eine Verbindung von Wasser mit Oxalsäure, die concentrirte Schwefelsäure besitzt zu dem Wasser eine bei weitem größere Anziehung als die Oxalsäure, sie entzieht der krystallisirten alles Wasser. In Folge dieser Wasserentziehung wird wasserfreie Oxalsäure abgeschieden, aber diese Säure kann für sich, ohne mit einem andern Körper verbunden zu sein, nicht bestehen; ihre Bestandtheile theilen sich in Kohlensäure und Kohlenoxid, die sich zu gleichen Raumtheilen gasförmig entwickeln.

In diesem Beispiel ist Zersetzung in Folge des Austretens zweier Bestandtheile (der Elemente des Wassers) vor sich gegangen, die sich mit der Schwefelsäure vereinigt haben. Die größere, die überwiegende Verwandtschaft des einwirkenden Körpers (der Schwefelsäure) zu diesem Wasser war in diesem Fall die Ursache der Zersetzung.

In Folge des Austretens der Bestandtheile des Wassers treten die übrigen Elemente in einer neuen Form zusammen, wir hatten Oxalsäure und bekommen alle Elemente derselben, als Kohlensäure und Kohlenoxid wieder.

Diese Zersetzungsweise, wo also die Veränderung durch einen einwirkenden Körper bewirkt wird, der sich mit einem oder mehreren Bestandtheilen eines zusammengesetzten Körpers verbindet, ist vollkommen ähnlich den Zersetzungen anorganischer Verbindungen.

Denken wir uns salpetersaures Kali, was wir mit Schwefelsäure zusammenbringen, so wird Salpetersäure ausgeschieden, in Folge der Verwandtschaft der Schwefelsäure zum Kali, in Folge also der Bildung einer neuen Verbindung (des schwefelsauren Kalis).

Eine zweite Form nimmt diese Zersetzungsweise an, wenn durch die chemische Verwandtschaft des einwirkenden Körpers, aus den Bestandtheilen des Körpers, welcher zersetzt wird, neue Verbindungen gebildet werden, von denen sich beide, oder nur der eine, mit dem einwirkenden Körper vereinigen.

Nehmen wir z. B. trocknes Holz und befeuchten es mit Schwefelsäure, so erfolgt nach kurzer Zeit unter Wärmeentwicklung eine wahre Verkohlung, wir finden die Schwefelsäure unverändert aber mit mehr Wasser verbunden wieder, als sie vorher enthielt. Dieses Wasser war in dem Holz nur seinen Elementen nach (als Wasserstoff und Sauerstoff) zugegen, beide sind durch die chemische Anziehung der Schwefelsäure, gewissermaßen gezwungen worden sich zu Wasser zu vereinigen, in Folge dessen ist der Kohlenstoff des Holzes als Kohle abgeschieden worden.

Blausäure und Wasser in Berührung mit Salzsäure zerlegen sich beide.

Aus dem Stickstoff der Blausäure und dem Wasserstoff einer gewissen Quantität Wasser entsteht Ammoniak, aus dem Kohlenstoff und Wasserstoff der Blausäure und dem Sauerstoff des Wassers entsteht Ameisensäure.

Das Ammoniak verbindet sich mit der Salzsäure.

Die Berührung der Salzsäure mit Wasser und Blausäure veranlaßte eine Störung in der Anziehung der Elemente von beiden, in Folge welcher sie sich zu zwei neuen Verbindungen ordneten, von denen die eine, das Ammoniak, die Fähigkeit besaß, eine Verbindung mit dem störenden Körper einzugehen.

Auch für diese Zersetzungsweisen, welche nicht minder häufig sind, bietet die anorganische Chemie Analoga dar, allein der organischen Chemie gehören noch ganz andere Zersetzungsweisen an, die sich von den eben angeführten darin unterscheiden, daß der einwirkende Körper keine Verbindung eingeht, mit einem Bestandtheil der Materie, welche die Zersetzung oder Veränderung erfährt.

Es erfolgt in diesen Fällen eine Störung der Anziehungen unter den Elementen der Verbindung in der Art, daß sie sich zu einer oder mehreren neuen Verbindungen ordnen, welche unter gegebenen Bedingungen keiner weiteren Veränderung mehr unterliegen.

Wenn eine organische Verbindung durch chemische Verwandtschaft eines zweiten Körpers, oder durch den Einfluß der Wärme, oder durch irgend andere Ursachen sich zersetzt, und zwar so, daß sich aus ihren Elementen zwei oder mehrere neue Verbindungen bilden, so heißt die Zersetzung eine chemische Metamorphose.

Die Bezeichnung einer chemischen Metamorphose schließt

den bestimmten Begriff in sich ein, daß in der Zersetzung einer organischen Verbindung keines ihrer Elemente einzeln in Freiheit gesetzt wird. Die Veränderungen, welche in der organischen Natur mit Gährung, Fäulniß und Verwesung bezeichnet werden, sind chemische Metamorphosen, welche bewirkt werden durch eine bis jetzt unbeachtet gebliebene Ursache, deren Existenz in dem Folgenden dargelegt werden soll.

Die Ursache, wodurch Gährung, Fäulniß und Verwesung bewirkt werden.

Man ist erst in der letzten Zeit darauf aufmerksam geworden, daß ein Körper, der sich im Zustande der Verbindung oder Zersetzung befindet, auf das Verhalten eines andern ihn berührenden Körpers nicht ohne Einfluß ist. Platin z. B. zerlegt nicht die Salpetersäure; selbst in dem Zustande der außerordentlichen Zertheilung, wo seine kleinsten Theile nicht mehr das Licht zurückwerfen, als Platinschwarz, wird es, mit dieser Säure gekocht, nicht oxidirt. Eine Legirung von Platin mit Silber lös't sich hingegen leicht in Salpetersäure. Die Oxidation, welche das Silber erfährt, überträgt sich mithin dem Platin, es erhält in Berührung damit die Fähigkeit, die Salpetersäure zu zersetzen.

Kupfer zerlegt das Wasser nicht beim Sieden mit verdünnter Schwefelsäure, eine Legirung von Kupfer, Zink und Nickel lös't sich leicht unter Wasserstoffgasentwickelung in wasserhaltiger Schwefelsäure.

Zinn zerlegt die Salpetersäure mit außerordentlicher Leichtigkeit, das Wasser hingegen nur schwierig; bei der Auflösung von Zinn in verdünnter Salpetersäure geht mit der Zersetzung der Salpetersäure eine lebhafte Wasserzersetzung vor sich, neben einem Oxide des Zinns bildet sich Ammoniak.

In den angeführten Beispielen läßt sich die Verbindung oder Zersetzung nur bei dem letzteren durch chemische Verwandtschaft erklären; allein bei den andern sollte gerade durch electrische Action die Oxidationsfähigkeit des Platins oder Kupfers bei Berührung mit Silber oder Zink verhindert oder aufgehoben werden, die Erfahrung zeigt aber, daß hierbei der Einfluß von entgegengesetzt electrischen Zuständen bei weitem von der chemischen Action überwogen wird.

In einer minder zweifelhaften Form tritt die Erscheinung bei Materien ein, in welchen die Elemente nur mit einer schwachen Kraft zusammengehalten sind. Man weiß, daß es chemische Verbindungen so schwacher Art giebt, daß Aenderungen der Temperatur, des Electricitätszustandes, die bloße mechanische Reibung, oder die Berührung mit anscheinend durchaus indifferenten Körpern, eine Störung der Anziehung zwischen den Bestandtheilen dieser Körper in der Art bewirken, daß sie sich zerlegen, daß diese Bestandtheile nämlich sich zu neuen Verbindungen ordnen, ohne eine Verbindung mit den einwirkenden Körpern einzugehen. Diese Körper stehen an der Grenze der chemischen Verbindungen, auf ihr Bestehen üben Ursachen einen aufhebenden Einfluß, welche auf Verbindungen von stärkerer Verwandtschaft durchaus wirkungslos sind. Durch eine geringe Erhöhung der Temperatur trennen sich die Elemente des Chloroxids mit der heftigsten Licht- und Wärmeentwickelung, Chlorstickstoff explodirt in Berührung mit einer Menge von Körpern, die sich bei gewöhnlicher Temperatur weder mit

Chlor noch mit Stickstoff verbinden, und die Berührung irgend einer festen Substanz reicht bei dem Jodstickstoff und dem Silberoxid-Ammoniak hin, um ein Zerfallen mit Explosion zu Wege zu bringen.

Niemand hat je daran gedacht, die Ursache der Zerlegung dieser Körper einer besonderen von der chemischen Verwandtschaft verschiedenen Kraft zuzuschreiben, welche thätig wird z. B. durch Berührung mit dem Barte einer Feder und die in Folge ihres Auftretens die Zersetzung bedingt; man betrachtete von jeher diese Körper als chemische Verbindungen der schwächsten Art, in denen also die Bestandtheile in einem Zustande der Spannung sich befinden, die in jeder auch der geringsten Störung die chemische Verwandtschaft überwiegt. Diese Verbindungen bestehen nur durch die Kraft der Trägheit (vis inertiae), ein jedes in Bewegung setzen, die Reibung, ein Stoß, reichen hin, um das statische Moment der Anziehung der Bestandtheile, d. h. das Bestehen in einer bestimmten Form, aufzuheben.

Das Wasserstoffhyperoxid gehört zu dieser Klasse von Körpern; es zerlegt sich mit allen Substanzen, die ihm den Sauerstoff entziehen, es zerlegt sich selbst augenblicklich durch Berührung mit vielen Körpern, wie mit Platin und metallischem Silber, welche keine Verbindung hierbei eingehen, und in dieser Beziehung wird seine Zersetzung offenbar durch die nemliche Ursache bedingt, welche das Zerfallen des Jodstickstoffs und Knallsilbers veranlaßt. Bei dem Wasserstoffhyperoxide hat man, merkwürdiger Weise, die Ursache der plötzlichen Trennung seiner Bestandtheile als eine, von den gewöhnlichen Ursachen verschiedene angesehen, und sie einer neuen Kraft zugeschrieben, der man den Namen katalytische Kraft gegeben hat; man hat dabei aber nicht erwogen, daß die Wirkung des Platins und Silbers nur eine beschleunigende ist, denn auch ohne Berührung mit diesen Metallen zerlegt es sich unabwendbar von selbst, obwohl erst in längerer Zeit, beim bloßen Aufbewahren. Die plötzliche Trennung der Bestandtheile des Wasserstoffhyperoxids unterscheidet sich von der des gasförmigen Chloroxids oder des festen Jodstickstoffs nur insofern, als seine Zersetzung in einer Flüssigkeit vor sich geht.

Die merkwürdigste Erscheinung in dem Verhalten des Wasserstoffhyperoxids, und gerade diejenige, welche vor allem Andern die Aufmerksamkeit fesselt, insofern sie aus der Reihe der bekannten heraustritt, ist die Reduction, welche gewisse Oxide bei Berührung mit Wasserstoffhyperoxid erleiden, in dem Augenblicke, wo sich sein Sauerstoff von dem Wasser trennt; hierher gehören Silberoxid, Bleihyperoxid und andere, in denen aller oder ein Theil des Sauerstoffs nur mit einer schwachen Kraft gebunden ist.

Während andere Oxide, in denen die Bestandtheile durch eine mächtige Verwandtschaft zusammengehalten werden, durch Berührung mit dem Wasserstoffhyperoxid seine Zerlegung bewirken, ohne die geringste Aenderung zu erleiden, trennt sich, bei Anwendung von Silberoxid, mit dem sich entwickelnden Sauerstoff des Wasserstoffhyperoxids aller Sauerstoff des Silberoxids und es bleibt metallisches Silber; von dem Bleihyperoxid trennt sich, unter denselben Umständen, die Hälfte Sauerstoff und entweicht als Gas. Man ist selbst im Stande, auf diesem Wege eine Zerlegung des Manganhyperoxids in Sauerstoffgas und Oxidul zu bewerkstelligen, wenn man gleichzeitig eine chemische Verwandtschaft auf das Manganoxidul in Thätigkeit treten läßt, eine Säure z. B., welche mit dem Oxidul ein lösliches Salz bildet. Versetzt man Wasserstoffhyperoxid mit Salzsäure und bringt sodann gepulvertes Manganhyperoxid hinzu, so erhält man bei weitem mehr Sauerstoffgas als das erstere für sich zu liefern im Stande ist, man findet aber in der rückständigen Flüssigkeit ein Manganoxidulsalz, entstanden aus Manganhyperoxid, dessen Hälfte Sauerstoff sich als Gas entwickelt hat.

Eine ganz ähnliche Erscheinung bietet das kohlensaure Silberoxid dar, wenn es mit manchen organischen Säuren zusammengebracht wird. Pyro-Traubensäure z. B. verbindet sich leicht mit reinem Silberoxid zu einem weißen im Wasser schwerlöslichen Salze; mit kohlensaurem Silberoxid zusammengebracht, trennt sich mit der entweichenden Kohlensäure der Sauerstoff von einem Theil des Silberoxids und es bleibt regulinisches Silber als schwarzes Pulver zurück. (Berzelius)

Man kann den angeführten Erscheinungen keine andere Erklärung unterlegen, als daß hierbei Zersetzung oder Verbindung in Folge der Berührung mit einem andern Körper herbeigeführt wird, der sich selbst im Zustande der Zersetzung oder Verbindung befindet. Es ist klar, daß die Action, in der sich die Atome des einen Körpers befinden, auf die Atome des danebenliegenden zweitens Körpers von Einfluß ist; sind diese Atome fähig, die nämliche Veränderung zu erfahren, so erleiden sie diese Veränderung; sie gehen Verbindungen oder Zersetzungen ein; allein wenn sie diese Fähigkeit für sich nicht besitzen, so hört ihre weitere Veränderung von dem Augenblick an auf, wo sich die Atome des ersteren Körpers in Ruhe befinden, wo mithin die Veränderung oder die Metamorphose dieses Körpers vollendet ist.

Der eine Körper übt auf den andern eine ähnliche Wirkung aus, wie wenn ein brennender Körper mit einem verbrennlichen zusammengebracht wird, nur mit dem Unterschiede, daß die Ursache der Mittheilung des Zustandes und der Fortdauer dieses Zustandes, eine andere ist. Bei dem verbrennlichen Körper ist diese Ursache die Temperatur, welche sich in jedem Zeitmomente wieder neu erzeugt; in den Zersetzungs- und Verbindungserscheinungen, die wir betrachten, ist diese Ursache ein in chemischer Action begriffener Körper, und nur so lange thätig, als diese Action dauert.

Wir kennen aus zahllosen Erfahrungen, welchen Einfluß das bloße in Bewegung setzen auf die Aeußerung der chemischen Kräfte ausübt, in einer Menge von Salzlösungen äußert sich z. B. die Cohäsionskraft nicht, wenn sie in der Wärme gesättigt, bei völliger Ruhe erkalten; das aufgelös'te Salz scheidet sich nicht kristallinisch aus, aber ein Sandkorn in die Flüssigkeit geworfen, die kleinste Erschütterung reicht hin, um die ganze Auflösung plötzlich und unter Wärmeentwickelung zum Erstarren zu bringen; wir sehen die nämliche Erscheinung bei Wasser, was weit unter 0° bei völliger Ruhe erkaltet werden kann, ohne zu gefrieren, was aber in dem Momente fest wird, wo seine Theile in Bewegung gesetzt werden.

Um in einer bestimmten Weise sich anzuziehen und zu ordnen, muß die Trägheit zuerst überwunden werden, die Atome müssen in Bewegung gesetzt werden.

Eine verdünnte Auflösung eines Kalisalzes mit Weinsäure gemischt, giebt in der Ruhe keinen Niederschlag; setzt man die Flüssigkeit durch heftiges Umschütteln in Bewegung, so treibt sie sich augenblicklich und setzt Kristalle von Weinstein ab.

Eine Auflösung von einem Bittererdesalz, welche durch phosphorsaures Ammoniak nicht getrübt wird, setzt augenblicklich phosphorsaures Bittererde-Ammoniak an den Gefäßwänden ab, an den Stellen, wo sie mit einem Glasstabe in der Flüssigkeit gerieben werden.

Die Bewegung, mithin die Ueberwindung der Trägheit,

des Beharrungsvermögens, verursacht in den so eben angeführten Bildungs- und Zersetzungsprocessen eine augenblickliche andere Lagerung der Atome eines Körpers, d. h. die Entstehung einer Verbindung, die vorher nicht vorhanden war.

Wie sich von selbst versteht, müssen diese Atome die Fähigkeit besitzen, sich auf diese bestimmte Weise zu ordnen, denn sonst würde Reibung und Bewegung, ohne den geringsten Einfluß darauf sein.

Das bloße Beharren in der Lage, wo sich die Atome eines Körpers befinden, macht, daß uns viele Körper in anderen Zuständen mit anderen Eigenschaften begabt erscheinen, als sie nach ihren natürlichen Anziehungen besitzen. Geschmolzener und rasch erkalteter Zucker und Glas sind durchsichtig, von muschlichem Bruch, beide bis zu einem gewissen Grade elastisch und biegsam; der erstere wird beim Aufbewahren matt und undurchsichtig und zeigt alsdann im Bruche regelmäßige Spaltungsflächen, welche dem kristallisirten Zucker angehören; das Glas nimmt diesen Zustand an und wird weiß und undurchscheinend, hart, so daß es am Stahle Funken giebt, wenn es lange Zeit hindurch bei einer hohen Temperatur im weichen Zustande erhalten wird. Offenbar besaßen die Atome der beiden Körper, in diesen verschiedenen Zuständen, verschiedene Lagen, in dem ersteren war ihre Anziehung nicht in den Richtungen thätig, in denen ihre Cohäsionskraft am stärksten war. Wir wissen, daß der geschmolzene Schwefel beim raschen Abkühlen in kaltem Wasser weich, durchsichtig und elastisch bleibt und sich in lange Fäden ziehen läßt, und daß er erst nach Stunden oder Tagen wieder hart und krystallinisch wird.

Das Bemerkenswertheste hierbei ist unstreitig, daß der amorphe Zucker oder Schwefel, ohne Mitwirken einer äußeren Ursache, in den kristallinischen Zustand wieder zurückkehrt, denn dieß setzt voraus, daß ihre Atome eine andere Lage angenommen haben, daß sie mithin selbst im festen Zustande bis zu einem gewissen Grade Beweglichkeit besitzen. Die rascheste Umsetzung oder Formänderung dieser Art kennt man vom Arragonit, identisch in seiner chemischen Zusammensetzung mit dem Kalkspath, beweis't seine verschiedene Krystallform und Härte, daß seine Atome auf eine andere Weise geordnet sind, als wie beim Kalkspath; beim Erwärmen eines Arragonitkrystalls, bei dem Inbewegungsetzen seiner Atome durch die Ausdehnung heben wir ihr Beharrungsvermögen auf und mit großer Kraft zerspringt in Folge dessen der Arragonitkrystall zu einem Haufwerk von Krystallen und Kalkspath.

Es ist unmöglich, sich über die Ursachen dieser Veränderungen zu täuschen, sie ist eine Aufhebung des Zustandes der Ruhe, in Folge welcher die in Bewegung gesetzten Theilchen eines Körpers entweder andern, oder ihren eigenen natürlichen Anziehungen folgen.

Wenn aber, wie sich aus dem Vorhergehenden ergiebt, die mechanische Bewegung schon hinreicht, um bei vielen Körpern eine Form und Zustandsänderung zu bewirken, so kann es um so weniger zweifelhaft erscheinen, daß ein im Zustand der Verbindung oder Zersetzung begriffener Körper fähig ist, gewissen andern Körpern den nämlichen Zustand der Bewegung oder Thätigkeit zu ertheilen, in welchem sich seine Atome befinden, durch seine Berührung also mit andern Körpern, diese zu befähigen, Verbindungen einzugehen oder Zersetzungen zu erleiden.

Dieser Einfluß ist durch die angeführten Thatsachen aus dem Verhalten anorganischer Körper hinreichend belegt worden, er zeigt sich bei den organischen Materien bei weitem häufiger und nimmt die Form an von den umfassendsten und bewundernswürdigsten Naturerscheinungen.

Mit Gährung, Fäulniß und Verwesung bezeichnet man im Allgemeinen die Form- und Eigenschaftsänderungen, welche die complexeren organischen Materien erleiden, wenn sie von den Organismen getrennt, bei Gegenwart von Wasser und einer gewissen Temperatur sich selbst überlassen werden. Gährung und Fäulniß sind Zersetzungsprocesse von der eigenthümli chenArt', die wir mit Metamorphosen bezeichnet haben, die Elemente der Körper, welche in Gährung oder Fäulniß überzugehen fähig sind, ordnen sich zu neuen Verbindungen, und in dieser Ordnungsweise nehmen meistens die Bestandtheile des Wassers einen bestimmten Antheil.

Die Verwesung ist verschieden von der Gährung und Fäulniß, insofern sie ohne Zutritt der Luft nicht stattfindet, deren Sauerstoff hierbei von dem Körper aufgenommen wird, es ist eine langsame Verbrennung, bei welcher unter allen Umständen Wärme und zuweilen auch Licht entwickelt wird; bei den Zersetzungsprocessen, die man Fäulniß und Gährung nennt, entwickeln sich sehr häufig luftförmige Produkte, die entweder geruchlos sind oder einen unangenehmen Geruch verbreiten.

Man ist gewissermaßen übereingekommen, mit dem Ausdruck Gährung die Metamorphose derjenigen Materien zu bezeichnen, welche geruchlose gasförmige Produkte entwickeln, während die Bezeichnung Fäulniß gewöhnlich für diejenigen von selbst erfolgenden Zersetzungen gebraucht wird, in denen übelriechende Gasarten gebildet werden. Der Geruch kann aber, wie sich von selbst versteht, keineswegs über die Natur der Zersetzung als entscheidender Character gelten, beide, Gährung und Fäulniß, sind einerlei Zersetzungsprocesse, die erstere von stickstofffreien, die andere von stickstoffhaltigen Substanzen.

Man ist ferner gewöhnt, ein gewisse Klasse von Metamorphosen von der Gährung und Fäulniß zu trennen und zwar diejenige, wo Veränderungen und Umsetzungen erfolgen, ohne Entwickelung von gasförmigen Produkten. Allein die Zustände, in denen die neuen Verbindungen sich darstellen, sind, wie man weiß, rein zufällig, und deshalb nicht der entfernteste Grund vorhanden, Zersetzungen dieser Art, wie man gethan hat, einer besondern Ursache zuzuschreiben.

Gährung und Fäulniß.

Manche Materien gehen dem Anschein nach von selbst in Gährung und Fäulniß über, und dieß sind namentlich diejenigen, welche Stickstoff oder stickstoffhaltige Substanzen beigemengt enthalten, und das Merkwürdigste hierbei ist, daß außerordentlich kleine Quantitäten derjenigen Substanzen, die in den Zustand der Gährung und Fäulniß übergegangen sind, die Fähigkeit besitzen, in unbegrenzten Mengen der nämlichen Materien denselben Act der Zersetzung hervorzurufen.

Eine kleine Quantität gährenden Traubensaft zu nicht gährendem zugesetzt, bringt die ganze Quantität in Gährung.

Die kleinste Quantität im Zustande der Gährung begriffener Milch, Mehlteig, Rübensaft, faulenden Fleisches, Blut ꝛc. mit frischer Milch, Rübensaft, Mehlteig, Fleisch oder Blut in Berührung gebracht, macht, daß diese Materien in den nämlichen Zersetzungsproceß übergehen.

Diese Erscheinungen treten, wie man leicht bemerkt, aus

der Klasse der gewöhnlichen Zersetzungen, die durch chemische Verwandtschaften bewirkt werden, heraus; ihre Elemente ordnen sich in Folge einer Störung nach ihren Verwandtschaften; es sind Aeußerungen chemischer Thätigkeiten, Umwandlungen oder Zersetzungen, die vor sich gehen, in Folge der Berührung mit Körpern, die sich in dem nemlichen Zustande befinden.

Um sich ein klares Bild über diese Vorgänge zu verschaffen, muß man analoge aber minder verwickelte Erscheinungen in's Auge fassen.

Die Zusammengesetztheit der organischen Atome und ihr Verhalten gegen andere Materien im Allgemeinen führt von selbst auf die wahre Ursache, durch welche diese Metamorphosen herbeigeführt werden.

Aus dem Verhalten der einfachen Körper weiß man, daß bei Bildung von Verbindungen die Kraft, mit welcher die Bestandtheile zusammenhängen, in demselben Verhältniß abnimmt, in welchem die Anzahl der Atome in dem zusammengesetzten Atome zunimmt.

Manganoxidul geht durch Aufnahme von Sauerstoff in Oxid, in Hyperoxid, in Mangan und Uebermangansäure über, wodurch die Anzahl der Sauerstoffatome in dem ersteren um die Hälfte vermehrt, oder verdoppelt, verfünffacht wird, aber alle Sauerstoffmengen über die hinaus, welche in dem Oxidul enthalten ist, sind bei weitem schwächer gebunden, die bloße Glühhitze treibt Sauerstoff aus dem Hyperoxide aus und die Mangansäuren können von den Basen nicht getrennt werden, ohne augenblicklich eine Zersetzung zu erfahren.

Die umfassendsten Erfahrungen beweisen, daß die am einfachsten zusammengesetzten anorganischen Verbindungen die beständigsten, die den Veränderungen am meisten widerstehenden sind, und daß mit ihrer Zusammengesetztheit, ihre Veränderlichkeit, ihre leichte Zersetzbarkeit zunimmt, offenbar nur deshalb, weil mit der Anzahl der Atome, welche in Verbindung treten, die Richtungen sich vervielfältigen, in denen ihre Anziehung thätig ist.

Welche Art von Vorstellung man auch über die Natur der Materie haben mag, die Existenz der chemischen Proportionen weis't jeden Zweifel über das Vorhandensein von gewissen begrenzten Gruppen oder Massen von Materie zurück, über deren weitere Spaltung oder Theilung wir keine Erfahrungen besitzen. Diese in der Chemie Aequivalente benannten Massen sind nicht unendlich klein, denn sie wiegen, indem sie je nach ihren Anziehungen sich auf die mannigfaltigste Weise ordnen, gehen aus dieser Verbindung die zahllosen zusammengesetzten Atome hervor, deren Eigenschaften in der organischen Natur nach der Form, ja man kann bei vielen sagen, nach der Richtung, nach dem Platze wechseln, den sie in dem zusammengesetzten Atome einnehmen.

Vergleicht man nun die Zusammensetzung der organischen mit den anorganischen Verbindungen, so wird man wahrhaft überrascht durch die Existenz von Verbindungen, in denen sich 90 und mehrere hundert einzelne Atome oder Aequivalente vereinigt finden, zu einem einzigen zusammengesetzten Atom. Das Atom einer organischen Säure von einfacher Zusammensetzung, die Essigsäure z. B. enthält 12 Aequivalente, 1 Atom, Chinasäure enthält 33, 1 Atom Zucker 36, Amygdalin enthält 90 und 1 Atom Talgsäure 138 Aequivalente an Elementen und die Bestandtheile der thierischen Körper übertreffen die genannten bei weitem noch an Zusammengesetztheit.

In eben dem Grade, als die anorganischen Verbindungen die organischen an Einfachheit in ihrer Zusammensetzung übertreffen, weichen sie von diesen durch ihr Verhalten ab. Während z. B. ein zusammengesetzter Atom, das schwefelsaure Kali, mit einer Menge von Materien in Berührung, nicht die geringste Veränderung in seinen Eigenschaften erleidet, während bei seiner Zerlegung mit andern Substanzen die Cohäsionskraft, die Fähigkeit von einem seiner Bestandtheile mit den berührenden Körper eine unlösliche feste, oder bei gewisser Temperatur flüchtige Verbindung zu bilden, während also andere Ursachen mitwirken, um seine Zerlegung zu bewerkstelligen, finden wir bei compleren organischen Atomen nichts ähnliches.

Betrachten wir die Formel des schwefelsauren Kalis: SKO_4, so haben wir darin nur 1 Aeq. Schwefel und 1 Aeq. Kalium, wir können im höchsten Fall den Sauerstoff uns ungleich in der Verbindung vertheilt denken und bei einer Zersetzung einen Theil oder allen Sauerstoff der Verbindung entziehen, oder einen der Bestandtheile ersetzen, eine verschiedene Lagerung der Atome können wir aber nicht hervorbringen, eben weil es die einfachste Form ist, in welcher die gegebenen Elemente zu der Verbindungen zusammenzutreten die Fähigkeit besitzen.

Vergleichen wir damit die Zusammensetzung des Traubenzuckers, so haben wir darin, auf 12 Aeq. Kohlenstoff, 12 Aeq. Wasserstoff und 12 Aeq. Sauerstoff; wir haben darin eine Anzahl von Atomen, von denen wir wissen, daß sie die mannigfaltigsten Verbindungen mit einander einzugehen vermögen; die Formel des Zuckers kann ausdrücken ein Hydrat des Kohlenstoffs, oder ein Hydrat des Holzes, oder der Stärke, oder des Milchzuckers, oder eine Verbindung von Aether mit Alkohol, oder von Ameisensäure mit Sachulmin, wir können mit einem Worte, wenn wir die Elemente von Wasser hinzutreten lassen oder einzelne Elemente in dem Zucker ersetzen, die meisten bekannten stickstofffreien organischen Stoffe durch Rechnung daraus ent wickeln; die Elemente dazu sind also in der Zusammensetzung des Zuckers enthalten, und man kann hinzufügen, die Fähigkeit, zahllose Verbindungen mit einander zu bilden, ist in der Anziehung, welche diese Elemente zu einander gegenseitig haben, ebenfalls vorhanden.

Untersuchen wir nun, wie sich der Zucker bei Berührung mit Materien verhält, die eine bemerkbare Wirkung auf ihn haben, so finden wir, daß die Veränderungen, die er erfährt, nicht in die engen Grenzen eingeschlossen sind, die wir bei den anorganischen Verbindungen bemerken; diese Veränderungen haben in der That keine Grenzen.

Die Elemente des Zuckers folgen jeder Anziehung und zwar einer jeden auf eine eigenthümliche Weise. Während bei den anorganischen Verbindungen eine Säure durch den Grad ihrer Verwandtschaft zu einem der Bestandtheile der Verbindung, die davon zersetzt wird, wirkt und ihren chemischen Character nie aufgiebt, in welcher Form sie auch angewendet werden mag, zerstört und verändert sie den Zucker, nicht, indem sie eine vorhandene Basis vermöge ihrer grösseren Verwandtschaft in Beschlag nimmt, sondern indem sie das Gleichgewicht in der Anziehung der Elemente des Zuckers aufhebt. Salzsäure und Schwefelsäure, in ihrer Wirkungsweise und Zusammensetzung so sehr von einander verschieden, wirken auf einerlei Weise auf den Zucker, in verdünntem Zustande anders, als wie in concentrirtem, bei gelinder Wärme wieder anders, als beim Sieden. Während die concentrirte Schwefelsäure bei mäßiger Concentration den Zucker, unter Bildung von Ameisensäure und Essigsäure, in eine schwarze kohlige Materie verwandelt, zerlegt sie ihn, bei Gegenwart von mehr Wasser, in zwei braune Substanzen, die beide Kohlenstoff und die Elemente des Wassers enthalten. Durch die Einwirkung der Alkalien entstehen aus den Elementen des Zuckers eine Reihe von durchaus verschiedenen neuen Producten, und durch oxidirende Materien, durch Salpetersäure z. B., entwickeln sich daraus Kohlensäure, Ameisensäure, Essigsäure, Zuckersäure und noch viele andere Producte, die nicht untersucht sind.

Wenn man sich nach diesen Erfahrungen eine Vorstellung über die Kraft macht, mit welcher die Elemente des Zuckers zusammenhängen, und die Größe dieser Anziehung nach dem Widerstande beurtheilt, welchen sie einem darauf einwirkenden Körper entgegensetzen, so scheint der Zuckeratom als solcher nur durch die Trägheit seiner Elemente zu bestehen, durch das Beharren an dem Orte und in dem Zustande also, in dem sie sich befinden, denn ein Behaupten dieses Zustandes durch ihre eigene Anziehung, wie bei dem schwefelsaurem Kali, beobachten wir nicht.

Gerade diejenigen organischen Verbindungen nun, die sich dem Zucker ähnlich verhalten, sehr zusammengesetzte organische Atome also, sind allein fähig, die Zersetzungen zu erleiden, welche wir Gährung und Fäulniß nennen.

Wir haben gesehen, daß Metalle die Fähigkeit erhalten, Wasser oder Salpetersäure zu zerlegen, eine Fähigkeit, die sie für sich nicht besaßen, durch die bloße Berührung mit andern, die sich in dem Zustande der Verbindung befinden; wir sehen bei dem Wasserstoffhyperoxid und Wasserstoffhypersulfid, daß in dem Act ihrer Zersetzung, Verbindungen ähnlicher Art, in denen die Elemente bei weitem stärker gebunden sind, ohne daß eine chemische Verwandtschaft hierbei mitwirkt, die nämliche Zerlegung erfahren, und man wird in den Materien, welche Gährung und Fäulniß bewirken, bei genauerer Beachtung die nämliche Ursache erkennen, welche die obigen Erscheinungen bedingt.

Es ist diese Ursache ein jeder Körper, der sich im Zustande

der Zersetzung befindet, sie ist eine Störung des statischen Moments der Anziehungen der Elemente, eines completen organischen Atoms, in deren Folge sich die Elemente nach ihren speciellen Anziehungen auf's Neue gruppiren.

Die Beweise für die Existenz dieser Ursache lassen sich leicht entwickeln; sie gehen aus dem Verhalten der Körper hervor, welche Gährung und Fäulniß bewirken; sie ergeben sich aus der Regelmäßigkeit, man kann sagen, Gesetzmäßigkeit, in welcher die Theilung der Elemente in den erfolgenden Metamorphosen vor sich geht, und diese Regelmäßigkeit ist ausschließlich begründet in der ungleichen Verwandtschaft, die sie in isolirtem Zustande zu einander besitzen. Aus dem Verhalten der Holzkohle zum Wasser, aus dem der einfachsten Stickstoffverbindung, dem Cyan, zu demselben Körper, lassen sich alle Metamorphosen stickstofffreier und stickstoffhaltiger Körper entwickeln.

Metamorphosen stickstofffreier Körper.

Bringen wir Sauerstoff und Wasserstoff in der Form von Wasserdämpfen demnach in gleichen Wirkungswerthen mit Kohle in einer Temperatur zusammen, bei welcher sie die Fähigkeit besitzt, eine Verbindung mit einem dieser Elemente einzugehen, so sieht man, daß sich unter allen Umständen ein Oxid des Kohlenstoffs, Kohlenoxid oder Kohlensäure, bildet, während je nach der Temperatur Kohlenwasserstoff oder Wasserstoff in Freiheit gesetzt wird; es findet demnach eine Theilung des Kohlenstoffs in die Elemente des Wassers, in den Wasserstoff und Sauerstoff statt, und eine noch vollkommenere Theilung dieser Art beobachten wir bei allen Metamorphosen, durch welche Art von Ursachen sie auch bewirkt werden mögen.

Essigsäure und Meconsäure erleiden durch den Einfluß der Wärme eine wahre Metamorphose, d. h. eine Spaltung in neue Verbindungen ohne Ausscheidung eines ihrer Elemente. Aus der Essigsäure entsteht Kohlensäure und Aceton, aus der Meconsäure Kohlensäure und Komensäure, durch höhere Temperatur erleidet die letztere eine neue Metamorphose; sie zerlegt sich wieder in Kohlensäure und Pyromeconsäure.

Der Kohlenstoff dieser Materien theilt sich in den Sauerstoff und Wasserstoff; auf der einen Seite sehen wir Kohlensäure, auf der andern ein Oxid eines Kohlenwasserstoffs auftreten, in welchem aller Wasserstoff enthalten ist.

Bei der Metamorphose von Alkoholdämpfen in mäßiger Glühhitze theilt sich der Kohlenstoff auf ähnliche Weise und es entsteht ein Oxid einer Kohlenwasserstoffverbindung, die allen Sauerstoff enthält, und gasförmige Kohlenwasserstoffverbindungen.

Bei diesen Metamorphosen durch Wärme sind, wie man sieht, keine fremden Verwandtschaften thätig; es sind die besonderen Anziehungen der Elemente allein im Spiel, die sich je nach dem Grade ihrer Verwandtschaften zu neuen Verbindungen ordnen, beständig und unveränderlich unter den Bedingungen, in welchen sie gebildet werden, sich aufs neue umsetzend, wenn diese Bedingungen geändert werden. Vergleichen wir nun die Producte miteinander, zu denen zwei in ihrer Zusammensetzung ähnliche, aber in ihren Eigenschaften verschiedene Materien in zwei durch verschiedene Ursachen erfolgende Metamorphosen Veranlassung geben, so finden wir, daß die Art der Umsetzung der Atome absolut die nämliche ist.

In den Metamorphosen des Holzes auf dem Boden von Sümpfen, die wir Fäulniß nennen, theilt sich sein Kohlenstoff in den Wasserstoff und Sauerstoff seiner eigenen Substanz und den des Wassers, neben reiner Kohlensäure entwickelt sich ein Kohlenwasserstoff, der eine der Kohlensäure ähnliche Zusammensetzung besitzt.

In der Metamorphose des Zuckers, die wir Gährung nennen, theilen sich seine Elemente in Kohlensäure, welche ⅔ von dem Sauerstoff des Zuckers, und in Alkohol, der allen Wasserstoff enthält.

In der Metamorphose der Essigsäure durch Glühhitze entsteht Kohlensäure, welche ⅔ von dem Sauerstoff der Essigsäure und Aceton, welches allen Wasserstoff enthält.

Man sieht leicht, daß die Elemente einer complexen Verbindung ihren speciellen Anziehungen überlassen (und dieß geschieht bei jeder Störung in den Anziehungen der Elemente ei-

wässrige Aufguß an der Luft erkaltet und eine Zeitlang mit der Luft in Berührung gelassen war; in diesem Zustande mit Zuckerwasser zusammen gebracht, bringt er eine lebhafte Gährung hervor; ohne zuvor der Luft ausgesetzt gewesen zu sein, tritt keine Gährung ein.

Bei dem Contact mit der Luft erfolgt aber eine Absorbtion des Sauerstoffs und man findet in dem Aufguß nach einiger Zeit freie Kohlensäure.

Die Hefe bringt mithin Gährung hervor in Folge einer fortschreitenden Zersetzung, die sie bei Gegenwart von Luft in Berührung mit Wasser erleidet.

Untersuchen wir ferner, ob und welche Veränderung mit der Hefe vor sich geht, wenn sie in Berührung war mit Zuckerwasser, in welchem die Metamorphose des Zuckers vollendet ist, so zeigt sich, daß mit der Verwandlung des Zuckers in Kohlensäure und Alkohol ein Verschwinden des Ferments verknüpft ist.

Von 20 Th. frischer Bierhefe und 100 Th. Zucker erhielt Thénard nach vollendeter Gährung 13,7 unlöslichen Rückstand, der sich mit neuem Zuckerwasser, auf dieselbe Weise angewendet, auf 10 Theile verminderte; diese 10 Theile waren weiß, besaßen die Eigenschaften der Holzfaser und verhielten sich völlig wirkungslos gegen frisches Zuckerwasser.

Es ergiebt sich hieraus auf eine unzweifelhafte Weise, daß bei der Gährung des reinen Zuckers mit Ferment beide neben einander eine Zersetzung erleiden, in deren Folge sie beide verschwinden. Wenn das Ferment nun ein Körper ist, der sich im Zustande der Fäulniß befindet, und Gährung in Folge seiner eigenen Zersetzung erregt, so müssen alle Materien, die sich in dem nämlichen Zustande befinden, auf den Zucker eine gleiche Wirkung haben.

Dieß ist in der That der Fall. **Faulendes Muskelfleisch, Urin, Hausenblase, Osmazom, Eiweiß, Käse, Gliadin, Kleber, Legumin, Blut** bringen, in **Zuckerwasser** gebracht, die Fäulniß des Zuckers (Gährung) hervor, ja das Ferment selbst, was durch anhaltendes Auswaschen seine Fähigkeit, Gährung zu erregen, gänzlich verloren hat, erhält sie wieder, wenn es, an einem warmen Ort sich selbst überlassen, in Fäulniß übergegangen ist.

Das Ferment, die faulenden thierischen und vegetabilischen Materien, indem sie in anderen Körpern den Zustand der Zersetzung herbeiführen, den sie selbst erleiden, wirken mithin wie das Wasserstoffhyperoxid auf Silberoxid; die Störung in der Anziehung seiner Bestandtheile, welche seine eigne Zersetzung herbeiführt, der Act seiner Zersetzung bewirkt eine Störung in der Anziehung der Bestandtheile des Silberoxids, indem das eine zersetzt wird, erfolgt eine ähnliche Zersetzung des andern Körpers.

Beachten wir nun, um zu gewissen Anwendungen zu kommen, den Verlauf der Gährung des reinen Zuckers mit Ferment, so beobachten wir zwei Fälle, die stets wiederkehren. Ist die Menge des Ferments im Verhältniß zu dem vorhandenen Zucker zu gering, so ist seine Fäulniß früher beendigt, als die Metamorphose des Zuckers; es bleibt Zucker unzersetzt, insofern die Ursache seiner Metamorphose, nämlich die Berührung mit einem in Zersetzung begriffenen Körper, fehlt.

Ist die Menge des Ferments vorwaltend, so bleibt, indem seine Unlöslichkeit im Wasser an und für sich eine langsamere Zersetzung bedingt, eine gewisse Menge in Zersetzung begriffen zurück. Diese in frisches Zuckerwasser gebracht, fährt fort, wieder Gährung zu erregen, bis sie selbst alle Perioden ihrer eigenen Metamorphose durchlaufen hat.

Eine gewisse Menge Hefe ist also erforderlich, um eine bestimmte Portion Zucker zur Vollendung seiner Metamorphose zu bringen, aber seine Wirkung ist keine Massenwirkung, sondern ihr Einfluß beschränkt sich lediglich auf ihr Vorhandensein bis zu dem Endpunkte hin, wo das letzte Atom Zucker sich zersetzt hat.

Aus den dargelegten Thatsachen und Beobachtungen ergiebt sich demnach für die Chemie die Existenz einer neuen Ursache, welche Verbindungen und Zersetzungen bewirkt, und diese Ursache ist die Thätigkeit, welche ein in Zersetzung oder Verbindung begriffener Körper auf Materien ausübt, in denen die Bestandtheile nur durch eine schwache Verwandtschaft zusammengehalten sind; diese Thätigkeit wirkt ähnlich einer eigenthümlichen Kraft, deren Träger ein in Verbindung oder Zersetzung begriffener Körper ist, eine Kraft, die sich über die Sphäre seiner Anziehungen hinaus erstreckt.

Ueber eine Menge bekannter Erscheinungen kann man sich jetzt genügende Rechenschaft geben.

Aus frischem Pferdeharn erhält man beim Zusatz von Salzsäure eine reichliche Menge Hippursäure; läßt man den Harn in Fäulniß übergehen, so läßt sich keine Spur mehr davon entdecken. Menschenharn enthält eine beträchtliche Quantität Harnstoff; in gefaultem Harn ist aller Harnstoff verschwunden. Harnstoff, den man einer gährenden Zuckerlösung zugesetzt hat, zerlegt sich in Kohlensäure und Ammoniak; in einem gegohrenen Auszug von Spargeln, Althäwurzeln ist kein Asparagin mehr vorhanden.

Es ist früher berührt worden, daß in der überwiegenden Verwandtschaft des Stickstoffs zu dem Wasserstoff, so wie in der ausgezeichneten Verwandtschaft des Kohlenstoffs zum Sauerstoff, in ihrem entgegengesetzten Streben also, sich der Elemente des Wassers zu bemächtigen, in allen Stickstoffverbindungen eine vorzugsweise leichte Spaltung ihrer Elemente gegeben ist, und wenn wir finden, daß kein stickstofffreier Körper in reinem Zustande die Eigenschaft besitzt, sich in Berührung mit Wasser von selbst zu zerlegen, so liegt es in der Natur der Stickstoffverbindungen, und weil sie gewissermaßen höher organisirte Atome darstellen, daß ihnen vor allen diese Fähigkeit zukommt.

Wir finden in der That, daß jeder stickstoffhaltige Bestandtheil des thierischen oder vegetabilischen Organismus, sich selbst bei Gegenwart von Wasser und einer höheren Temperatur überlassen, in Fäulniß übergeht.

Die stickstoffhaltigen Materien sind demnach ausschließlich die Erreger von Gährung und Fäulniß bei vegetabilischen Substanzen.

Die Fäulniß gehört in ihren Erfolgen, als eine ineinander greifende Metamorphose verschiedener Substanzen, zu den mächtigsten Desoxidationsprocessen, durch welche die stärksten Verwandtschaften überwunden werden.

Eine Auflösung von Gyps in Wasser, die man mit einer Abkochung von Sägespänen oder irgend einer Fäulniß fähigen organischen Materie in einem verschlossenen Gefäße sich selbst überläßt, enthält nach einiger Zeit keine Schwefelsäure mehr, an ihrer Stelle findet man Kohlensäure und freie Schwefelwasserstoffsäure, die sich in den vorhandenen Kalk theilen. In stehenden Wassern, welche schwefelsaure Salze enthalten, beobachtet man an den verfaulenden Wurzelfasern die Bildung von krystallisirtem Schwefelkies.

Man weiß nun, daß unter Wasser, also beim Abschluß der Luft, faulendes Holz sich in der Weise zerlegt, daß sich ein Theil seines Kohlenstoffs mit seinem eigenen und dem Sauerstoff des Wassers zu Kohlensäure verbindet, während sein Was-

serstoff und der Wasserstoff des zersetzten Wassers als reines Wasserstoffgas oder als Sumpfgas in Freiheit gesetzt werden; die Produkte dieser Zersetzung sind mithin von derselben Art, wie wenn Wasserdämpfe über glühende Kohlen geleitet werden.

Es ist nun klar, daß, wenn das Wasser eine an Sauerstoff reiche Materie enthält, wie Schwefelsäure z. B., so wird von der faulenden Materie dieser Sauerstoff mit dem des Wassers zur Bildung von Kohlensäure in Anspruch genommen werden, und aus dem gleichzeitig frei gewordenen Schwefel und dem Wasserstoffgas, die sich im Entstehungsmomente verbinden, entsteht Schwefelwasserstoffsäure, die sich mit den vorhandenen Metalloxiden zu Schwefelmetallen umsetzt.

Die gefaulten Blätter der Waidpflanze, in Berührung mit blauem Indigo und Alkali, bei Gegenwart von Wasser, gehen in eine weitere Zersetzung über, deren Resultat eine Desoxidation des Indigo's, seine Auflösung ist.

Vergleicht man die Zusammensetzung des Mannits, welcher durch Fäulniß von zuckerhaltigem Rüben- und andern Pflanzensäften gebildet wird, mit der des Traubenzuckers, so findet man, daß er die nämliche Anzahl von Atomen Kohlenstoff und Wasserstoff, aber zwei Atome Sauerstoff weniger enthält, als der Traubenzucker; es ist außerordentlich wahrscheinlich, daß seine Entstehung auf eine ähnliche Weise aus dem Traubenzucker gefolgert werden muß, wie die Verwandlung des blauen Indigo in desoxidirten weißen Indigo.

Bei der Fäulniß des Klebers entwickelt sich kohlensaures Gas und reines Wasserstoffgas, es entsteht phosphorsaures, essigsaures, käsesaures, milchsaures Ammoniak in solcher Menge, daß die weitere Zersetzung aufhört; wird das Wasser erneuert, so geht die Zersetzung weiter, außer jenen Salzen entsteht kohlensaures Ammoniak, eine weisse glimmerähnliche krystallinische

Materie (Käseoxid), Schwefelammonium und eine durch Chlor gerinnende schleimige Substanz. Als ein selten fehlendes Produkt der Fäulniß organischer Körper tritt im Besonderen die Milchsäure auf.

Wenn man, von diesen Erscheinungen ausgehend, die Gährung und Fäulniß mit der Zersetzung vergleicht, welche die organischen Verbindungen durch den Einfluß höherer Temperaturen erfahren, so erscheint die trockne Destillation als ein Verbrennungsproceß in dem Innern einer Materie von einem Theile ihres Kohlenstoffs auf Kosten von allem oder einem Theil ihres eigenen Sauerstoffs, in deren Folge wasserstoffreiche andere Verbindungen gebildet werden. Die Gährung stellt sich dar als eine Verbrennung derselben Art, die bei einer, die gewöhnliche, nur wenig überschreitenden Temperatur im Innern einer Flüssigkeit zwischen den Elementen einer und derselben Materie vor sich geht, und die Fäulniß als ein Oxidationsproceß, an dem der Sauerstoff aller vorhandenen Materien Antheil nimmt.

plexen Verbindung zu neuen Verbindungen, welche mit oder ohne Hinzuziehung der Elemente des Wassers vor sich gehen.

In den neuen auf diese Weise gebildeten Produkten findet man entweder genau das Verhältniß der Bestandtheile wieder, welche vor der Metamorphose in der Materie enthalten waren, oder man findet darin einen Ueberschuß, der in den Elementen des Wassers besteht, welche Antheil an der Theilung der Elemente genommen haben.

Oder es sind Umsetzungen zweier und mehrerer complexer Verbindungen, aus welchen die Elemente beider sich wechselsweise mit oder ohne Hinzutreten der Elemente des Wassers zu neuen Produkten ordnen. Bei dieser Art von Metamorphosen enthalten also die neuen Produkte die Summe der Bestandtheile aller Verbindungen, welche an der Zersetzung Antheil genommen haben.

Die erstere Zersetzungsweise characterisirt die eigentliche Gährung, die andere die sogenannte Fäulniß. Wir werden in dem folgenden diese Bezeichnungsweise stets nur für die beiden in ihren Erfolgen sich wesentlich von einander unterscheidenden Metamorphosen, beibehalten.

Gährung des Zuckers.

Die eigenthümliche Zersetzung, welche der Zucker erfährt, läßt sich als der Typus aller der Metamorphosen betrachten, welche mit Gährung bezeichnet werden.

Wenn in eine mit Quecksilber gefüllte graduirte Glocke 1 Cubiccentimeter mit Wasser zu einem dünnen Brei angerührte Bierhefe und 10 Grammen einer Rohrzuckerlösung gebracht wird, die 1 Gramme reinen Zucker enthält, so findet man in der Glocke nach 24 Stunden, wenn das Ganze einer Temperatur von 20—25° ausgesetzt gewesen ist, ein Volumen Kohlensäure, welches bei 0° und 0,76 Meter B. 245 bis 250 CC. entspricht. Rechnet man hierzu 11 CC. Kohlensäure, womit die 11 Grm. Flüssigkeit sich gesättigt finden, so hat man mithin im Ganzen 255—259 CC. Kohlensäure erhalten; dieses Volum Kohlensäure entspricht aber 0,503 bis 0,5127 Grm. dem Gewichte nach. Thénard erhielt ferner von 100 Grm. Rohrzucker 0,5262 absoluten Alkohol. 100 Th. Rohrzucker liefern also im Ganzen 103,89 Th. an Kohlensäure und Alkohol zusammengenommen. In diesen beiden Producten sind aber 42 Th. Kohlenstoff enthalten, und dieß ist genau die Menge, welche ursprünglich in dem Zucker enthalten war.

Die Analyse des Rohrzuckers hat auf eine unzweifelhafte Weise ergeben, daß er die Elemente von Kohlensäure und Alkohol, minus 1 Atom Wasser, enthält.

Aus den Produkten seiner Gährung ergiebt sich, daß der

Alkohol und die Kohlensäure zusammen 1 Atom Sauerstoff und 2 Atome Wasserstoff, die Elemente also von 1 Atom Wasser mehr enthalten als der Zucker, und dieß erklärt auf die befriedigendste Weise, woher der Gewichtsüberschuß an den erhaltenen Produkten kommt, es haben die Elemente von 1 Atom Wasser Antheil genommen an der Metamorphose des Zuckers.

Dem Verhältniß nach, in welchem sich der Rohrzucker mit Aequivalenten von Basen verbindet, so wie aus der Zusammensetzung seines Oxidationsproducts, der Zuckersäure, weiß man, daß 1 Atom Zucker 12 Aequivalente oder Atome Kohlenstoff enthält.

Keins von diesen Kohlenstoffatomen ist darin in der Form von Kohlensäure enthalten, denn man erhält diese ganze Quantität Kohlenstoff als Oxalsäure wieder, wenn man den Zucker mit übermangansaurem Kali behandelt. Kleesäure wird aber als eine niedere, die Kohlensäure als die höchste Oxidationsstufe des Kohlenstoffs betrachtet, und es ist unmöglich, durch einen der kräftigsten Oxidationsprocesse, wie durch Behandlung mit übermangansaurem Kali, ein niederes Oxid aus einem höheren entstehen zu machen.

Der Wasserstoff des Zuckers ist in diesem Körper nicht in der Form von Alkohol vorhanden, denn durch Behandlung mit Säuren, namentlich mit einer sauerstofffreien, der Salzsäure, wird der Zucker in Wasser und eine moderartige Kohle zersetzt, und man weiß, daß keine Alkoholverbindung eine solche Zersetzung erfährt.

Der Zucker enthält mithin weder fertig gebildete Kohlensäure noch Alkohol; diese Körper sind in Folge einer Spaltung seines eigenen Atoms, mit Zuziehung der Elemente des Wassers, gebildet worden.

Bei dieser Metamorphose des Zuckers findet man also in

den Producten keinen Bestandtheil der Substanz, durch deren Berührung seine Zersetzung herbeigeführt wurde, die Elemente der Bierhefe nehmen an der Umsetzung der Elemente des Zuckers keinen nachweisbaren Antheil.

Nehmen wir jetzt nun einen Pflanzensaft, welcher reich ist an Zucker, und der neben diesem Bestandtheil noch andere Materien, vegetabilisches Eiweiß, Kleber 2c. enthält, wie z. B. den Saft von gelben Möhren, Runkelrüben, Zwiebeln 2c., überlassen wir ihn mit Bierhefe der gewöhnlichen Temperatur, so geräth er in Gährung, wie das Zuckerwasser; es entweicht unter Aufbrausen Kohlensäure, und in der rückständigen Flüssigkeit findet man eine dem Zuckergehalt genau entsprechende Menge Alkohol; überlassen wir ihn sich selbst bei einer Temperatur von 35—40°, so geräth er ebenfalls in Gährung, es entwickeln sich Gase in beträchtlicher Menge, welche von einem unangenehmen Geruch begleitet sind, und wenn die Flüssigkeit nach vollendeter Zersetzung untersucht wird, so findet man darin keinen Alkohol. Der Zucker ist verschwunden und mit dem Zucker alle vorher in dem Saft enthaltenen stickstoffhaltigen Körper. Beide haben sich gleichzeitig mit und neben einander zersetzt; der Stickstoff der stickstoffhaltigen Substanzen findet sich in der Flüssigkeit als Ammoniak wieder und neben dem Ammoniak drei neue Producte, welche aus den Bestandtheilen des Pflanzensaftes erzeugt worden sind. Die eine ist eine wenig flüchtige in dem thierischen Organismus vorkommende Säure, die Milchsäure, die andere ist der kristallinische Körper, der den Hauptbestandtheil der Manna ausmacht und die dritte ist eine feste dem arabischen Gummi ähnliche Masse, welche mit Wasser einen dicken zähen Schleim bildet. Die drei Producte zusammen wiegen, ohne das Gewicht der gasförmigen Producte zu rechnen, mehr, als der im Saft enthaltene Zucker; sie sind also nicht aus den Elementen des Zuckers allein entstanden; keins von den dreien war vor dieser Metamorphose in dem Safte zu entdecken, sie sind also durch eine Umsetzung der Bestandtheile des Zuckers mit denen der fremden Substanzen gebildet worden und dieses Ineinandergreifen von zwei und mehreren Metamorphosen ist es, was wir die eigentliche Fäulniß nennen.

Hefe, Ferment.

Wendet man seine Aufmerksamkeit den Materien zu, durch welche Gährung und Fäulniß in andern Körpern erregt wird, so findet man bei genauem Beachten ihres Verhaltens und ihrer Verbindungsweise, daß sie ohne Ausnahmen Substanzen sind, deren eigene Elemente sich im Zustand der Umsetzung befinden.

Betrachten wir zuvörderst die merkwürdige Materie, die sich aus gährendem Bier, Wein und Pflanzensäften in unlöslichem Zustande absetzt, und die den Namen Ferment, Gährungsstoff von ihrem ausgezeichneten Vermögen erhalten hat, Zucker und süße Pflanzensäfte in Gährung zu versetzen, so beobachten wir, daß das Ferment sich in jeder Hinsicht wie ein in Fäulniß und Verwesung begriffener stickstoffhaltiger Körper verhält.

Das Ferment verwandelt den Sauerstoff der umgebenden Luft in Kohlensäure und entwickelt noch Kohlensäure aus seiner eigenen Masse (Colin), unter Wasser fährt es fort, Kohlensäure und übelriechende Gase zu entwickeln (Thénard), und ist zuletzt in eine dem alten Käse ähnliche Masse verwandelt (Proust); seine Fähigkeit, Gährung zu erregen, ist mit Vollendung dieser Fäulniß verschwunden.

Zur Erhaltung der Eigenschaften des Ferments ist die Gegenwart von Wasser eine Bedingung; schon durch bloßes Auspressen wird seine Fähigkeit, Gährung zu erregen, verringert, durch Austrocknen wird sie vernichtet; sie wird gänzlich aufgehoben durch Siedhitze, Alkohol, Kochsalz, ein Uebermaß von Zucker, Quecksilberoxid, Sublimat, Holzessig, schweflige Säure, salpetersaures Silberoxid, ätherische Oele, durch lauter Substanzen also, welche der Fäulniß entgegenwirken.

Der unlösliche Körper, den man Ferment nennt, bewirkt die Gährung nicht. Wird die Bier- oder Weinhefe mit ausgekochtem kaltem destillirtem Wasser sorgfältig ausgewaschen mit der Vorsicht, daß die Substanz stets mit Wasser bedeckt bleibt, so bringt der Rückstand die Gährung in Zuckerwasser nicht mehr hervor.

Der lösliche Theil des Ferments bewirkt die Gährung ebenfalls nicht. Ein in der Wärme bereiteter klarer wässriger Aufguß von Ferment kann mit Zuckerwasser in einem verschlossenen Gefäße zusammengebracht werden, ohne das mindeste Zeichen von Zersetzung hervorzubringen. Wo ist nun, kann man fragen, der Stoff oder die Materie, wo ist der Erreger der Gährung in dem Ferment, wenn die unlöslichen und löslichen Bestandtheile des Ferments diese Zersetzung nicht hervorzubringen vermögen? Dieß ist von Colin auf die entschiedenste Weise beantwortet worden; sie wird durch den aufgelös'ten Stoff bewirkt, wenn der

die Abscheidung von Wasser. 1 Aeq. Orcin C_{18} H_{24} O_8 und 1 Aeq. Ammoniak nehmen 5 Aeq. Sauerstoff auf, und es trennen sich 5 Aeq. Wasser, indem Orcein C_{18} H_{20} O_8 N_2 gebildet wird. (Dumas.) Hier ist also offenbar der aufgenommene Sauerstoff ausschließlich an den Wasserstoff getreten.

So wahrscheinlich es nun auch erscheint, daß bei der Verwesung organischer Materien die Wirkung des Sauerstoffs sich zuerst und vorzugsweise auf das verbrennlichste Element, den Wasserstoff, erstreckt, so läßt sich daraus nicht schließen, daß dem Kohlenstoff absolut die Fähigkeit mangele, sich mit Sauerstoff zu verbinden, wenn jedes Theilchen davon in Berührung ist mit Wasserstoff, der sich leichter damit verbindet.

Wir wissen im Gegentheil, daß der Stickstoff, welcher direct mit Sauerstoff nicht verbunden werden kann, sich zu Salpetersäure oxidirt, wenn er mit einer großen Menge Wasserstoffgas gemengt, im Sauerstoffgas verbrannt wird. Hier wird offenbar durch den verbrennenden Wasserstoff seine Verwandtschaft gesteigert, indem sich die Verbrennung des Wasserstoffs auf den ihn berührenden Stickstoff überträgt. Auf eine ähnliche Weise ist es denkbar, daß in manchen Fällen sich Kohlenstoff direct mit Sauerstoff zu Kohlensäure oxidirt, indem er durch den verwesenden Wasserstoff eine Fähigkeit erhält, die er bei gewöhnlicher Temperatur für sich nicht besitzt; aber für die meisten Fälle muß die Kohlensäurebildung bei der Verwesung wasserstoffreicher Materien einer andern Ursache zugeschrieben werden. Sie scheint auf ähnliche Art gebildet zu werden wie die Essigsäure bei der Verwesung des salicyligsauren Kalis. Dieses Salz, der feuchten Luft ausgesetzt, absorbirt 3 Atome Sauerstoff; es entsteht ein humusähnlicher Körper, die Melansäure, in Folge deren Bildung sich die Elemente von 1 At. Essigsäure von denen der salicyligen Säure trennen.

Bei der Berührung einer alkalischen Lösung von Hämatin mit Sauerstoff absorbiren 0,2 Grm. in zwei Stunden 28,6 Cubiccentimeter Sauerstoffgas, wobei das Alkali einen Gehalt von 6 CC. Kohlensäure erhält (in Chevreul); da diese 6 CC. Kohlensäure nur ein gleiches Volumen Sauerstoff enthalten, so geht aus dieser Erfahrung mit Gewißheit hervor, daß ³/₄ des aufgenommenen Sauerstoffs nicht an Kohlenstoff getreten sind. Es ist höchst wahrscheinlich, daß mit der Oxidation ihres Wasserstoffs ein Theil des Kohlenstoffs der Substanz sich mit ihrem eigenen Sauerstoff in der Form von Kohlensäure von den übrigen Elementen getrennt hat.

Die Versuche von Saussure über die Verwesung der Holzfaser lassen über eine solche Trennung kaum einen Zweifel zu. Feuchte Holzfaser entwickelt nämlich für jedes Volumen Sauerstoff, was davon aufgenommen wird, ein gleiches Volumen Kohlensäure, welche, wie man weiß, das nämliche Volumen Sauerstoff enthält. Da nun die Holzfaser Kohlenstoff und die Elemente des Wassers enthält, so ist der Erfolg der Einwirkung des Sauerstoffs gerade so, als wenn reine Kohle sich direct mit Sauerstoff verbunden hätte.

Das ganze Verhalten der Holzfaser zeigt aber, daß die Elemente des Wassers, welche Bestandtheile davon ausmachen, nicht in der Form von Wasser darin wirklich enthalten sind; denn in diesem Falle müßte man Stärke, Zucker und Gummi ebenfalls als Hydrate der Kohle betrachten.

Wenn aber der Wasserstoff nicht in der Form von Wasser n der Holzfaser vorhanden ist, so kann man die directe Oxidation des Kohlenstoffs neben diesem Wasserstoff nicht annehmen, ohne in Widerspruch mit allen Erfahrungen zu gerathen, die man über Verbrennungsprocesse in niederer Temperatur gemacht hat.

lich erfolgt, sobald die Cyansäure mit Wasser zusammengebracht wird; unter lebhaftem Aufbrausen verwandelt sie sich in Kohlensäure und Ammoniak.

Diese Zersetzung läßt sich als Typus aller Metamorphosen stickstoffhaltiger Körper betrachten, es ist die Fäulniß in ihrer reinsten und vollendetsten Form, denn die neuen Produkte, Kohlensäure und Ammoniak, sind keiner weiteren Metamorphose mehr fähig.

Eine ganz andere und weit verwickeltere Form nimmt aber die Fäulniß an, wenn die ersten Produkte, welche gebildet werden, einer fortschreitenden Veränderung unterliegen, sie zerfällt in diesen Fällen in mehrere Perioden, bei denen es unmöglich ist die Grenze zu bestimmen, wo die eine aufhört und die andere anfängt.

Die Metamorphose einer aus Kohlenstoff und Stickstoff bestehenden Verbindung des Cyans, des einfachsten unter allen stickstoffhaltigen Körpern, giebt eine klare Vorstellung von der Mannigfaltigkeit der Produkte, die hierbei auftreten, es ist die einzige Fäulniß einer stickstoffhaltigen Substanz, die einigermaßen untersucht ist.

Eine Auflösung von Cyan im Wasser trübt sich nach kurzer Zeit und setzt eine schwarze oder braun-schwarze Materie ab, welche die Ammoniakverbindung eines Körpers ist, der durch eine einfache Vereinigung von Cyan mit Wasser entsteht. Diese Substanz ist unlöslich im Wasser und entzieht sich durch ihren Zustand jeder weiteren Veränderung.

Eine zweite Metamorphose wird bedingt durch die Theilung des Cyans in die Elemente des Wassers, es entsteht Cyansäure, indem sich eine gewisse Menge Cyan mit Sauerstoff verbindet, es bildet sich Blausäure, indem eine andere Portion Cyan sich mit dem freiwerdenden Wasserstoff vereinigt.

Eine dritte Metamorphose erfährt das Cyan, indem eine vollkommene Spaltung der Elemente des Cyans und eine Theilung dieser Elemente in die Bestandtheile des Wassers stattfindet. Oxalsäure auf der einen Seite, Ammoniak auf der andern, sind die Producte dieser Spaltung.

Cyansäure, deren Bildung so eben erwähnt worden ist, kann in Berührung mit Wasser nicht bestehen; sie zersetzt sich im Moment ihrer Bildung, wie oben erwähnt, in Kohlensäure und Ammoniak, die sich neu bildende Cyansäure entgeht aber dieser Zersetzung; indem sie mit dem freigewordenen Ammoniak in Verbindung tritt, entsteht Harnstoff.

Die Blausäure zersetzt sich ebenfalls in eine braune Materie, welche Wasserstoff und Cyan, das letztere in einem größeren Verhältniß als wie im gasförmigen enthält; es wird bei ihrer Zersetzung ebenfalls Oxalsäure, Harnstoff und Kohlensäure gebildet, und durch Spaltung ihres Radikals tritt Ameisensäure als neues Produkt auf.

Eine Substanz mithin, welche nur Kohlenstoff und Stickstoff enthält, liefert im Ganzen acht von einander durchaus verschiedene Produkte.

Einige dieser Produkte sind durch die Metamorphose des ursprünglichen Körpers, durch die Theilung seiner Elemente in die Bestandtheile des Wassers, andere in Folge einer weitern Spaltung der ersteren entstanden.

Der Harnstoff, das kohlensaure Ammoniak sind durch die Verbindung von zwei der gebildeten Produkte entstanden; an ihrer Bildung haben alle Elemente Antheil genommen.

Wie aus den ebenangeführten Beispielen entnommen werden kann, umfassen die Zersetzungen durch Gährung oder Fäulniß in ihren Resultaten verschiedene Erscheinungen.

Es sind entweder Umsetzungen der Elemente einer com-

serstoff und der Wasserstoff des zersetzten Wassers als reines Wasserstoffgas oder als Sumpfgas in Freiheit gesetzt werden; die Produkte dieser Zersetzung sind mithin von derselben Art, wie wenn Wasserdämpfe über glühende Kohlen geleitet werden.

Es ist nun klar, daß, wenn das Wasser eine an Sauerstoff reiche Materie enthält, wie Schwefelsäure z. B., so wird von der faulenden Materie dieser Sauerstoff mit dem des Wassers zur Bildung von Kohlensäure in Anspruch genommen werden, und aus dem gleichzeitig frei gewordenen Schwefel und dem Wasserstoffgas, die sich im Entstehungsmomente verbinden, entsteht Schwefelwasserstoffsäure, die sich mit den vorhandenen Metalloxiden zu Schwefelmetallen umsetzt.

Die gefaulten Blätter der Waidpflanze, in Berührung mit blauem Indigo und Alkali, bei Gegenwart von Wasser, gehen in eine weitere Zersetzung über, deren Resultat eine Desoxidation des Indigo's, seine Auflösung ist.

Vergleicht man die Zusammensetzung des Mannits, welcher durch Fäulniß von zuckerhaltigem Rüben- und andern Pflanzensäften gebildet wird, mit der des Traubenzuckers, so findet man, daß er die nämliche Anzahl von Atomen Kohlenstoff und Wasserstoff, aber zwei Atome Sauerstoff weniger enthält, als der Traubenzucker; es ist außerordentlich wahrscheinlich, daß seine Entstehung auf eine ähnliche Weise aus dem Traubenzucker gefolgert werden muß, wie die Verwandlung des blauen Indigo in desoxidirten weißen Indigo.

Bei der Fäulniß des Klebers entwickelt sich kohlensaures Gas und reines Wasserstoffgas, es entsteht phosphorsaures, essigsaures, käsesaures, milchsaures Ammoniak in solcher Menge, daß die weitere Zersetzung aufhört; wird das Wasser erneuert, so geht die Zersetzung weiter, außer jenen Salzen entsteht kohlensaures Ammoniak, eine weisse glimmerähnliche krystallinische

Materie (Käseoxid), Schwefelammonium und eine durch Chlor gerinnende schleimige Substanz. Als ein selten fehlendes Produkt der Fäulniß organischer Körper tritt im Besonderen die Milchsäure auf.

Wenn man, von diesen Erscheinungen ausgehend, die Gährung und Fäulniß mit der Zersetzung vergleicht, welche die organischen Verbindungen durch den Einfluß höherer Temperaturen erfahren, so erscheint die trockne Destillation als ein Verbrennungsproceß in dem Innern einer Materie von einem Theile ihres Kohlenstoffs auf Kosten von allem oder einem Theil ihres eigenen Sauerstoffs, in deren Folge wasserstoffreiche andere Verbindungen gebildet werden. Die Gährung stellt sich dar als eine Verbrennung derselben Art, die bei einer, die gewöhnliche, nur wenig überschreitenden Temperatur im Innern einer Flüssigkeit zwischen den Elementen einer und derselben Materie vor sich geht, und die Fäulniß als ein Oxidationsproceß, an dem der Sauerstoff aller vorhandenen Materien Antheil nimmt.

[illegible]

[illegible]

[illegible]

[illegible] ausgezeichneten Vermögen [illegible] Nahrung zu [illegible]

[illegible] den Samenkorn der [illegible] Kohlensäure und [illegible]

Dampft man Pflanzensäfte beim Zutritt der Luft in gelinder Wärme ab, so schlägt sich als Product der Einwirkung des Sauerstoffs eine braune oder braunschwarze Substanz nieder, die bei allen Pflanzensäften von ähnlicher Beschaffenheit zu sein scheint, sie wird mit dem Namen Extractivstoff bezeichnet, sie ist im Wasser schwer oder unlöslich und wird von Alkalien leicht aufgenommen.

Durch die Einwirkung der Luft auf feste thierische oder vegetabilische Gebilde entsteht eine ähnliche pulverige braunschwarze Substanz, die man Humus (Terreau) nennt.

Die Bedingungen zur Einleitung der Verwesung sind von der mannigfaltigsten Art; viele und namentlich gemischte organische Materien oxidiren sich an der Luft beim bloßen Befeuchten mit Wasser, andere beim Zusammenbringen von Alkalien, und die meisten gehen in den Zustand der langsamen Verbrennung über, wenn sie mit andern verwesenden Materien in Berührung gebracht werden.

Die Verwesung einer organischen Materie kann durch alle Substanzen aufgehoben oder gehindert werden, welche der Fäulniß oder Gährung entgegenwirken; Mineralsäuren, Quecksilbersalze, aromatische Substanzen, brenzliche Oele, Terpentinöl besitzen in dieser Beziehung einerlei Wirkung; die letzteren verhalten sich gegen verwesende Körper, wie gegen Posphorwasserstoffgas, dessen Selbstentzündlichkeit sie vernichten.

Viele Materien, welche für sich oder mit Wasser befeuchtet nicht in den Zustand der Verwesung übergehen, gehen bei Berührung mit einem Alkali einer langsamen Verbrennung entgegen.

Die Gallussäure, das Hämatin und viele andere Stoffe lassen sich in ihrer wässerigen Lösung unverändert aufbewahren, die kleinste Menge freies Alkali ertheilt aber diesen Materien die Fähigkeit Sauerstoff anzuziehen, und sich, häufig unter Entwickelung von Kohlensäure, in braune humusähnliche Substanzen zu verwandeln (Chevreul).

Die merkwürdigste Art der Verwesung stellt sich bei vielen vegetabilischen Substanzen ein, wenn sie mit Ammoniak und Wasser der Luft ausgesetzt werden; ohne Entwickelung von Kohlensäure stellt sich eine rasche Sauerstoffaufnahme ein, es entstehen, wie beim Orcin, Erythrin und andern prachtvoll violett oder roth gefärbte Flüssigkeiten, welche jetzt eine stickstoffhaltige Substanz enthalten, in welcher der Stickstoff nicht in der Form von Ammoniak enthalten ist.

Bei allen diesen Vorgängen hat sich herausgestellt, daß die Einwirkung des Sauerstoffs sich nur selten auf den Kohlenstoff der Materien erstreckt, was der Verbrennung in höheren Temperaturen vollkommen entspricht.

Man weiß z. B., daß, wenn zu einer verbrennenden Kohlenwasserstoff-Verbindung nicht mehr Sauerstoff zugelassen wird, als gerade hinreicht, um den Wasserstoff zu oxidiren, daß in diesem Fall kein Kohlenstoff verbrennt, sondern als Kienruß abgeschieden wird; ist die hinzutretende Sauerstoffmenge noch geringer, so werden die wasserstoffreichen Kohlenwasserstoffverbindungen, in wasserstoffarme, in Naphthalin und andere ähnliche zurückgeführt.

Wir haben kein Beispiel, daß sich Kohlenstoff direct bei gewöhnlicher Temperatur mit Sauerstoff verbindet, aber zahllose Erfahrungen, daß der Wasserstoff in gewissen Zuständen der Verdichtung diese Eigenschaft besitzt. Geglühter Kienruß bildet, im Sauerstoffgas aufbewahrt, keine Kohlensäure; mit wasserstoffreichen Oelen getränkter Kienruß erwärmt sich in der Luft und entzündet sich von selbst, und mit Recht hat man die Selbstentzündlichkeit der zur Pulverfabrication dienenden wasserstoffreichen Kohle gerade diesem Wasserstoffgehalte zugeschrieben, denn während des Pulverisirens dieser Kohle findet man in der umgebenden Luft keine Spur Kohlensäure; sie tritt nicht eher auf, als bis die Temperatur der Masse die Glühhitze erreicht hat. Die Wärme selbst, welche die Entzündung bedingt, ist mithin nicht durch die Oxidation des Kohlenstoffs gebildet worden.

Man kann die verwesenden Materien in zwei Klassen trennen; in Substanzen, welche sich mit dem Sauerstoff der Luft verbinden, ohne Kohlensäure zu entwickeln, und in andere, bei denen die Absorbtion des Sauerstoffs begleitet ist von einer Abscheidung von Kohlensäure.

Bittermandelöl, der atmosphärischen Luft ausgesetzt, verwandelt sich in Benzoesäure durch Aufnahme von 2 At. Sauerstoff; man weiß, daß die Hälfte davon an den Wasserstoff des Oels tritt und damit Wasser bildet, was in Verbindung bleibt mit der entstandenen wasserfreien Benzoesäure.

Nach den Erfahrungen von Döbereiner absorbiren 100 Th. Pyrogallussäure bei Gegenwart von Ammoniak und Wasser 38,09 Th. Sauerstoff; sie wird in eine moderartige Substanz verwandelt, die weniger Sauerstoff wie vorher enthält. Es ist klar, daß das entstandene Product kein höheres Oxid ist, und wenn man die Menge des aufgenommenen Sauerstoffs mit ihrem Wasserstoffgehalt vergleicht, so ergiebt sich, daß derselbe genau hinreicht, um mit diesem Wasserstoff Wasser zu bilden.

Bei der Bildung des blutrothen Orceins aus farblosem Orcin, was man bei Gegenwart von Ammoniak in Berührung ließ mit Sauerstoff, geht durch die Aufnahme von Sauerstoff mit den Elementen beider Substanzen, dem Ammoniak und dem Orcin, keine andere Veränderung vor sich, als

Eine gewisse Menge Hefe ist also erforderlich, um eine bestimmte Portion Zucker zur Vollendung seiner Metamorphose zu bringen, aber seine Wirkung ist keine Massenwirkung, sondern ihr Einfluß beschränkt sich lediglich auf ihr Vorhandensein bis zu dem Endpunkte hin, wo das letzte Atom Zucker sich zersetzt hat.

Aus den dargelegten Thatsachen und Beobachtungen ergiebt sich demnach für die Chemie die Existenz einer neuen Ursache, welche Verbindungen und Zersetzungen bewirkt, und diese Ursache ist die Thätigkeit, welche ein in Zersetzung oder Verbindung begriffener Körper auf Materien ausübt, in denen die Bestandtheile nur durch eine schwache Verwandtschaft zusammengehalten sind; diese Thätigkeit wirkt ähnlich einer eigenthümlichen Kraft, deren Träger ein in Verbindung oder Zersetzung begriffener Körper ist, eine Kraft, die sich über die Sphäre seiner Anziehungen hinaus erstreckt.

Ueber eine Menge bekannter Erscheinungen kann man sich jetzt genügende Rechenschaft geben.

Aus frischem Pferdeharn erhält man beim Zusatz von Salzsäure eine reichliche Menge Hippursäure; läßt man den Harn in Fäulniß übergehen, so läßt sich keine Spur mehr davon entdecken. Menschenharn enthält eine beträchtliche Quantität Harnstoff; in gefaultem Harn ist aller Harnstoff verschwunden. Harnstoff, den man einer gährenden Zuckerlösung zugesetzt hat, zerlegt sich in Kohlensäure und Ammoniak; in einem gegohrenen Auszug von Spargeln, Althäwurzeln ist kein Asparagin mehr vorhanden.

Es ist früher berührt worden, daß in der überwiegenden Verwandtschaft des Stickstoffs zu dem Wasserstoff, so wie in der ausgezeichneten Verwandtschaft des Kohlenstoffs zum Sauerstoff, in ihrem entgegengesetzten Streben also, sich der Elemente

Bei der Berührung einer alkalischen Lösung von Hämatin mit Sauerstoff absorbiren 0,2 Grm. in zwei Stunden 28,6 Cubiccentimeter Sauerstoffgas, wobei das Alkali einen Gehalt von 6 CC. Kohlensäure erhält (in Chevreul); da diese 6 CC. Kohlensäure nur ein gleiches Volumen Sauerstoff enthalten, so geht aus dieser Erfahrung mit Gewißheit hervor, daß $^{3}/_{4}$ des aufgenommenen Sauerstoffs nicht an Kohlenstoff getreten sind. Es ist höchst wahrscheinlich, daß mit der Oxidation ihres Wasserstoffs ein Theil des Kohlenstoffs der Substanz sich mit ihrem eigenen Sauerstoff in der Form von Kohlensäure von den übrigen Elementen getrennt hat.

Die Versuche von Saussure über die Verwesung der Holzfaser lassen über eine solche Trennung kaum einen Zweifel zu. Feuchte Holzfaser entwickelt nämlich für jedes Volumen Sauerstoff, was davon aufgenommen wird, ein gleiches Volumen Kohlensäure, welche, wie man weiß, das nämliche Volumen Sauerstoff enthält. Da nun die Holzfaser Kohlenstoff und die Elemente des Wassers enthält, so ist der Erfolg der Einwirkung des Sauerstoffs gerade so, als wenn reine Kohle sich direct mit Sauerstoff verbunden hätte.

Das ganze Verhalten der Holzfaser zeigt aber, daß die Elemente des Wassers, welche Bestandtheile davon ausmachen, nicht in der Form von Wasser darin wirklich enthalten sind; denn in diesem Falle müßte man Stärke, Zucker und Gummi ebenfalls als Hydrate der Kohle betrachten.

Wenn aber der Wasserstoff nicht in der Form von Wasser n der Holzfaser vorhanden ist, so kann man die directe Oxidation des Kohlenstoffs neben diesem Wasserstoff nicht annehmen, ohne in Widerspruch mit allen Erfahrungen zu gerathen, die man über Verbrennungsprocesse in niederer Temperatur gemacht hat.

serstoff und der Wasserstoff des zersetzten Wassers als reines Wasserstoffgas oder als Sumpfgas in Freiheit gesetzt werden; die Produkte dieser Zersetzung sind mithin von derselben Art, wie wenn Wasserdämpfe über glühende Kohlen geleitet werden.

Es ist nun klar, daß, wenn das Wasser eine an Sauerstoff reiche Materie enthält, wie Schwefelsäure z. B., so wird von der faulenden Materie dieser Sauerstoff mit dem des Wassers zur Bildung von Kohlensäure in Anspruch genommen werden, und aus dem gleichzeitig frei gewordenen Schwefel und dem Wasserstoffgas, die sich im Entstehungsmomente verbinden, entsteht Schwefelwasserstoffsäure, die sich mit den vorhandenen Metalloxiden zu Schwefelmetallen umsetzt.

Die gefaulten Blätter der Waidpflanze, in Berührung mit blauem Indigo und Alkali, bei Gegenwart von Wasser, gehen in eine weitere Zersetzung über, deren Resultat eine Desoxidation des Indigo's, seine Auflösung ist.

Vergleicht man die Zusammensetzung des Mannits, welcher durch Fäulniß von zuckerhaltigem Rüben- und andern Pflanzensäften gebildet wird, mit der des Traubenzuckers, so findet man, daß er die nämliche Anzahl von Atomen Kohlenstoff und Wasserstoff, aber zwei Atome Sauerstoff weniger enthält, als der Traubenzucker; es ist außerordentlich wahrscheinlich, daß seine Entstehung auf eine ähnliche Weise aus dem Traubenzucker gefolgert werden muß, wie die Verwandlung des blauen Indigo in desoxidirten weißen Indigo.

Bei der Fäulniß des Klebers entwickelt sich kohlensaures Gas und reines Wasserstoffgas, es entsteht phosphorsaures, essigsaures, käsesaures, milchsaures Ammoniak in solcher Menge, daß die weitere Zersetzung aufhört; wird das Wasser erneuert, so geht die Zersetzung weiter, außer jenen Salzen entsteht kohlensaures Ammoniak, eine weisse glimmerähnliche krystallinische

Materie (Käseoxid), Schwefelammonium und eine durch Chlor gerinnende schleimige Substanz. Als ein selten fehlendes Produkt der Fäulniß organischer Körper tritt im Besonderen die Milchsäure auf.

Wenn man, von diesen Erscheinungen ausgehend, die Gährung und Fäulniß mit der Zersetzung vergleicht, welche die organischen Verbindungen durch den Einfluß höherer Temperaturen erfahren, so erscheint die trockne Destillation als ein Verbrennungsproceß in dem Innern einer Materie von einem Theile ihres Kohlenstoffs auf Kosten von allem oder einem Theil ihres eigenen Sauerstoffs, in deren Folge wasserstoffreiche andere Verbindungen gebildet werden. Die Gährung stellt sich dar als eine Verbrennung derselben Art, die bei einer, die gewöhnliche, nur wenig überschreitenden Temperatur im Innern einer Flüssigkeit zwischen den Elementen einer und derselben Materie vor sich geht, und die Fäulniß als ein Oxidationsproceß, an dem der Sauerstoff aller vorhandenen Materien Antheil nimmt.

wirken ihrer Aeußerung nicht entgegen, in der Verwesung sind alle diese Hindernisse zu überwinden.

Das Auftreten der Kohlensäure bei Verwesung vegetabilischer und thierischer Substanzen, welche reich sind an Wasserstoff, muß hiernach einer ähnlichen Umsetzung der Elemente oder Störung ihrer Anziehungen zugeschrieben werden, als wie die Bildung derselben bei der Gährung und Fäulniß. Indem der Wasserstoff der Substanz durch Verwesung hinweggenommen und oxidirt wird, trennen sich von ihren übrigen Elementen Kohlenstoff und Sauerstoff in der Form von Kohlensäure.

Bei dieser Klasse von Materien ist demnach die Verwesung eine Zersetzung, ähnlich der Fäulniß stickstoffhaltiger Materien.

Wir haben bei diesen zwei Verwandtschaften, die des Stickstoffs zum Wasserstoff und die des Kohlenstoffs zum Sauerstoff, durch welche unter geeigneten Umständen eine leichtere Spaltung der Elemente erfolgt; bei den Körpern, die unter Bildung von Kohlensäure verwesen, sind ebenfalls zwei Verwandtschaften thätig, die des Sauerstoffs der Luft zu dem Wasserstoff der Substanz, welche die Anziehung des Stickstoffs zu dem nämlichen Elemente hier vertritt, und andrerseits die Verwandtschaft des Kohlenstoffs zu dem Sauerstoff der Substanz, die unter allen Umständen unverändert bleibt.

Bei der Fäulniß des Holzes auf dem Boden von Sümpfen trennt sich von seinen Elementen Kohlenstoff und Sauerstoff in der Form von Kohlensäure, sein Wasserstoff in der Form von Kohlenwasserstoff; in seiner Verwesung, in seiner Fäulniß beim Zutritt der Luft verbindet sich sein Wasserstoff nicht mit Kohlenstoff, sondern mit Sauerstoff, zu dem er bei gewöhnlicher Temperatur eine weit größere Verwandtschaft besitzt.

Von dieser vollkommnen Gleichheit der Action rührt es unstreitig her, daß verwesende und faulende Körper sich in ihrer Wirkung auf einander gegenseitig ersetzen können.

Alle faulende Körper gehen bei ungehindertem Zutritt der Luft in Verwesung, alle verwesenden Materien in Fäulniß über, sobald die Luft abgeschlossen wird.

Eben so sind alle verwesenden Körper fähig, die Fäulniß in andern Körpern einzuleiten und zu erregen, auf dieselbe Weise, wie dieß von andern faulenden geschieht.

Verwesung stickstofffreier Körper. Essigbildung.

Alle Materien, welche, wie man gewöhnlich annimmt, die Fähigkeit besitzen, von selbst in Gährung und Fäulniß überzugehen, erleiden in der That bei näherer Betrachtung diese Zustände der Zersetzung, ohne eine vorangegangene Störung, nicht. Es tritt zuerst Verwesung ein, ehe sie in Fäulniß oder Gährung übergehen, und erst nach Absorbtion einer gewissen Menge Sauerstoff beginnen die Zeichen einer im Innern der Materien vorgehenden Metamorphose.

Es giebt kaum einen Irrthum, welcher mehr verbreitet ist, als die Meinung, daß organische Substanzen sich selbst überlassen, ohne äußere Ursache, sich zu verändern vermögen. Wenn sie nicht selbst schon im Zustande der Veränderung begriffen

die Fähigkeit Sauerstoff anzuziehen, und sich, häufig unter Entwickelung von Kohlensäure, in braune humusähnliche Substanzen zu verwandeln (Chevreul).

Die merkwürdigste Art der Verwesung stellt sich bei vielen vegetabilischen Substanzen ein, wenn sie mit Ammoniak und Wasser der Luft ausgesetzt werden; ohne Entwickelung von Kohlensäure stellt sich eine rasche Sauerstoffaufnahme ein, es entstehen, wie beim Orcin, Erythrin und andern prachtvoll violett oder roth gefärbte Flüssigkeiten, welche jetzt eine stickstoffhaltige Substanz enthalten, in welcher der Stickstoff nicht in der Form von Ammoniak enthalten ist.

Bei allen diesen Vorgängen hat sich herausgestellt, daß die Einwirkung des Sauerstoffs sich nur selten auf den Kohlenstoff der Materien erstreckt, was der Verbrennung in höheren Temperaturen vollkommen entspricht.

Man weiß z. B., daß, wenn zu einer verbrennenden Kohlenwasserstoff-Verbindung nicht mehr Sauerstoff zugelassen wird, als gerade hinreicht, um den Wasserstoff zu oxidiren, daß in diesem Fall kein Kohlenstoff verbrennt, sondern als Kienruß abgeschieden wird; ist die hinzutretende Sauerstoffmenge noch geringer, so werden die wasserstoffreichen Kohlenwasserstoffverbindungen, in wasserstoffarme, in Naphthalin und andere ähnliche zurückgeführt.

Wir haben kein Beispiel, daß sich Kohlenstoff direct bei gewöhnlicher Temperatur mit Sauerstoff verbindet, aber zahllose Erfahrungen, daß der Wasserstoff in gewissen Zuständen der Verdichtung diese Eigenschaft besitzt. Geglühter Kienruß bildet, im Sauerstoffgas aufbewahrt, keine Kohlensäure; mit wasserstoffreichen Oelen getränkter Kienruß erwärmt sich in der Luft und entzündet sich von selbst, und mit Recht hat man die Selbstentzündlichkeit der zur Pulverfabrication dienenden wasser-

Fähigkeit erhielt er wieder bei erneuter Berührung mit der Luft.

Fleischspeisen jeder Art, die am leichtesten veränderlichen Gemüse gerathen nicht in Fäulniß, wenn sie in luftdicht verschlossenen Gefäßen der Siedhitze des Wassers ausgesetzt werden; man hat Speisen dieser Art nach 15 Jahren in demselben Zustande der Frische und des Wohlgeschmacks bei dem Eröffnen wiedergefunden, den sie bei dem Einfüllen besaßen.

Man kann sich über die Wirkungsweise des Sauerstoffs in diesen Zersetzungsprocessen nicht täuschen, sie beruht in der Veränderung, welche in dem Traubensafte und den Pflanzensäften die aufgelös'ten stickstoffhaltigen Materien erfahren, in dem Zustande der Entmischung, in welchen sie in Folge der Berührung mit dem Sauerstoff übergehen.

Der Sauerstoff wirkt hierbei ähnlich, wie Reibung, Stoß oder Bewegung, welche gegenseitige Zersetzung zweier Salze, welche das Krystallisiren einer gesättigten Salzauflösung, das Explodiren von Knallsilber bewirken, er veranlaßt die Aufhebung des Zustandes der Ruhe und vermittelt den Uebergang in den Zustand der Bewegung.

Ist dieser Zustand einmal eingetreten, so bedarf es seiner Gegenwart nicht mehr. Das kleinste Theilchen des sich zersetzenden, des sich umsetzenden stickstoffhaltigen Körpers wirkt an seiner Stelle, die Bewegung fortpflanzend, auf das neben ihm liegende. Die Luft kann abgeschlossen werden, und die Gährung oder Fäulniß geht ununterbrochen bis zu ihrer Vollendung fort. Bei manchen Früchten hat man bemerkt, daß es nur des Contacts der Kohlensäure bedarf, um die Gährung des Saftes hervorzubringen.

Unter den Bedingungen zur Einleitung der Verwesung können als chemische die Berührung mit Ammoniak und mit

die Abscheidung von Wasser. 1 Aeq. Orcin $C_{18} H_{24} O_8$ und 1 Aeq. Ammoniak nehmen 5 Aeq. Sauerstoff auf, und es trennen sich 5 Aeq. Wasser, indem Orcein $C_{18} H_{20} O_8 N_2$ gebildet wird. (Dumas.) Hier ist also offenbar der aufgenommene Sauerstoff ausschließlich an den Wasserstoff getreten.

So wahrscheinlich es nun auch erscheint, daß bei der Verwesung organischer Materien die Wirkung des Sauerstoffs sich zuerst und vorzugsweise auf das verbrennlichste Element, den Wasserstoff, erstreckt, so läßt sich daraus nicht schließen, daß dem Kohlenstoff absolut die Fähigkeit mangele, sich mit Sauerstoff zu verbinden, wenn jedes Theilchen davon in Berührung ist mit Wasserstoff, der sich leichter damit verbindet.

Wir wissen im Gegentheil, daß der Stickstoff, welcher direct mit Sauerstoff nicht verbunden werden kann, sich zu Salpetersäure oxidirt, wenn er mit einer großen Menge Wasserstoffgas gemengt, im Sauerstoffgas verbrannt wird. Hier wird offenbar durch den verbrennenden Wasserstoff seine Verwandtschaft gesteigert, indem sich die Verbrennung des Wasserstoffs auf den ihn berührenden Stickstoff überträgt. Auf eine ähnliche Weise ist es denkbar, daß in manchen Fällen sich Kohlenstoff direct mit Sauerstoff zu Kohlensäure oxidirt, indem er durch den verwesenden Wasserstoff eine Fähigkeit erhält, die er bei gewöhnlicher Temperatur für sich nicht besitzt; aber für die meisten Fälle muß die Kohlensäurebildung bei der Verwesung wasserstoffreicher Materien einer andern Ursache zugeschrieben werden. Sie scheint auf ähnliche Art gebildet zu werden wie die Essigsäure bei der Verwesung des salicyligsauren Kalis. Dieses Salz, der feuchten Luft ausgesetzt, absorbirt 3 Atome Sauerstoff; es entsteht ein humusähnlicher Körper, die Melansäure, in Folge deren Bildung sich die Elemente von 1 At. Essigsäure von denen der salicyligen Säure trennen.

Bei der Berührung einer alkalischen Lösung von Hämatin mit Sauerstoff absorbiren 0,2 Grm. in zwei Stunden 28,6 Cubiccentimeter Sauerstoffgas, wobei das Alkali einen Gehalt von 6 CC. Kohlensäure erhält (in Chevreul); da diese 6 CC. Kohlensäure nur ein gleiches Volumen Sauerstoff enthalten, so geht aus dieser Erfahrung mit Gewißheit hervor, daß $^{3}/_{4}$ des aufgenommenen Sauerstoffs nicht an Kohlenstoff getreten sind. Es ist höchst wahrscheinlich, daß mit der Oxidation ihres Wasserstoffs ein Theil des Kohlenstoffs der Substanz sich mit ihrem eigenen Sauerstoff in der Form von Kohlensäure von den übrigen Elementen getrennt hat.

Die Versuche von Saussure über die Verwesung der Holzfaser lassen über eine solche Trennung kaum einen Zweifel zu. Feuchte Holzfaser entwickelt nämlich für jedes Volumen Sauerstoff, was davon aufgenommen wird, ein gleiches Volumen Kohlensäure, welche, wie man weiß, das nämliche Volumen Sauerstoff enthält. Da nun die Holzfaser Kohlenstoff und die Elemente des Wassers enthält, so ist der Erfolg der Einwirkung des Sauerstoffs gerade so, als wenn reine Kohle sich direct mit Sauerstoff verbunden hätte.

Das ganze Verhalten der Holzfaser zeigt aber, daß die Elemente des Wassers, welche Bestandtheile davon ausmachen, nicht in der Form von Wasser darin wirklich enthalten sind; denn in diesem Falle müßte man Stärke, Zucker und Gummi ebenfalls als Hydrate der Kohle betrachten.

Wenn aber der Wasserstoff nicht in der Form von Wasser n der Holzfaser vorhanden ist, so kann man die directe Oxidation des Kohlenstoffs neben diesem Wasserstoff nicht annehmen, ohne in Widerspruch mit allen Erfahrungen zu gerathen, die man über Verbrennungsprocesse in niederer Temperatur gemacht hat.

Betrachten wir den Erfolg der Einwirkung des Sauerstoffs auf eine wasserstoffreiche Materie, den Alkohol z. B., so ergiebt sich mit unzweifelhafter Gewißheit, daß die directe Bildung der Kohlensäure stets das letzte Stadium ihrer Oxidation ist, und daß bis zu ihrem Auftreten die Materie eine gewisse Anzahl von Veränderungen durchlaufen hat, deren letzte eine völlige Verbrennung ihres Wasserstoffs ist.

In dem Aldehyd, der Essigsäure, Ameisensäure, Oxalsäure und Kohlensäure haben wir eine zusammenhängende Reihe von Oxidationsproducten des Alkohols, in welcher man die Veränderungen, durch die Einwirkung des Sauerstoffs, mit Leichtigkeit verfolgen kann. Der Aldehyd ist Alkohol, minus Wasserstoff; die Essigsäure entsteht aus dem Aldehyd, indem sich dieser direct mit Sauerstoff verbindet. Durch weiteres Hinzutreten von Sauerstoff entsteht aus der Essigsäure Ameisensäure und Wasser; wird aller Wasserstoff in der Ameisensäure hinweggenommen, so hat man Oxalsäure, und tritt zu dieser eine neue Quantität Sauerstoff hinzu, so verwandelt sie sich in Kohlensäure.

Wenn nun auch bei der Einwirkung oxidirender Materien auf Alkohol alle diese Producte gleichzeitig aufzutreten scheinen, so bleibt doch kaum ein Zweifel, daß die Bildung des letzten Products, der Kohlensäure, eine vorhergehende Hinwegnahme alles Wasserstoffs voraussetzt.

In der Verwesung der trocknenden Oele ist die Absorbtion des Sauerstoffs offenbar nicht bedingt durch die Oxidation ihres Kohlenstoffs, denn bei dem rohen Nußöl z. B., welches nicht frei war von Schleim und anderen Stoffen, bildete sich für 146 Vol. absorbirten Sauerstoff nur 21 Vol. kohlensaures Gas.

Man muß erwägen, daß eine Verbrennung in niederer Tem-

Verwesung stickstoffhaltiger Materien. Salpeterbildung.

Wenn man in Beziehung auf die Verwesung stickstoffhaltiger Materien die Erfahrungen zu Hülfe nimmt, welche man bei Verbrennungen stickstoffhaltiger Materien gemacht hat, so weiß man, daß in höheren Temperaturen der Stickstoff nie direct eine Verbindung mit dem Sauerstoff eingeht. Die stickstoffhaltigen organischen Substanzen enthalten ohne Ausnahme Kohlen- und Wasserstoff, die beide zum Sauerstoff eine überwiegende Anziehung haben

Bei seiner schwachen Verwandtschaft zum Sauerstoff befindet sich der Stickstoff, neben diesen, in derselben Lage, wie ein Uebermaß von Kohle bei Verbrennung sehr wasserstoffreicher Substanzen, sowie bei diesen sich hierbei Kohlenstoff in Substanz ausscheidet; so ist die Verbrennung stickstoffhaltiger Materien stets von einer Abscheidung von reinem Stickstoff begleitet.

Ueberläßt man eine feuchte stickstoffhaltige thierische Materie der Einwirkung der Luft, so bemerkt man unter allen Umständen ein Freiwerden von Ammoniak, nie wird hierbei Salpetersäure gebildet.

Bei Gegenwart von Alkalien und alkalischen Basen geht unter denselben Umständen eine Verbrennung des Stickstoffs vor sich, unter andern Oxidationsprodukten bilden sich salpetersaure Salze.

wirken ihrer Aeußerung nicht entgegen, in der Verwesung sind alle diese Hindernisse zu überwinden.

Das Auftreten der Kohlensäure bei Verwesung vegetabilischer und thierischer Substanzen, welche reich sind an Wasserstoff, muß hiernach einer ähnlichen Umsetzung der Elemente oder Störung ihrer Anziehungen zugeschrieben werden, als wie die Bildung derselben bei der Gährung und Fäulniß. Indem der Wasserstoff der Substanz durch Verwesung hinweggenommen und oxidirt wird, trennen sich von ihren übrigen Elementen Kohlenstoff und Sauerstoff in der Form von Kohlensäure.

Bei dieser Klasse von Materien ist demnach die Verwesung eine Zersetzung, ähnlich der Fäulniß stickstoffhaltiger Materien.

Wir haben bei diesen zwei Verwandtschaften, die des Stickstoffs zum Wasserstoff und die des Kohlenstoffs zum Sauerstoff, durch welche unter geeigneten Umständen eine leichtere Spaltung der Elemente erfolgt; bei den Körpern, die unter Bildung von Kohlensäure verwesen, sind ebenfalls zwei Verwandtschaften thätig, die des Sauerstoffs der Luft zu dem Wasserstoff der Substanz, welche die Anziehung des Stickstoffs zu dem nämlichen Elemente hier vertritt, und andrerseits die Verwandtschaft des Kohlenstoffs zu dem Sauerstoff der Substanz, die unter allen Umständen unverändert bleibt.

Bei der Fäulniß des Holzes auf dem Boden von Sümpfen trennt sich von seinen Elementen Kohlenstoff und Sauerstoff in der Form von Kohlensäure, sein Wasserstoff in der Form von Kohlenwasserstoff; in seiner Verwesung, in seiner Fäulniß beim Zutritt der Luft verbindet sich sein Wasserstoff nicht mit Kohlenstoff, sondern mit Sauerstoff, zu dem er bei gewöhnlicher Temperatur eine weit größere Verwandtschaft besitzt.

günstigsten Bedingungen bei Anwendung von Platinschwamm in graduell verschiedenen Temperaturen war Kuhlmann nicht im Stande, seine Oxidation zu bewerkstelligen.

Der Kohlenstoff in dem Cyangas war demnach der Vermittler der Verbrennung des Stickstoffs.

Wir beobachten auf der andern Seite, daß die Verbindung des Stickstoffs mit Wasserstoff, das Ammoniak, einer Einwirkung des Sauerstoffs nicht ausgesetzt werden kann, ohne ein Oxid des Stickstoffs und in Folge dessen Salpetersäure zu bilden.

Gerade die Leichtigkeit, mit welcher der Stickstoff in der Form von Ammoniak sich in Salpetersäure verwandelt, ist die Ursache von der einzigen und großen Schwierigkeit, der wir in der Analyse bei der Bestimmung des Stickstoffs in Stickstoffverbindungen begegnen, in denen dieser Körper entweder in der Form von Ammoniak zugegen ist, oder aus denen er sich bei Erhöhung der Temperatur als Ammoniak entwickelt. Wir bekommen ihn ganz oder zum Theil in der Form von Stickoxid wieder, wenn dieses Ammoniak von dem glühenden Kupferoxide verbrannt wird.

Leiten wir Ammoniakgas über glühendes Manganhyperoxid oder Eisenoxid, so erhalten wir bei Ueberschuß von Ammoniak eine reichliche Menge von salpetersaurem Ammoniak; dasselbe geschieht, wenn Ammoniak und Sauerstoffgas über glühenden Platinschwamm geleitet werden.

Nur in seltenen Fällen vereinigt sich also bei Verbrennungen der Stickstoff in Kohlenstickstoffverbindungen mit dem Sauerstoff; dieß geschieht in allen, wo Ammoniak verbrennt; stets wird hierbei Salpetersäure gebildet.

Die Ursache, warum der Stickstoff in der Form von Ammoniak eine so hervorstechende Neigung zeigt, in Salpetersäure

sind, so bedarf es stets einer Störung in dem Zustande des Gleichgewichts, in dem sich ihre Elemente befinden, und die allgemeinste Veranlassung zu dergleichen Störungen, die verbreitetste Ursache ist unstreitig die Atmosphäre, welche alle Körper umgiebt.

Der am leichtesten veränderliche Pflanzensaft in der Frucht oder dem Pflanzentheil, vor der unmittelbaren Berührung mit dem Sauerstoff der Luft geschützt, behält so lange seine Eigenschaften unverändert bei, als die Materie der Zelle oder des Organs dieser Einwirkung widersteht; erst nach erfolgter Berührung mit der Luft, erst nach Absorbtion einer gewissen Menge Sauerstoff zerlegen sich die in der Flüssigkeit gelösten Materien.

Die schönen Versuche Gay Lussac's über die Gährung des Traubensaftes, sowie die überaus wichtigen Anwendungen, zu denen sie geführt haben, sind die besten Belege für den Antheil, den die Atmosphäre an den Veränderungen organischer Substanzen nimmt.

Der Saft von Weintrauben, welcher durch Auspressen unter einer mit Quecksilber gefüllten Glocke bei Abschluß aller Luft erhalten worden war, kam nicht in Gährung.

Die kleinste Menge hinzutretender Luft brachte, unter Absorbtion einer gewissen Menge Sauerstoffgas, augenblicklich die Gährung hervor.

Wurde der Traubensaft bei Zutritt der Luft ausgepreßt, durch die Berührung also mit Sauerstoff die Bedingung gegeben, in Gährung überzugehen, so trat dennoch keine Gährung ein, wenn der Saft in verschlossenen Gefäßen bis zum Siedepunkte des Wassers erhitzt worden war; er ließ sich in diesem Zustande vor der Luft geschützt Jahre lang aufbewahren, ohne seine Fähigkeit, in Gährung überzugehen, verloren zu haben. Diese

Fähigkeit erhielt er wieder bei erneuter Berührung mit der Luft.

Fleischspeisen jeder Art, die am leichtesten veränderlichen Gemüse gerathen nicht in Fäulniß, wenn sie in luftdicht verschlossenen Gefäßen der Siedhitze des Wassers ausgesetzt werden; man hat Speisen dieser Art nach 15 Jahren in demselben Zustande der Frische und des Wohlgeschmacks bei dem Eröffnen wiedergefunden, den sie bei dem Einfüllen besaßen.

Man kann sich über die Wirkungsweise des Sauerstoffs in diesen Zersetzungsprocessen nicht täuschen, sie beruht in der Veränderung, welche in dem Traubensafte und den Pflanzensäften die aufgelös'ten stickstoffhaltigen Materien erfahren, in dem Zustande der Entmischung, in welchen sie in Folge der Berührung mit dem Sauerstoff übergehen.

Der Sauerstoff wirkt hierbei ähnlich, wie Reibung, Stoß oder Bewegung, welche gegenseitige Zersetzung zweier Salze, welche das Krystallisiren einer gesättigten Salzauflösung, das Explodiren von Knallsilber bewirken, er veranlaßt die Aufhebung des Zustandes der Ruhe und vermittelt den Uebergang in den Zustand der Bewegung.

Ist dieser Zustand einmal eingetreten, so bedarf es seiner Gegenwart nicht mehr. Das kleinste Theilchen des sich zersetzenden, des sich umsetzenden stickstoffhaltigen Körpers wirkt an seiner Stelle, die Bewegung fortpflanzend, auf das neben ihm liegende. Die Luft kann abgeschlossen werden, und die Gährung oder Fäulniß geht ununterbrochen bis zu ihrer Vollendung fort. Bei manchen Früchten hat man bemerkt, daß es nur des Contacts der Kohlensäure bedarf, um die Gährung des Saftes hervorzubringen.

Unter den Bedingungen zur Einleitung der Verwesung können als chemische die Berührung mit Ammoniak und mit

Alkalien im Allgemeinen bezeichnet werden, da sie bei vielen Materien eine Absorbtion des Sauerstoffs bewirken, wodurch eine Zersetzung herbeigeführt wird, die sie für sich, in Berührung mit dem Alkali oder dem Sauerstoff allein, nicht erfahren.

So verbindet sich der Alkohol bei gewöhnlicher Temperatur nicht mit dem Sauerstoff der Luft, eine Auflösung von Kalihydrat in Alkohol färbt sich hingegen unter rascher Sauerstoffaufnahme gelb und braun, man findet nach einiger Zeit Essigsäure, Ameisensäure und die Zersetzungsprodukte des Aldehyds durch Alkalien, zu denen der harzartige Körper gehört, welcher die Flüssigkeit braun färbt.

Die allgemeinste Bedingung zur Einleitung der Verwesung in organischen Stoffen ist Berührung mit einem in Verwesung oder Fäulniß begriffenen Körper; der Ausdruck einer wahren Ansteckung ist hier um so bezeichnender, da in der That eine Uebertragung des Zustandes der Verbrennung das Resultat der Berührung ist.

Es ist das verwesende Holz, was das frische in den nämlichen Zustand versetzt, es ist die höchst feinzertheilte verwesende Holzfaser, welche in den befeuchteten Galläpfeln die darin enthaltene Gerbsäure so rasch in Gallussäure überführt.

Das merkwürdigste und entscheidendste Beispiel von der Uebertragung des Zustandes der Verbrennung ist von Saussure beobachtet worden. Es ist erwähnt worden, daß angefeuchtete, in Verwesung und Gährung übergegangene Holzfaser, Baumwolle, Seide, Gartenerde das umgebende Sauerstoffgas in kohlensaures Gas ohne Aenderung des Volums verwandeln. Saussure setzte dem Sauerstoffgas eine gewisse Menge Wasserstoffgas zu, und es zeigte sich von dem Augenblick an eine Raumverminderung, von dem Wasserstoffgas war eine gewisse

Quantität verschwunden und mit diesem eine Portion Sauerstoffgas, und zwar ohne Bildung einer diesem Sauerstoffgas entsprechenden Menge Kohlensäure. Wasserstoff und Sauerstoff waren beide in dem Verhältniß verschwunden, in welchem sie sich zu Wasser verbinden, es erfolgte also eine wahre Verbrennung des Wasserstoffs durch die bloße Berührung mit verwesenden Materien. Ihre Wirkung war in ihrem Resultate ganz ähnlich der des feinzertheilten Platins, aber die Verschiedenheit in der Ursache, durch die sie bedingt wurde, zeigte sich schon darin, daß ein gewisses Volumen Kohlenoxid, welches die Wirkung des Platins auf das Knallgas völlig vernichtet, in keiner Beziehung die Verbrennung des Wasserstoffs in Berührung mit den verwesenden Materien verhinderte.

Alle die Fäulniß aufhebenden Substanzen vernichteten in Saussure's Versuchen die Eigenschaft der gährenden Materien. Die nämlichen Substanzen besaßen sie für sich ebenfalls nicht, bevor sie in Gährung und Verwesung übergegangen waren.

Man denke sich an die Stelle des Wasserstoffgases in Saussure's Versuchen in Berührung mit den verwesenden organischen Stoffen den Dampf einer wasserstoffreichen flüchtigen Substanz, so weiß man, daß der Wasserstoff derselben in dem Zustande der Verdichtung, in welchem er in der Verbindung selbst der Wirkung des Sauerstoffs sich darbietet, eine noch bei weitem raschere Oxidation erfährt; dieser Wasserstoff wird eine noch raschere Verbrennung erfahren. Wir finden in der That in der Schnellessigfabrikation alle Bedingungen zur Verwesung des Alkohols und zu seiner Verwandlung in Essigsäure.

Der Alkohol wird der Einwirkung des Sauerstoffs bei einer erhöhten Temperatur und einer außerordentlich vergrößerten Oberfläche dargeboten, aber diese Bedingungen sind nicht hinreichend, um seine Oxidation zu bewirken. Der Alkohol muß eine durch den Sauerstoff der Luft leicht veränderliche Materie enthalten, welche entweder durch den bloßen Contact mit dem Sauerstoff in Verwesung übergeht, oder die durch ihre Fäulniß und Gährung Produkte liefert, welche diese Eigenschaft besitzen.

Eine kleine Quantität Bier, in Säurung begriffener Wein, ein Malzabsud, Honig, zahllose Materien dieser Art können sich in ihrer Wirkung hier ersetzen.

Die Verschiedenheit der Substanzen bei derselben Wirkungsweise beweis't hier, daß keine von ihnen einen Stoff enthalten kann, welcher als Erreger der Verwesung wirkt, sie sind nur Träger einer Thätigkeit, die sich über die Sphäre ihrer eignen Anziehungen hinaus erstreckt, es ist der Zustand ihrer eignen Zersetzung und Verwesung, welcher den gleichen Zustand, die nämliche Thätigkeit, den Atomen des Alkohols ertheilt, gerade so, wie in einer Legirung von Platin mit Silber, das erstere die Fähigkeit, sich mit Sauerstoff zu vereinigen, durch das Silber erhält und zwar durch den Act seiner eigenen Oxidation; der Wasserstoff des Alkohols oxidirt sich unter bemerkbarer Wärmeentwickelung, auf Kosten des berührenden Sauerstoffs, zu Wasser, es entsteht Aldehyd, welcher mit derselben Begierde, wie schweflige Säure, sich direct mit Sauerstoff zu Essigsäure verbindet.

Verwesung stickstoffhaltiger Materien. Salpeterbildung.

Wenn man in Beziehung auf die Verwesung stickstoffhaltiger Materien die Erfahrungen zu Hülfe nimmt, welche man bei Verbrennungen stickstoffhaltiger Materien gemacht hat, so weiß man, daß in höheren Temperaturen der Stickstoff nie direct eine Verbindung mit dem Sauerstoff eingeht. Die stickstoffhaltigen organischen Substanzen enthalten ohne Ausnahme Kohlen- und Wasserstoff, die beide zum Sauerstoff eine überwiegende Anziehung haben

Bei seiner schwachen Verwandtschaft zum Sauerstoff befindet sich der Stickstoff, neben diesen, in derselben Lage, wie ein Uebermaß von Kohle bei Verbrennung sehr wasserstoffreicher Substanzen, sowie bei diesen sich hierbei Kohlenstoff in Substanz ausscheidet; so ist die Verbrennung stickstoffhaltiger Materien stets von einer Abscheidung von reinem Stickstoff begleitet.

Ueberläßt man eine feuchte stickstoffhaltige thierische Materie der Einwirkung der Luft, so bemerkt man unter allen Umständen ein Freiwerden von Ammoniak, nie wird hierbei Salpetersäure gebildet.

Bei Gegenwart von Alkalien und alkalischen Basen geht unter denselben Umständen eine Verbrennung des Stickstoffs vor sich, unter andern Oxidationsprodukten bilden sich salpetersaure Salze.

Obwohl wir in den großen Zersetzungsprocessen, welche in der Natur vor sich gehen, stets die einfachsten Mittel und die directesten Wege in Anwendung und Thätigkeit sehen, so finden wir demungeachtet, daß das letzte Resultat stets an eine Aufeinanderfolge von Actionen geknüpft ist, und daß diese Succession von Erscheinungen wesentlich von der chemischen Natur der Körper abhängt.

Wenn wir beobachten, daß in einer Reihe von Erscheinungen sich der Character einer Substanz stets gleich bleibt, so haben wir keinen Grund, einen neuen Character zu erfinden, um eine einzelne Erscheinung zu erklären, deren Erklärung nach den bekannten Erfahrungen keine Schwierigkeiten darbietet.

Die ausgezeichnetsten Naturforscher nehmen an, daß der Stickstoff einer thierischen Materie, bei Gegenwart von Wasser, einer alkalischen Base und hinreichendem Zutritt von Sauerstoff sich direct und unmittelbar mit dem Sauerstoff zu Salpetersäure zu verbinden vermag, allein, wie schon oben erwähnt, wir haben keine einzige Erfahrung, wodurch sich diese Meinung rechtfertigen ließe. Nur durch Vermittelung eines großen Uebermaßes von verbrennendem Wasserstoff geht das Stickgas in ein Oxid des Stickstoffs über.

Verbrennen wir eine Kohlenstickstoff-, eine Cyanverbindung in reinem Sauerstoffgas, so oxidirt sich der Kohlenstoff allein, leiten wir Cyangas über glühende Metalloxide, so wird nur in seltenen Fällen ein Oxid des Stickstoffs gebildet, und niemals in dem Fall, wenn Kohlenstoff im Uebermaß zugegen ist. Nur wenn es mit einem Ueberschuß von Sauerstoffgas gemengt über glühenden Platinschwamm geleitet wird, erzeugte sich in Kuhlmanns Versuchen Salpetersäure.

Die Fähigkeit, sich mit Sauerstoff direct zu verbinden, beobachten wir aber an dem reinen Stickgas nicht; selbst unter den günstigsten Bedingungen bei Anwendung von Platinschwamm in graduell verschiedenen Temperaturen war Kuhlmann nicht im Stande, seine Oxidation zu bewerkstelligen.

Der Kohlenstoff in dem Cyangas war demnach der Vermittler der Verbrennung des Stickstoffs.

Wir beobachten auf der andern Seite, daß die Verbindung des Stickstoffs mit Wasserstoff, das Ammoniak, einer Einwirkung des Sauerstoffs nicht ausgesetzt werden kann, ohne ein Oxid des Stickstoffs und in Folge dessen Salpetersäure zu bilden.

Gerade die Leichtigkeit, mit welcher der Stickstoff in der Form von Ammoniak sich in Salpetersäure verwandelt, ist die Ursache von der einzigen und großen Schwierigkeit, der wir in der Analyse bei der Bestimmung des Stickstoffs in Stickstoffverbindungen begegnen, in denen dieser Körper entweder in der Form von Ammoniak zugegen ist, oder aus denen er sich bei Erhöhung der Temperatur als Ammoniak entwickelt. Wir bekommen ihn ganz oder zum Theil in der Form von Stickoxid wieder, wenn dieses Ammoniak von dem glühenden Kupferoxide verbrannt wird.

Leiten wir Ammoniakgas über glühendes Manganhyperoxid oder Eisenoxid, so erhalten wir bei Ueberschuß von Ammoniak eine reichliche Menge von salpetersaurem Ammoniak; dasselbe geschieht, wenn Ammoniak und Sauerstoffgas über glühenden Platinschwamm geleitet werden.

Nur in seltenen Fällen vereinigt sich also bei Verbrennungen der Stickstoff in Kohlenstickstoffverbindungen mit dem Sauerstoff; dieß geschieht in allen, wo Ammoniak verbrennt; stets wird hierbei Salpetersäure gebildet.

Die Ursache, warum der Stickstoff in der Form von Ammoniak eine so hervorstechende Neigung zeigt, in Salpetersäure überzugehen, liegt unstreitig darin, daß in der Oxidation der Bestandtheile des Ammoniaks zwei Producte gebildet werden, die sich mit einander zu verbinden vermögen. Dieß ist nicht der Fall bei der Verbrennung von Kohlenstickstoffverbindungen; bei diesen wird Kohlensäure gebildet, und abgesehen von der größeren Verwandtschaft des Kohlenstoffs zum Sauerstoff, muß die Bildung der gasförmigen Kohlensäure der Oxidation des Stickstoffs schon dadurch entgegenwirken, daß sie seine Berührung mit dem Sauerstoff hindert.

Bei der Verbrennung von Ammoniak, bei hinreichendem Sauerstoffzutritt entsteht neben der Salpetersäure Wasser, mit dem sie sich verbindet; ein Körper, von dem man sagen kann, daß er die Salpetersäurebildung bedingt, insofern die Salpetersäure ohne Wasser nicht zu bestehen vermag.

Beachtet man nun, daß die Verwesung eine Fäulniß ist, nur insofern von der gewöhnlichen Fäulniß verschieden, als der Sauerstoff der Luft Antheil an den vorgehenden Metamorphosen nimmt; erwägt man, daß bei der Umsetzung der Elemente stickstoffhaltiger Körper der Stickstoff stets die Form von Ammoniak annimmt, daß unter allen Stickstoffverbindungen, die man kennt, das Ammoniak den Stickstoff in einer Form enthält, in welcher seine Neigung sich zu oxidiren entschieden größer ist, als in allen anderen Stickstoffverbindungen, so läßt sich wohl schwerlich dem Schlusse etwas entgegensetzen, daß das Ammoniak die Quelle ist von der Salpetersäurebildung auf der Oberfläche der Erde.

Die stickstoffhaltigen thierischen Materien sind hiernach nicht die Bedinger, sondern nur die Vermittler der Salpetersäureerzeugung, sie wirken, indem sie langsam andauernde Quellen von Ammoniak darstellen.

Durch das in der Atmosphäre vorhandene Ammoniak können

sich salpetersaure Salze in Materien bilden, die keine stickstoffhaltigen Substanzen enthalten; wir wissen, daß die meisten porösen Substanzen die Fähigkeit haben, Ammoniak in Menge zu verdichten, daß es wenige Eisenerze giebt, die beim Glühen nicht ammoniakalische Producte entwickeln, daß die Ursache des Geruches, den man beim Anhauchen der thonigen Mineralien bemerkt, in ihrem Ammoniakgehalt beruht; wir haben, wie man sieht, in dem Ammoniak eine höchst verbreitete Ursache der Salpeterbildung in der Atmosphäre, die überall sich thätig zeigt, wo die Bedingungen zur Oxidation des Ammoniaks sich vereinigen. Es ist wahrscheinlich, daß in Verwesung begriffene andere organische Substanzen die Verbrennung des Ammoniaks vermitteln, wenigstens sind die Fälle selten, wo sich Salpetersäure am Ammoniak erzeugt unter Umständen, wo alle der Verwesung fähigen Materien fehlen.

Aus den vorhergegangenen Betrachtungen über die Ursachen der Gährung, Fäulniß und Verwesung ergeben sich einige Anwendungen für die Berichtigung der gewöhnlichen Ansichten über Wein- und Biergährung und über mehrere in der Natur vorgehende umfassende Zersetzungsprocesse.

Wein- und Biergährung.

Es ist erwähnt worden, daß der Traubensaft beim Zutritt der Luft in Gährung geräth, und daß die Zersetzung des Zuckers in Alkohol und Kohlensäure bis zu seinem Verschwinden fortschreitet, ohne daß die Luft weitern Antheil an dieser Metamorphose nimmt.

Neben dem Alkohol und der Kohlensäure beobachtet man als ein anderes Product der Gährung des Saftes eine gelbliche oder graue unauflösliche Substanz, welche reich ist an Stickstoff; es ist dieß der Körper, welcher die Fähigkeit besitzt, in frischem Zuckerwasser wieder Gährung hervorzubringen, das sogenannte Ferment.

Wir wissen, daß der Alkohol und die Kohlensäure den Elementen des Zuckers und das Ferment den stickstoffhaltigen Bestandtheilen des Saftes seinen Ursprung verdankt. Diese stickstoffhaltigen Bestandtheile haben den Namen Kleber oder vegetabilisches Eiweiß erhalten.

Nach den Versuchen von Saussure entwickelt frischer unreiner Kleber nach 5 Wochen sein 28faches Volumen Gas, welches zu $^3/_4$ aus Kohlensäure und zu $^1/_4$ aus reinem kohlenfreien Wasserstoffgase besteht; es bilden sich dabei Ammoniaksalze mehrerer organischen Säuren. Bei der Fäulniß des Klebers wird also Wasser zersetzt, dessen Sauerstoff in Verbindung tritt, während sein Wasserstoff in Freiheit gesetzt wird; das letztere geschieht nur in Zersetzungsprocessen der energischsten Art; Ferment oder eine ihm ähnliche Materie wird hierbei nicht gebildet, eben so wenig beobachtet man bei der Gährung von zuckerhaltigen Pflanzensäften ein Auftreten von Wasserstoffgas.

Man beobachtet leicht, daß die Veränderung des Klebers für sich und seine Zersetzung in den Pflanzensäften, in welchen er gelöſ't ist, zwei verschiedenen Metamorphosen angehört. Man hat Gründe, zu glauben, daß sein Uebergang in den unlöslichen Zustand von einer Sauerstoffaufnahme herrührt; denn seine Abscheidung kann unter gewissen Bedingungen, durch ungehinderten Luftzutritt, ohne Gegenwart von gährendem Zucker, bewirkt werden, und man weiß, daß die Berührung des Trauben- oder Pflanzensaftes mit der Luft, ehe die Gährung eintritt, eine Trübung, die Bildung nämlich eines unlöslichen Niederschlags, von der Beschaffenheit des Ferments, zur Folge hat.

Aus den Erscheinungen, die wir bei der Gährung der Bierwürze beobachten, ergiebt sich mit zweifelloser Gewißheit, daß das Ferment aus dem Kleber während und in der Metamorphose des Zuckers gebildet wird; denn die Bierwürze enthält den stickstoffhaltigen Körper des Getreides, den man Kleber nennt, in dem nämlichen Zustande, wie er im Traubensaft vorhanden ist; durch zugesetztes Ferment wird die Bierwürze in Gährung versetzt, allein nach vollendeter Zersetzung hat sich seine Quantität um das Dreißigfache vermehrt.

Bier- und Weinhefe zeigen mit geringen Verschiedenheiten, unter dem Mikroskope betrachtet, einerlei Form und Beschaffenheit, sie zeigen einerlei Verhalten gegen Alkalien und Säuren, sie besitzen einerlei Fähigkeit, Gährung in Zuckerwasser aufs Neue einzuleiten, man muß sie als identisch betrachten.

Die Zersetzung des Wassers, bei der Fäulniß des Klebers, ist eine völlig bewiesene Thatsache, und in welcher Form er sich auch zersetzen mag, ob im gelöſ'tem oder ungelöſ'tem Zustande, das Streben seiner kohlenstoffhaltigen Bestandtheile, sich des Sauerstoffs des Wassers zu bemächtigen, dieses Streben ist stets vorhanden, und wenn, wie alle Erfahrungen zu beweisen scheinen, sein Uebergang in den unlöslichen Zustand in Folge einer Oxidation geschieht, so muß der Sauerstoff, der hierzu verwendet wird, von den Elementen des Wassers oder von dem Zucker genommen werden, welcher Sauerstoff und Wasserstoff in dem nämlichen Verhältniß wie im Wasser enthält. Dieser Sauerstoff wird in der Wein- und Biergährung keinesfalls von der Atmosphäre genommen.

Die Gährung des reinen Zuckers in Berührung mit Wein- oder Bierhefe ist, wie man sieht, sehr verschieden von der Gährung des Traubensaftes oder der Bierwürze.

In der ersteren verschwindet die Hefe mit der Zersetzung des Zuckers, in der andern geht neben der Metamorphose des Zuckers eine Metamorphose des Klebers vor sich, in Folge welcher, als erstes Product, Ferment erzeugt wird. In dem einen Falle wird die Hefe also zerstört, in dem andern wird sie gebildet.

Da nun unter den Producten der Bier- und Weingährung freies Wasserstoffgas nicht nachweisbar ist, so ist klar, daß die Oxidation des Klebers, sein Uebergang in Ferment, nur auf Kosten des Sauerstoffs des Wassers, oder auf Kosten des Sauerstoffs des Zuckers geschehen kann. Der freiwerdende Wasserstoff des Wassers muß neue Verbindungen eingegangen sein, oder durch Desoxidation des Zuckers müssen wasserstoffreiche, oder sauerstoffarme, Verbindungen entstanden sein, die den Kohlenstoff des Zuckers enthalten.

In der That ist es eine wohlbekannte Erfahrung, daß der Wein, daß gegohrene Flüssigkeiten überhaupt neben dem Alkohol noch andere Producte enthalten, Materien, welche vor der Gährung des Traubensaftes oder der Zucker haltenden Flüssigkeiten darin nicht nachweisbar waren und sich auf eine ähnliche Art, wie der Mannit, während der Gährung gebildet haben müssen. Der Geruch, der Geschmack, welcher den Wein von allen gegohrenen Flüssigkeiten unterscheidet, wir wissen, daß er einem Aether einer flüchtigen, höchst brennbaren Säure von ölartiger Beschaffenheit, dem Oenanthsäureäther, angehört, wir wissen, daß der Getreide- und Kartoffelbranntwein, ihren Geruch und Geschmack eigenthümlichen öligen Materien verdanken, die unter dem Namen Fuselöle bekannt sind, ja daß die letzteren dem Alkohol, in ihren chemischen Eigenschaften, näher stehen, als wie allen andern organischen Substanzen.

Diese Körper sind Producte von Desoxidationsprocessen der in den gährenden Flüssigkeiten gelös'ten Materien, sie enthalten weniger Sauerstoff, als der Zucker oder Kleber, sie zeichnen sich durch einen großen Gehalt an Wasserstoff aus.

In der Oenanthsäure haben wir, bei einer großen Differenz in dem Sauerstoffgehalte, Kohlenstoff und Wasserstoff in dem Verhältniß von gleichen Aequivalenten, also genau wie im Zucker; in dem Fuselöl der Kartoffeln finden wir viel mehr Wasserstoff, als diesem Verhältniß entspricht.

So wenig man auch zweifeln kann, daß diese flüchtigen Flüssigkeiten, in Folge eines gegenseitigen Aufeinanderwirkens der Elemente des Zuckers und Klebers, in Folge also einer wahren Fäulniß entstanden sind, so haben auf ihre Bildung und Eigenthümlichkeit nichts desto weniger noch andere Ursachen Einfluß gehabt.

Die riechenden und schmeckenden Bestandtheile des Weins, erzeugen sich in der Gährung solcher Traubensafte, welche einen gewissen Gehalt besitzen an Weinsäure; sie fehlen in allen Weinen, welche frei sind von Säure, oder welche eine andere organischen Säure, z. B. Essigsäure, enthalten.

Die südlichen Weine besitzen keinen Weingeruch, in den französischen Weinen tritt er entschieden hervor, in den Rheinweinen ist er am stärksten. Die Traubensorten am Rhein, welche am spätesten und nur in seltenen Fällen vollkommen reif werden, der Rießling und Orleans besitzen den stärksten Weingeruch, das hervorstechendste Bouquet, sie sind verhältnißmäßig reich an Weinsäure. Die früh reifenden Traubensorten, der Ruländer und andere, sind reicher an Alkohol, in ihrem Geschmacke ähnlich den spanischen Weinen, allein sie haben kein Bouquet.

Die am Cap reifenden, von dem Rhein aus verpflanzten Rießlinge geben einen vortrefflichen Wein, allein er besitzt das Aroma nicht, was den Rheinwein auszeichnet.

Man sieht leicht, daß Säure und Weingeruch zu einander in einer bestimmten Beziehung stehen, beide sind stets neben einander vorhanden, und es kann keinem Zweifel unterliegen, daß die Gegenwart der ersteren von bestimmtem Einfluß war bei der Bildung des Bouquets.

Am deutlichsten zeigt sich dieser Einfluß bei der Gährung von Flüssigkeiten, in welchen alle Weinsäure fehlt, namentlich in solchen, welche sehr nahe neutral oder alkalisch sind, wie namentlich bei der Gährung der Kartoffeln- oder Getreidemeische.

Der Kartoffel- und Getreidebranntwein enthalten eine den ätherischen Oelen ähnliche Verbindung, die diesen Flüssigkeiten ihren eigenthümlichen Geschmack ertheilt. Diese Materie erzeugt sich in der Gährung der Meische, sie ist in der gegohrenen Flüssigkeit fertig gebildet vorhanden, denn durch die bloße Erhöhung der Temperatur destillirt sie mit den Alkoholdämpfen über.

Man hat die Beobachtung gemacht, daß mit der Neutralität der Meische, bei Zusatz von Asche, kohlensaurem Kalk, die Quantität des gebildeten Alkohols bis zu einem gewissen Grade zunimmt, aber mit einer größeren Ausbeute an Branntwein, wächst sein Gehalt an Fuselöl.

Man weiß überdieß, daß der Branntwein aus Kartoffelstärke, nach vorangegangener Verwandlung in Zucker durch verdünnte Schwefelsäure, völlig frei von Fuselöl ist, daß mithin diese Substanz in Folge einer Veränderung erzeugt wird, welche der Faserstoff der Kartoffeln während der Gährung erfährt.

Unleugbare Erfahrungen beweisen, daß die gleichzeitige Fäulniß oder Gährung dieses Faserstoffs, in Folge welcher Fuselöl erzeugt wird, bei dem Getreidebranntwein vermieden werden kann*).

Das nämliche Malz, welches in der Branntweinbereitung ein Fuselöl haltiges Destillat giebt, liefert in der Bierbereitung eine spirituöse Flüssigkeit, welche keine Spur Fuselöl enthält, der Hauptunterschied bei der Gährung beider liegt darin, daß in der Gährung der Bierwürze eine aromatische Substanz zugesetzt wird, der Hopfen, und es ist gewiß, daß sein Vorhandensein eine Aenderung in den vorgehenden Metamorphosen bedingt hat. Wir wissen, daß das ätherische Oel des Senfs, sowie brenzliche Oele, die Gährung des Zuckers, den Einfluß der sich zerlegenden Hefe gänzlich vernichten. Das ätherische Oel des Hopfens besitzt diese Eigenschaft nicht, aber es vermindert in hohem Grade den Einfluß von sich zersetzenden stickstoffhaltigen Materien auf die Verwandlung des Wein-

---

*) In der Fabrik des Herrn Dubrunfaut wurde unter gewissen Umständen eine so beträchtliche Menge Fuselöl aus Kartoffelnbranntwein erhalten, daß es zum Beleuchten des ganzen Fabriklocals benutzt werden konnte.

geistes in Essig, und man hat mithin Grund zu glauben, daß es aromatische Substanzen giebt, durch deren Zusatz zu Gährmischungen die mannigfaltigsten Aenderungen in der Natur der sich erzeugenden Producte hervorgebracht werden können.

Welche Meinung man auch über die Entstehung der flüchtigen riechenden Materien in der Weingährung haben mag, so viel ist gewiß, der Weingeruch rührt von dem Aether einer organischen, den fetten Säuren ähnlichen, Säure her, die sich während der Gährung bildet.

Nur in Flüssigkeiten, welche andere leicht lösliche Säuren enthalten, sind die fetten Säuren, ist die Oenanthsäure fähig, eine Verbindung mit dem Aether des Alkohols einzugehen, d. h. Geruch zu erzeugen. Wir finden diesen Aether in allen Weinen, welche freie Säure enthalten, er fehlt in den Weinen, welche frei sind von Säuren; diese Säure war mithin den Geruch vermittelnd, ohne ihr Vorhandensein würde sich kein Oenanthäther gebildet haben.

Das Fuselöl des Getreidebranntweins besteht zum größten Theil aus einer nicht ätherisicirten fetten Säure; es lös't Kupferoxid, überhaupt Metalloxide auf und kann durch Alkalien gebunden werden.

Der Hauptbestandtheil dieses Fuselöls ist eine der Oenanthsäure in ihrer Zusammensetzung identischen, in ihren Eigenschaften aber verschiedenen Säure. (Mulder.) Es wird in gährenden Flüssigkeiten gebildet, welche, wenn sie sauer reagiren, nur Essigsäure enthalten, eine Säure, welche auf die Aetherbildung anderer Säuren ohne Einfluß ist.

Das Fuselöl des Kartoffelbranntweins ist das Hydrat einer organischen Base, ähnlich dem Aether, fähig also, mit Säuren Verbindungen einzugehen; es wird in gährenden Flüssigkeiten in vorzüglicher Menge gebildet, welche neutral oder schwach alkalisch sind, unter Umständen also, wo es an und für sich unfähig ist, eine Verbindung mit einer Säure einzugehen.

Unter den Producten der Gährung und Fäulniß neutraler Pflanzensäfte, Pflanzen- und Thierstoffe bemerkt man stets die Gegenwart flüchtiger, meist übelriechender Materien, aber das evidentste und merkwürdigste Beispiel von der Erzeugung eines wahren ätherischen Oels, liefert die Gährung des vollkommen geruchlosen Krautes der Herba centauri minoris. Mit Wasser einer etwas erhöhten Temperatur ausgesetzt, geht es in Gährung über, die sich durch einen durchdringenden angenehmen Geruch zu erkennen giebt.

Durch Destillation erhält man aus dieser Flüssigkeit eine ätherisch ölige Substanz von großer Flüchtigkeit, welche stechenden Reiz und Thränen der Augen hervorbringt. (Büchner.)

Die Blätter der Tabackspflanzen verhalten sich ganz auf dieselbe Weise; das frische Kraut hat keinen oder einen sehr wenig hervorstechenden Geruch; mit Wasser der Destillation unterworfen, erhält man eine schwach ammoniakalische Flüssigkeit, auf welcher eine weiße, fettartige, kristallisirbare, stickstofffreie, geruchlose Materie schwimmt. Das nämliche Kraut im getrockneten Zustand mit Wasser befeuchtet und in kleinen Bündeln auf Haufen gesetzt, erleidet einen eigenthümlichen Zersetzungsproceß; es tritt eine Gährung unter Absorbtion von Sauerstoff ein, die Blätter erhitzen sich und verbreiten von jetzt an den eigenthümlichen Geruch des Rauch- und Schnupftabacks; er kann durch sorgfältige Leitung der Gährung, Vermeidung zu starker Erhitzung verfeinert und erhöht werden, und nach dieser Gährung findet sich in diesen Blättern eine ölartige, stickstoffreiche, flüchtige Materie, das Nicotin, von basischen Eigenschaften, welche vorher nicht vorhanden war. Die verschiedenen Tabackssorten unterscheiden sich von einander, wie die Weine, durch die abweichendsten Riechstoffe, die neben diesem Nicotin mit erzeugt werden.

Wir wissen, daß in den meisten Blüthen und Pflanzenstoffen, wenn sie riechen, dieser Geruch einem darin vorhandenen ätherischen Oel angehört, allein es ist eine nicht minder positive Erfahrung, daß andere nur insofern riechen, als sie sich verändern, oder als sie sich in Zersetzung befinden.

Das Arsen, die arsenige Säure sind beide geruchlos, nur in dem Act seiner Oxidation verbreitet es den penetrantesten Knoblauchgeruch; so riechen Hollunderbeerenöl, viele Terpentinölsorten, Citronenöl nur in dem Act ihrer Oxidation, ihrer Verwesung, dasselbe ist der Fall bei vielen Blüthen, und beim Moschus hat Geiger bewiesen, daß er seinen Geruch einer fortschreitenden Fäulniß und Verwesung verdankt.

Daher mag es denn auch kommen, daß in der Gährung von zuckerhaltigen Pflanzensäften das eigenthümliche Princip vieler Pflanzenstoffe, dem ihr Geruch angehört, erst gebildet und entwickelt wird, wenigstens reichen kleine Quantitäten von Veilchen-, Hollunder-, Linden- und Schlüsselblumenblüthen, wenn sie während der Gährung zugesetzt werden, hin, der gegohrenen Flüssigkeit den stärksten Geruch und Geschmack nach diesen Materien mitzutheilen, ein Resultat, was man durch Zusatz eines Destillats von hundertmal größeren Mengen nicht erzielt. In Baiern ganz besonders, wo der verschiedene Geschmack der Biere sie in zahllose Sorten trennt, läßt man bei manchen Bieren geringe Mengen Kräuter und Blüthen verschiedenen Pflanzen mit der Bierwürze gähren, und auch am Rhein wird betrügerischer Weise in vielen Weinen ein künstliches Bouquet durch Zusatz von manchen Salbey- und Rautenarten erzeugt, insofern verschieden von dem echten Aroma, als es bei weitem veränderlicher ist, und sich nach und nach bei der Aufbewahrung des Weines wieder verliert.

Die Verschiedenheit der Traubensäfte in verschiedenen Klimaten beruht nun nicht allein auf dem Gehalt an freier Säure, sondern in der ungleichen Menge von Zucker, den sie gelös't enthalten; man kann annehmen, daß ihr Gehalt an stickstoffhaltiger Materie überall gleich ist, man hat wenigstens im südlichen Frankreich und am Rhein, in Beziehung auf die sich in der Gährung abscheidende Hefe, keinen Unterschied beobachtet.

Die in heißen Ländern gereiften Trauben, so wie die gekochten Traubensäfte sind verhältnißmäßig reich an Zucker; bei der Gährung dieses Saftes ist die völlige Zersetzung der stickstoffhaltigen Bestandtheile, ihre völlige Abscheidung im unlöslichen Zustande, früher beendigt, ehe aller Zucker seine eigene Metamorphose in Alkohol und Kohlensäure erlitten hat, es bleibt eine gewisse Menge Zucker dem Weine unzersetzt beigemischt, eben weil die Ursache einer weiteren Zersetzung fehlt.

In den Traubensäften der gemäßigten Zone ist mit der Metamorphose des Zuckers die völlige Abscheidung der stickstoffhaltigen Materien im ungelös'ten Zustande nicht bewirkt worden. Diese Weine enthalten keinen Zucker mehr, sie enthalten aber wechselnde Mengen von unzersetztem Kleber in Auflösung.

Dieser Klebergehalt ertheilt diesen Weinen die Fähigkeit, von selbst, bei ungehindertem Zutritt der Luft, in Essig überzugehen, indem er den Sauerstoff aufnimmt und unauflöslich wird, überträgt sich diese Oxidation auf den Alkohol, er verwandelt sich in Essig.

Durch das Lagern der Weine in Fässern, bei sehr gehindertem Luftzutritt und möglichst niederer Temperatur, wird die Oxidation dieser stickstoffhaltigen Materien bewirkt, ohne daß der Alkohol, welcher dazu einer höheren Temperatur bedarf, Antheil daran nimmt; so lange der Wein in den Lagerfässern Unterhefe absetzt, kann er durch Zusatz von Zucker wieder in Gährung versetzt werden, aber der alte wohl abgelagerte Wein hat die Fähigkeit, durch Zuckerzusatz zu gähren und von selbst in Essig überzugehen, verloren, eben weil in ihm die Bedingung zur Gährung und Verwesung, nämlich eine in Zersetzung oder Verwesung begriffene Materie, fehlt.

Bei dem Abfüllen der jungen Weine, welche noch reich an Kleber sind, hindern wir seinen Uebergang in Essig, seine Verwesung, durch Zusatz von schwefliger Säure, durch eine Substanz also, die den aufgenommenen Sauerstoff der Luft, in dem Faß und in dem Wein, hindert, an die organische Materie zu treten, insofern sie sich selbst damit verbindet.

Auf eine ähnliche Weise, wie in den Weinen, unterscheiden sich die Biersorten von einander.

Die englischen, französischen und die meisten deutschen Biere gehen beim Zutritt der Luft in Essig über; diese Eigenschaft fehlt den baierschen Lagerbieren, sie lassen sich, ohne sauer zu werden, in vollen und halbgefüllten Fässern ohne Veränderung aufbewahren. Diese schätzbare Eigenschaft haben diese Biere durch ein eigenthümliches Verfahren in der Gährung der Bierwürze, durch die sogenannte Untergährung, erhalten, und eine vollendete Experimentirkunst hat damit eins der schönsten Probleme der Theorie gelöst.

Die Bierwürze ist verhältnißmäßig reicher an aufgelöstem Kleber als an Zucker, bei ihrer Gährung auf die gewöhnliche Weise scheidet sich eine große Menge Hefe als dicker Schaum ab, die sich entwickelnde Kohlensäure hängt sich in Bläschen den Hefetheilchen an, macht sie specifisch leichter und hebt sie auf die Oberfläche der Flüssigkeit empor.

Neben den sich zerlegenden Zuckertheilchen befinden sich Theile des in Oxidation im Innern der Flüssigkeit begriffenen Klebers. Kohlensäure von dem Zucker, unauflösliches Ferment von dem Kleber, scheiden sich gleichzeitig neben einander ab, und der letzte Act von Verbindung zeigt sich in beiden durch Adhäsion.

Nach der Vollendung der Metamorphose des Zuckers bleibt noch eine große Menge Kleber in der gegohrenen Flüssigkeit in Auflösung, und dieser Kleber, durch seine ausgezeichnete Neigung, Sauerstoff anzuziehen und zu verwesen, veranlaßt den Uebergang des Alkohols in Essig; mit seiner gänzlichen Entfernung und mit der Entfernung aller oxidationsfähigen Materien, würde das Bier, seine Fähigkeit, sauer zu werden, verloren haben. Diese Bedingungen werden nun vollkommen erfüllt durch das baierſche Gährverfahren.

Die gehopfte Würze läßt man in sehr weiten offenen Kufen in Gährung übergehen, in welchen die Flüssigkeit der Luft eine große Oberfläche darbietet; man läßt sie an kühlen Orten vor sich gehen, deren Temperatur 6—8° R. nicht übersteigt. Die Gährung dauert 3 bis 6 Wochen; die Kohlensäure entwickelt sich nicht in großen voluminösen, auf der Oberfläche zerplatzender Basen, sondern in feinen Bläschen wie aus einem Säuerling, wie aus einer Flüssigkeit, die damit in höherem Drucke übersättigt war. Die Oberfläche der Flüssigkeit ist kaum mit Schaum bedeckt, und alle Hefe setzt sich auf den Boden der Kufe in Gestalt eines feinen zähen Schlammes als sogenannte Unterhefe ab.

Um sich eine klare Vorstellung von der großen Verschiedenheit der beiden Gährungsprocesse, der Ober- und Untergährung zu verschaffen, genügt es vielleicht, darauf zurückzuweisen, daß die Metamorphose des Klebers, oder der stickstoffhaltigen Bestandtheile überhaupt, in mehrere Perioden zerfällt.

In der ersten Periode geht seine Verwandlung in unauflösliches Ferment in dem Innern der Flüssigkeit vor sich, Kohlensäure und Hefe scheiden sich nebeneinander ab; wir wissen, daß diese Abscheidung mit einer Sauerstoffaufnahme verknüpft ist, und sind nur zweifelhaft darüber, ob dieser Sauerstoff von den Elementen des Zuckers, des Wassers oder von seiner eigenen Masse genommen wird, ob dieser Sauerstoff geradezu sich damit verbindet, oder ob er an den Wasserstoff des Klebers tritt, damit Wasser bildend. Bezeichnen wir, um einen Begriff festzuhalten, diese erstere Veränderung mit Oxidation, so sind also die Oxidation des Klebers und die Umsetzung der Atome des Zuckers in Kohlensäure und Alkohol die beiden Actionen, die sich gegenseitig bedingen; schließen wir die eine aus, so hört damit die andere auf.

Oberhefe, d. h. Hefe, die sich auf die Oberfläche der Flüssigkeit begiebt, ist aber nicht das Product einer vollendeten Zersetzung, sondern es ist oxidirter Kleber, welcher im feuchten Zustaude einer Umsetzung seiner Bestandtheile, einer neuen Metamorphose entgegen geht. Durch diesen Zustand ist er fähig, in Zuckerwasser wieder Gährung zu erregen, und wenn neben diesem Zucker Kleber zugegen ist, so veranlaßt der sich zersetzende Zucker die Metamorphose des aufgelösten Klebers in Hefe, in einem gewissen Sinne scheint sich also die Hefe reproducirt zu haben.

Die Oberhefe ist faulender oxidirter Kleber, dessen Zustand der Fäulniß in den Elementen des Zuckers eine ähnliche Metamorphose hervorruft.

Die Unterhefe ist Kleber im Zustande der Verwesung, es ist verwesender oxidirter Kleber. Der abweichende Zersetzungsproceß, in dem sich seine Elemente befinden, bringt in dem Zucker eine äußerst verlangsamte Fäulniß (Gährung) hervor. Die Intensität der Action ist in dem Grade gehemmt, daß kein Theilchen des aufgelösten Klebers Antheil daran nimmt. Aber der Contact des verwesenden Klebers (der Unterhefe) veranlaßt die Verwesung des in der Bierwürze gelösten Klebers, bei Zutritt der Luft wird Sauerstoffgas aufgenommen, aller gelöster Kleber scheidet sich als Unterhefe vollständig ab.

Man kann aus gährendem Bier den Absatz, die Oberhefe, durch Fibration entfernen, ohne die Gährung aufzuheben, allein die Unterhefe kann nicht von der Flüssigkeit getrennt werden, ohne alle Erscheinungen der Untergährung zu unterbrechen; sie hört auf oder geht bei höherer Temperatur in Obergährung über.

Die Unterhefe bringt keine Obergährung hervor, sie ist zum Stellen des Backwerks gänzlich untauglich, aber die Oberhefe kann die Untergährung bewirken.

Wenn man zur Würze bei einer Temperatur von 4—6° R. Oberhefe zusetzt, so erfolgt eine langsame nicht stürmische Gährung, welche, wenn man den Bodensatz benutzt, um neue Würze wieder unter denselben Umständen in Gährung zu bringen, nach mehrmaligem Wiederholen in wahre Untergährung übergeht; es wird zuletzt Unterhefe gebildet, die alle Eigenschaft verloren hat, Obergährung hervorzubringen und selbst bei 10° R. Untergährung bewirkt.

In einer Bierwürze, welche in einer niedrigen Temperatur mit Unterhefe der Gährung unterworfen wird, haben wir also die Bedingung zur Metamorphose des Zuckers in der Gegenwart der Unterhefe selbst, allein die Bedingung zur Verwandlung des Klebers in Ferment in Folge einer im Innern der Flüssigkeit vorgehenden Oxidation des Klebers ist nicht vorhanden.

In seiner Fähigkeit und seinem Streben, Sauerstoff aufzunehmen durch den Contact mit Unterhefe, die sich im Zustande der Verwesung befindet, erhöht, und in dem freien ungehinderten Zutritt der Luft haben wir aber alle Bedingungen zu seiner eigenen Verwesung, zu seinem Uebergang in den oxidirten Zustand. Gegenwart von freiem Sauerstoff und aufgelös'ten Kleber, haben wir als die Bedinger der Verwesung des Alkohols zu seinem Uebergang in Essig kennen gelernt, allein beide sind ohne Einfluß auf den Alkohol, bei niederen Temperaturen. Der Ausschluß der Wärme wirkt hemmend auf die langsame Verbrennung des Alkohols; der Kleber verbindet sich von selbst, wie die im Wasser gelös'te schweflige Säure, mit dem Sauerstoff der Luft; diese Eigenschaft geht dem Alkohol ab, und während der Oxidation des Klebers in niedrigen Temperaturen, befindet sich der Alkohol neben ihm in derselben Lage, wie bei dem Schwefeln des Weins der Kleber neben der schwefligen Säure. Der Sauerstoff, der bei ungeschwefeltem Wein sich mit dem Kleber und dem Alkohol verbunden haben würde, tritt an keinen von beiden, er verbindet sich mit der schwefligen Säure. So tritt denn in der Untergährung der Sauerstoff der Luft nicht an Alkohol und Kleber zugleich, sondern an letzteren allein, in höheren Temperaturen würde er an beide getreten sein, d. h. es würde sich Essig gebildet haben.

So ist denn dieser merkwürdige Proceß der Untergährung eine gleichzeitig vorgehende Fäulniß und Verwesung. Zucker befindet sich in der Metamorphose der Fäulniß, der aufgelös'te Kleber im Zustande der Verwesung.

Die Appert'sche Aufbewahrungsmethode und die Untergährung des Biers beruhen auf einerlei Princip.

In der Untergährung des Biers wird durch ungehinderten Zutritt der Luft, alle der Verwesung fähige Materie, bei einer niedrigen Temperatur abgeschieden, in welcher der Alkohol keinen Sauerstoff aufzunehmen fähig ist; mit ihrer Entfernung vermindert sich die Neigung des Biers, in Essig überzugehen, d. h. eine weitere Metamorphose zu erleiden.

In der Appert'schen Aufbewahrungsmethode von Speisen, läßt man den Sauerstoff bei einer hohen Temperatur, in Verbindung treten, mit der Materie der Speisen, in einem Wärmegrade, in welcher wohl Verwesung, aber keine Fäulniß, keine Gährung stattfindet. Mit der Hinwegnahme des Sauerstoffs und der Vollendung der Verwesung ist jede Ursache zur weiteren Störung entfernt. In der Untergährung wird die der Verwesung fähige Substanz, in der Appert'schen Aufbewahrungsmethode der Verweser, der Sauerstoff, entfernt.

Es ist S. 270 berührt worden, daß es ungewiß ist, ob der Kleber, wenn er in Oberhefe übergeht, wenn er also aus gährenden Flüssigkeiten sich in unlöslichem Zustande ausscheidet, sich geradezu mit dem Sauerstoff verbindet, ob also das Ferment sich von dem Kleber lediglich durch einen größeren Sauerstoffgehalt unterscheidet. Dieß ist in der That eine höchst schwierig zu entscheidende Frage, da sie selbst durch die Analyse möglicher Weise nicht lösbar ist. Beachten wir z. B. das Verhalten des Alloxans und Alloxantins, von Materien also, welche die nämlichen Elemente wie der Kleber, obwohl in ganz andern Verhältnissen enthalten, so weiß man, daß das eine aus dem andern durch eine bloße Sauerstoffaufnahme entstehen oder rückwärts der eine in das andere durch Reductionsmittel verwandelt werden kann. Beide sind absolut aus denselben Elementen gebildet, bis auf 1 Aeq. Wasserstoff, was das Alloxantin mehr enthält.

Behandeln wir das Alloxantin mit Chlor und Salpetersäure, so wird es in Alloxan verwandelt, in einen Körper also, welcher Alloxantin ist, immer 1 Aeq. Wasserstoff.

Leiten wir durch eine Auflösung von Alloxan Schwefelwasserstoff, so wird Schwefel abgeschieden und Alloxantin gebildet. In dem ersten Fall, kann man sagen, ist der Wasserstoff ganz einfach hinweggenommen worden, in dem andern ist er wieder hinzugetreten.

Aber die Erklärung nimmt eine nicht minder einfache Form an, wenn man beide als verschiedene Oxide eines und desselben Radikals betrachtet, das Alloxan als eine Verbindung von 2 Aeq. Wasser mit einem Körper $C_8 N_4 H_4 O_8$, das Alloxantin als eine Verbindung von 3 At. Wasser, mit einem Körper $C_8 N_4 H_4 O_7$. Die Verwandlung des Alloxans in Alloxantin würde hiernach erfolgen, indem die 8 At. Sauerstoff, die es enthält, auf 7 At. reducirt werden, und umgekehrt würde sich aus Alloxantin Alloxan bilden durch die Aufnahme von 1 At. Sauerstoff, den es der Salpetersäure entzieht.

Man kennt nun Oxide, die sich mit Wasser verbinden und sich ähnlich wie Alloxan und Alloxantin verhalten; man kennt aber keine Wasserstoffverbindung, welche Hydrate bildet, und die Gewohnheit, welche das Unähnliche bis zur Entscheidung der Eigenthümlichkeit zurückweis't, läßt uns eine Meinung vorziehen, für die man, genau betrachtet, keine Gründe hat, als die Analogie. In den Isatis-, den Neriumarten, dem Waid ist nun, wie man weiß, eine stickstoffhaltige Materie, ähnlich in mancher Beziehung dem Kleber, enthalten, eine Substanz, welche sich als blauer Indigo abscheidet, wenn der wässerige Aufguß der getrockneten Blätter, der Einwirkung der Luft ausgesetzt wird. Man ist durchaus im Zweifel, ob der blaue unlösliche Indigo ein Oxid des farblosen löslichen, oder der letztere die Wasserstoffverbindung des blauen ist. Dumas hat nämlich in beiden dieselben Elemente gefunden, bis auf 1 Aeq. Wasserstoff, was der lösliche Indigo mehr enthält als der blaue.

Wie man leicht bemerkt, kann man den löslichen Kleber als eine Wasserstoffverbindung betrachten, welche der Luft unter geeigneten Bedingungen ausgesetzt, durch die Einwirkung des Sauerstoffs eine gewisse Quantität Wasserstoff verliert und dadurch zu unlöslichem Ferment wird; jedenfalls geht aus der Abscheidung der Hefe in der Conservation des Weins und der Untergährung bei dem Bier, welche in beiden Fällen nur bei Zutritt von Sauerstoff erfolgt, bis zur Evidenz hervor, daß der Sauerstoff den unlöslichen Zustand bedingt.

In welcher Form nun auch der Sauerstoff hinzu treten mag, gleichgültig, ob er sich direct mit dem Kleber verbindet, oder ob er an eine Portion seines Wasserstoffs tritt und damit Wasser bildet; die Producte, welche in Folge seiner Verwandlung in Ferment im Innern der gährenden Flüssigkeit gebildet werden, diese Producte müssen einerlei Beschaffenheit besitzen.

Denken wir uns den Kleber als eine Wasserstoffverbindung, so wird sein Wasserstoff in der Gährung des Traubensaftes und der Bierwürze hinweggenommen werden, indem er sich mit Sauerstoff verbindet, gerade so wie bei der Verwesung des Alkohols zu Aldehyd.

Die Atmosphäre ist abgeschlossen; dieser Sauerstoff wird also nicht aus der Luft, er kann nicht von den Elementen des Wassers genommen werden, weil es unmöglich ist, anzunehmen, daß sich der Sauerstoff von dem Wasserstoff des Wassers trenne, um mit dem Wasserstoff des Klebers wieder Wasser zu bilden. Die Elemente des Zuckers müssen demnach diesen Sauerstoff liefern, d. h. es muß in Folge der Bildung des Ferments eine Portion Zucker auf eine andere Weise zersetzt werden, als dieß durch seine eigene Metamorphose geschieht; eine gewisse Portion Zucker wird keinen Alkohol und keine Kohlensäure liefern; es müssen sich aus seinen Elementen andere, an Sauerstoff ärmere Producte bilden.

Es ist schon früher auf diese Producte hingewiesen worden, sie sind es, welche eine so große Verschiedenheit in den Qualitäten der gegohrenen Flüssigkeiten und namentlich in ihrem Alkoholgehalt bedingen.

Der Traubensaft, die Bierwürze liefern also in der Obergährung keineswegs eine dem Zuckergehalt entsprechende Menge von Alkohol, eben weil eine Portion Zucker zur Verwandlung des Klebers in Ferment, in Hefe, und nicht zur Alkoholbildung verwendet wird. Dieß muß aber vollständig in der Untergährung, dieß muß aufs Vollkommenste bei allen Gährungen stattfinden, wo die Metamorphose des Zuckers nicht begleitet ist von Hefenbildung.

Es ist eine entschiedene Thatsache, daß in der Branntweinbrennerei aus Kartoffeln, wobei sich keine oder nur eine dem Malzzusatz entsprechende Quantität Hefe bildet, daß bei der Gährung der Kartoffelmeische, eine dem Kohlenstoffgehalt der Stärke genau entsprechende Menge von Alkohol und Kohlensäure gewonnen werden kann, und daß das Volum der Kohlensäure, die sich durch Gährung aus den Runkelrüben entwickelt, keine scharfe Bestimmung seines Zuckergehaltes zuläßt, weil man weniger an Kohlensäure erhält, als dieser Zucker für sich in reinem Zustande liefern würde.

Bei gleichen Quantitäten Malz enthält das durch Untergährung erhaltene Bier mehr Alkohol und ist berauschender als das obergährige. Man schreibt gewöhnlich den kräftigen Geschmack des ersteren einem größeren Gehalt von Kohlensäure, einer festeren Bindung derselben zu, allein mit Unrecht. Beide

Biersorten sind nach Vollendung der Gährung des einen wie des andern absolut gleich mit Kohlensäure gesättigt; wie alle Flüssigkeiten müssen beide in der Gährung von der aus ihrem Innern entweichenden Kohlensäure, eine Quantität zurückbehalten, die genau ihrem Auflösungsvermögen, d. h. ihrem Volumen entspricht.

Die Temperatur, in welcher die Gährung vor sich geht, hat einen höchst wichtigen Einfluß auf die Quantität des erzeugten Alkohols; es ist erwähnt worden, daß Runkelrübensaft, den man bei 30° bis 35° in Gährung übergehen läßt, keinen Alkohol liefert, daß man an der Stelle des Zuckers eine der Gährung nicht fähige sauerstoffärmere Substanz, den Mannit, daß man Milchsäure und Schleim vorfindet. Mit der Abnahme der Temperatur vermindert sich die Bildung dieser Producte; allein es ist in stickstoffhaltigen Pflanzensäften natürlich unmöglich, die Grenze festzusetzen, wo die Metamorphose des Zuckers allein erfolgt, wo sie also unbegleitet ist von einer eingreifenden störenden Zersetzungsweise.

Aus der Untergährung des Biers weiß man, daß durch die Mitwirkung des Sauerstoffs der Luft, neben der niedrigen Temperatur, durch zwei Bedingungen also, die vollkommene Metamorphose des Zuckers erfolgt, weil die Ursache der Störung derselben, weil dem Streben des Klebers, sich in unlösliches Ferment zu verwandeln, durch Hinzuführung von Sauerstoff von außen her genügt wird.

Bei dem Beginn der Gährung des Traubensaftes und der Bierwürze ist die Menge der in Metamorphose begriffenen Materien natürlich am größten, alle Erscheinungen, welche sie begleiten, Gasentwickelung und Erhöhung der Temperatur, treten in dieser Periode am stärksten ein; mit der Zersetzung der größeren Menge Zucker und Kleber vermindern sich die

Zeichen der im Innern vorgehenden Zersetzung, ohne daß sie aber eher als vollendet angesehen werden kann, als bis sie völlig verschwinden.

Die langsam fortdauernde Zersetzung nach der schnell eintretenden stürmischen oder lebhaften Gasentwickelung nennt man Nachgährung; bei dem Weine, wie bei dem Biere, dauert sie bis zur völligen Verschwindung ihres Zuckergehaltes fort, das specifische Gewicht der Flüssigkeit nimmt viele Monate hindurch noch ab. Die Nachgährung ist in den meisten Fällen eine wahre Untergährung, in welcher zum Theil die Metamorphose des noch aufgelösten Zuckers in Folge der fortschreitenden Zersetzung der Unterhefe bewirkt wird, ohne daß übrigens damit bei Luftausschluß eine vollkommene Ausscheidung der gelösten stickstoffhaltigen Materien bedingt wird.

In mehreren deutschen Staaten hat man den günstigen Einfluß eines rationellen Gährungsverfahrens auf die Qualität der Biere sehr wohl erkannt; man hat z. B. im Großherzogthum Hessen beträchtliche Preise auf die Darstellung von Bier nach dem baier'schen Gährungsverfahren ausgesetzt, und diese Preise werden Demjenigen zuerkannt, welcher nachweisen kann, daß sein Fabricat sich 6 Monate lang in Lagerfässern aufbewahren ließ, ohne sauer zu werden. Hunderte von Fässern Bier sind an den meisten Orten im Anfange zu Essig geworden, bis man zu einer empirischen Kenntniß der Bedingungen gelangte, deren Einfluß durch die Theorie vorausgesetzt und zum Bewußtsein gebracht wird.

Weder der Alkoholgehalt, noch der Hopfen allein, noch beide zusammen, schützen das Bier vor dem Sauerwerden; in England gelingt es mit einem Verlust der Zinsen eines ungeheuern Kapitals, die besseren Sorten Ale und Porter vor dem Uebergang in Säure dadurch zu schützen, indem man sie in damit angefüllten ungeheuern faßartigen verschlossenen Gefäßen, deren Oberfläche mit Sand bedeckt ist, mehrere Jahre liegen läßt, daß man sie also ähnlich behandelt, wie die Weine in dem sogenannten Ablagern.

Durch die Poren des Holzes findet ein schwacher Luftwechsel statt; die Menge der stickstoffhaltigen Materie im Verhältniß zu dem zutretenden Sauerstoff ist so groß, daß dieser Sauerstoff dadurch gehindert wird, an den Alkohol zu treten; aber auch das nach diesem Verfahren behandelte Bier hält sich bei Luftzutritt in kleineren Gefäßen nicht über zwei Monate lang.

Die Verwesung der Holzfaser.

Die Verwandlung der Holzfaser in die Materien, welche man Humus und Moder genannt hat, ist durch ihren Einfluß auf die Vegetation einer der merkwürdigsten Zersetzungsprocesse, welche in der Natur vor sich gehen.

Von einer andern Seite erscheint die Verwesung nicht minder wichtig, insofern sie der große Naturproceß ist, in welchem die Vegetabilien den Sauerstoff an die Atmosphäre wieder zurückgeben, den sie im lebenden Zustande derselben entzogen haben.

Wir haben bei der Holzfaser drei in ihren Resultaten verschiedene Zersetzungsweisen in Betrachtung zu ziehen.

Die eine geht vor sich im befeuchteten Zustande, bei freiem und ungehindertem Zutritt der Luft, die zweite bei Abschluß der Luft, und die dritte, wenn die Holzfaser mit Wasser bedeckt, sich in Berührung befindet mit faulenden organischen Stoffen.

In trockner Luft oder unter Wasser erhält sich die Holzfaser, wie man weiß, Jahrtausende ohne bedeutende Veränderung, aber sie kann im befeuchteten Zustande mit der Atmosphäre nicht in Berührung gebracht werden, ohne von dem Augenblick an eine Veränderung zu erleiden, sie verwandelt ohne Aenderung des Volums den umgebenden Sauerstoff, wie schon erwähnt, in Kohlensäure, und geht nach und nach in eine gelbbraune, braune oder schwarze Materie von geringem Zusammenhang über.

In den Versuchen von de Saussure verwandelten 240 Th. trockne Eichenholzspäne 10 Cubiczoll Sauerstoff in eben so viel kohlensaures Gas, welches 3 Gewichtstheile Kohlenstoff enthält; das Gewicht der Späne fand sich aber um 15 Th. vermindert. Es hatten sich demnach hierbei noch 12 Gewichtstheile Wasser von den Elementen des Holzes getrennt.

Kohlensäure, Wasser und Moder oder Humus sind mithin die Producte der Verwesung des Holzes.

Wir haben angenommen, daß das Wasser aus dem Wasserstoff des Holzes entsteht, der sich mit dem Sauerstoff der Atmosphäre verbindet, und daß in dem Acte dieser Oxidation Kohlenstoff und Sauerstoff in der Form von Kohlensäure sich von den Elementen des Holzes trennen.

Es ist schon früher erwähnt worden, daß die reine Holzfaser Kohlenstoff und die Elemente des Wassers enthält. Der Humus entsteht aber nicht durch Verwesung der Holzfaser allein, sondern durch die Verwesung des Holzes, was außer der reinen Holzfaser noch fremde, lösliche und unlösliche organische Stoffe enthält.

Das relative Verhältniß der Elemente des Eichenholzes ist deshalb ein anderes als beim Buchenholz, und beide sind wieder in ihrer Zusammensetzung verschieden von der reinen Holzfaser, die sich in allen Vegetabilien gleichbleibt. Die Unterschiede sind nichts desto weniger so unbedeutend, daß sie in den Fragen, die wir einer Discussion unterwerfen, unbeachtet bleiben können, um so mehr, da der Gehalt an diesen Materien je nach der Jahreszeit wechselt.

Nach den mit Sorgfalt von Gay-Lussac und Thénard ausgeführten Analysen des bei 100° getrockneten und mit Wasser und Weingeist von allen darin löslichen Theilen befreiten Eichenholzes enthielt dasselbe 52,53 Kohlenstoff und 47,47 Wasserstoff, und Sauerstoff in dem Verhältniß wie im Wasser.

Es ist nun früher erwähnt worden, daß sich das feuchte Holz im Sauerstoffgas gerade so verhält, wie wenn sich sein Kohlenstoff direct mit dem Sauerstoff verbunden hätte, es entsteht nämlich gasförmige Kohlensäure und Humus.

Wenn die Wirkung des Sauerstoffs sich ausschließlich auf den Kohlenstoff des Holzes erstreckt haben würde, wäre weiter nichts als Kohlenstoff von den Bestandtheilen des Holzes hinweggenommen worden, so müßte man die übrigen Elemente unverändert, aber mit weniger Kohlenstoff verbunden, in dem Humus wiederfinden. Das Endresultat dieser Einwirkung würde demnach ein gänzliches Verschwinden des Kohlenstoffs sein, es würden zuletzt nur die Elemente des Wassers übrig bleiben.

Wenn wir aber das verwesende Holz in seinen verschiedenen Stadien seiner Verwesung einer Untersuchung unterwerfen, so gelangen wir zu dem merkwürdigen Resultat, daß der Kohlenstoff des rückständigen festen Produkts beständig zunimmt, daß also, abgesehen von der Kohlensäurebildung durch den Einfluß der Luft, die Veränderung des Holzes in Humus als eine Trennung der Bestandtheile des Wassers von dem Kohlenstoff sich darstellt.

Die Analyse liefert nämlich von vermodertem Eichenholze, was aus dem Innern eines hohlen Eichstammes genommen worden war, eine chokoladebraune Farbe besaß, und noch vollkommen die Structur des Holzes zeigte, in 100 Theilen 53,36 Kohlenstoff und 46,44 Wasserstoff und Sauerstoff, in dem Verhältniß, wie im Wasser. Eine andere Probe von einer andern Eiche, von lichtbrauner Farbe, leicht zerreiblich zu feinem Pulver, gab 56,211 Kohlenstoff und 43,789 Wasser.

Aus diesen unverwerflichen Thatsachen ergiebt sich bis zur Evidenz die Gleichheit der Verwesung des Holzes mit allen andern langsamen Verbrennungen wasserstoffreicher Materien. Wie sonderbar würde in der That diese Verbrennung sich darstellen, wenn der Kohlenstoff des Holzes direct sich mit dem Sauerstoff verbände, eine Verbrennung, wo der Kohlegehalt des verbrennenden Körpers, anstatt abzunehmen, sich beständig vergrößert. Es ist offenbar der Wasserstoff, der auf Kosten des Sauerstoffs der Luft oxidirt wird, die Kohlensäure stammt von den Elementen des Holzes; nie, unter keinerlei Bedingungen, vereinigt sich bei gewöhnlicher Temperatur der Kohlenstoff direct mit dem Sauerstoff zu Kohlensäure.

In welchem Stadium der Verwesung das Holz sich auch befinden mag, stets müssen darin die Elemente ausdrückbar sein durch die Aequivalentenzahlen.

Die folgenden Formeln drücken diese Verhältnisse mit großer Schärfe aus:

$C_{36}H_{44}O_{22}$ Eichenholz, nach Gay Lussac und Thénard *).

$C_{35}H_{40}O_{20}$ Humus von Eichenholz (Meyer) **).

$C_{34}H_{36}O_{18}$ » » » (Dr. Will ***).

Man beobachtet leicht, daß für je zwei Aequivalente Wasserstoff, der sich oxidirt, 2 Atome Sauerstoff und 1 Aequivalent Kohlenstoff, von den übrigen Elementen abgeschieden werden.

Unter den gewöhnlichen Bedingungen bedarf die Pflanzenfaser zu ihrer Verwesung einer sehr langen Zeit, sie wird, wie sich von selbst versteht, ausnehmend beschleunigt durch erhöhte Temperatur und ungehinderten, freien Zutritt der Luft, sie wird aufgehalten und verlangsamt durch Abwesenheit von Feuchtigkeit und durch Umgebung mit einer Atmosphäre von Kohlensäure, durch welche letztere der Zutritt des Sauerstoffs zu der verwesenden Materie abgeschlossen wird.

Schweflige Säure, alle antiseptischen Materien halten die Verwesung der Pflanzenfaser auf; man hat bekanntlich Quecksilbersublimat, welcher die Fähigkeit zu faulen, gähren und verwesen aller, auch der am leichtesten veränderlichen, vegetabilischen und thierischen Stoffe gänzlich vernichtet, als das kräftigste Mittel in Anwendung gebracht, um das Holz, was zum Schiffbau dient und dem abwechselnden Zutritt von Feuchtigkeit und Luft ausgesetzt ist, vollkommen vor der Verwesung zu schützen.

Auf der andern Seite wird durch die Berührung mit Alkalien und alkalischen Erden, welche die Absorbtion des Sauer-

---

*) Die Rechnung giebt 52,5 Kohlenstoff und 47,5 Wasser.

**) Die Rechnung giebt 54 Kohlenstoff und 46 Wasser.

***) Die Rechnung giebt 56 Kohlenstoff und 44 Wasser.

stoffs selbst in denjenigen Substanzen zu erwirken vermögen, denen an und für sich diese Fähigkeit abgeht, wie beim Alkohol (S. 250), der Gallussäure, dem Gerbestoff, den vegetabilischen Farbestoffen (S. 239), die Verwesung der vegetabilischen Materien im Allgemeinen ausnehmend befördert. Durch die Gegenwart von Säuren wird sie im Gegentheil aufgehalten und verlangsamt.

In schwerem Lehmboden hält sich die eine Bedingung zur Verwesung der darin enthaltenen vegetabilischen Stoffe, die Feuchtigkeit nämlich, am längsten, allein sein fester Zusammenhang hindert die häufige Berührung mit der Luft.

In feuchtem Sandboden, und namentlich in einem aus kohlensaurem Kalk und Sand gemengten Boden geht durch die Berührung mit dem schwach alkalischen Kalk die Verwesung am schnellsten von statten.

Betrachten wir nun die Verwesung der Holzfaser in einer unendlich langen Zeit, indem wir die Bedingung seiner Veränderung, nämlich die fortschreitende Hinwegnahme seines Wasserstoffs, in der Form von Wasser, und die Trennung seines Sauerstoffs in der Form von Kohlensäure festhalten, so ist klar, daß, wenn wir von der Formel $C_{36} H_{44} O_{22}$ die 22 Aeq. Sauerstoff mit 11 Aeq. Kohlenstoff abziehen und die 22 Aeq. Wasserstoff ($H_2 = 1$ Aeq.) uns durch den Sauerstoff der Luft oxidirt und in der Form von Wasser abgeschieden denken, daß von 1 At. Eichenholz zuletzt 25 At. Kohlenstoff in reinem Zustande übrig bleiben werden, d. h. von 100 Th. Eichenholz, welche 52,5 Kohlenstoff enthalten, werden 37 Theile Kohle übrig bleiben, welche als reiner Kohlenstoff, dem die Fähigkeit, bei gewöhnlicher Temperatur sich zu oxidiren, gänzlich abgeht, sich unverändert erhalten werden.

Zu diesem Endresultat gelangen wir bei der Verwesung des

Holzes unter den gewöhnlichen Bedingungen nicht, und zwar deshalb nicht, weil mit der Zunahme des Kohlenstoffs in dem rückständigen Humus, mit seiner Masse also, wie bei allen Zersetzungen dieser Art, die Größe seiner Anziehung zu dem Wasserstoff, der noch in Verbindnng bleibt, wächst, bis zuletzt die Verwandtschaft des Sauerstoffs zu diesem Wasserstoff und die des Kohlenstoffs zu demselben Körper sich gegenseitig im Gleichgewicht halten.

Wir finden aber in demselben Grade, als seine Verwesung vorgeschritten ist, eine Abnahme einer Fähigkeit, mit Flamme zu verbrennen, d. h. bei seinem Erhitzen gasförmige Kohlenwasserstoffverbindungen zu bilden; das verfaulte Holz verbrennt beim Anzünden ohne Flamme, es verglimmt nur, und hieraus kann kein anderer Schluß gezogen werden, als der, daß der Wasserstoff, den die Analyse nachweis't, nicht mehr in der Form darin enthalten ist, wie im Holz.

In dem verfaulten Eichenholze finden wir mehr Kohlenstoff; wir finden ferner Wasserstoff und Sauerstoff in dem nämlichen Verhältniß, wie im frischen Holz.

Der Natur der Sache nach sollte es mit der Zunahme an Kohlenstoff eine leuchtendere, kohlenreichere Flamme bilden, es verbrennt im Gegentheil, wie feinzertheilte Kohle, wie wenn kein Wasserstoff darin vorhanden wäre. Im gewöhnlichen Leben, wo die Anwendung des Holzes als Brennmaterial auf seiner Fähigkeit beruht, mit Flamme zu brennen, hat deshalb das verfaulte oder kranke Holz einen weit geringeren Handelswerth. Wir können uns diesen Wasserstoff in keiner andern Form, als in der des Wassers denken, weil sie allein genügende Rechenschaft über dies Verhalten giebt.

Denken wir uns die Verwesung in einer Flüssigkeit vor sich gehen, welche reich ist an Kohlenstoff und Wasserstoff, so wird, ähnlich wie bei der Erzeugung der kohlereichsten, krystallinischen Substanz, des farblosen Naphtalins aus gasförmigen Kohlenwasserstoffverbindungen, eine an Kohlenstoff stets reichere Verbindung gebildet werden, aus der sich zuletzt als Endresultat ihrer Verwesung Kohlenstoff in Substanz und zwar krystallinisch abscheiden muß.

Die Wissenschaft bietet in allen Erfahrungen, die man kennt, außer dem Processe der Verwesung, keine Analogien für die Bildung und Entstehung des Diamants dar. Man weiß gewiß, daß er seine Entstehung nicht dem Feuer verdankt, denn hohe Temperatur und Gegenwart von Sauerstoff sind mit seiner Verbrennlichkeit nicht vereinbar; man hat im Gegentheil überzeugende Gründe, daß er auf nassem Wege, daß er in einer Flüssigkeit sich gebildet hat, und der Verwesungsproceß allein giebt eine bis zu einem gewissen Grade befriedigende Vorstellung über seine Entstehungsweise.

So sind der Bernstein, die fossilen Harze und die Säure in dem Honigstein, die Begleiter von Vegetabilien, welche den Verwesungsproceß erlitten haben, sie finden sich in Braunkohlen, und sind offenbar durch einen ähnlichen Zersetzungsproceß aus Substanzen entstanden, die in einer ganz andern Form in den lebenden Pflanzen enthalten waren, sie zeichnen sich alle durch einen verhältnißmäßig geringen Wasserstoffgehalt aus, und von der Honigsteinsäure weiß man, daß sie das nämliche Verhältniß im Kohlenstoff und Sauerstoffgehalt enthält, wie die Bernsteinsäure, und daß die letztere sich nur durch ihren Wasserstoffgehalt davon unterscheidet.

Dammerde.

Unter Dammerde (terreau) versteht man ein Gemenge von verwitterten Mineralsubstanzen mit Ueberresten vegetabilischer und Thierstoffe; ihrer ganzen Beschaffenheit nach läßt sie sich als Erde betrachten, in welcher sich Humus im Zustande der Zersetzung befindet. Ihre Wirkungsweise auf die Luft ist durch die Versuche von Ingenhouß und de Saussure auf's Klarste ermittelt worden.

In einem mit Luft erfüllten Gefäße, in befeuchtetem Zustande entzieht sie derselben, mit noch größerer Schnelligkeit als das faule Holz, allen Sauerstoff und ersetzt ihn durch ein gleiches Volumen Kohlensäure. Wird die Kohlensäure hinweggenommen und die Luft erneuert, so wiederholt sich diese Umwandlung.

Kaltes Wasser löst aus der Dammerde nahe 1/10000 ihres Gewichts auf; diese Auflösung ist farblos und klar, und giebt abgedampft einen Rückstand, welcher Kochsalz, Spuren von schwefelsaurem Kalk und Kali enthält und sich beim Glühen vorübergehend schwärzt. Kochendes Wasser färbt sich mit Dammerde gelb oder gelbbraun; diese Auflösung entfärbt sich an der Luft unter Absorption von Sauerstoff, unter Bildung eines schwarzen leichten Bodensatzes; im gefärbten Zustande abgedampft giebt sie einen Rückstand, der sich beim Glühen schwärzt und eine Masse hinterläßt, aus der durch Wasser kohlensaures Kali ausgezogen wird.

Behandelt man die Dammerde mit einer Auflösung von Kali, so erhält man eine schwarzgefärbte Flüssigkeit, welche mit Essigsäure ohne Trübung vermischt werden kann. Verdünnte Schwefelsäure schlägt daraus leichte braunschwarze Flocken nieder, die sich durch Waschen mit Wasser nur schwierig von aller freien Säure befreien lassen. Wenn man den gewaschenen Niederschlag feucht unter eine Glocke mit Sauerstoffgas bringt, so wird dasselbe rasch eingesaugt; bei dem Trocknen an der Luft bei gewöhnlicher Temperatur geschieht dieß ebenfalls; mit der Entfernung aller Feuchtigkeit verliert sie die Fähigkeit, sich im Wasser zu lösen aufs Vollständigste, selbst Alkalien lösen daraus nur noch Spuren auf.

Es ist hiernach klar, daß das siedende Wasser aus der Dammerde eine Materie auszieht, deren Löslichkeit durch die Gegenwart der in den Pflanzenüberresten enthaltenen alkalischen Salze vermittelt wurde. Diese Substanz ist ein Product der unvollkommenen Verwesung der Holzfaser; es steht in seiner Zusammensetzung zwischen der Holzfaser und dem eigentlichen Humus, und verwandelt sich in den letzteren durch Aussetzung im feuchten Zustande an die Luft.

Vermoderung.
Papier, Braunkohle und Steinkohle.

Unter Vermoderung begreift man eine Zersetzung des Holzes, der Holzfaser und aller vegetabilischen Körper, bei Gegenwart von Wasser und gehindertem Zutritt der Luft.

Die Braunkohle und Steinkohle sind Ueberreste von Vegetabilien der Vorwelt; ihre Beschaffenheit zeigt, daß sie Producte der Zersetzungsprocesse sind, die man mit Fäulniß und Verwesung bezeichnet. Es ist leicht, durch die Analyse derselben die Art und Weise festzustellen, in welcher sich die Bestandtheile geändert haben in der Voraussetzung, daß ihre Hauptmasse aus Holzfaser entstanden ist.

Um sich eine bestimmte Vorstellung über die Entstehung der Braunkohle und Steinkohle zu verschaffen, ist es nöthig, eine eigenthümliche Veränderung zu betrachten, welche die Holzfaser bei Gegenwart von Feuchtigkeit und dem völligen Abschluß oder bei gehindertem Zutritt der Luft erfährt.

Es ist bekannt, daß reine Holzfaser, Leinwand z. B., mit Wasser zusammengestellt, sich unter beträchtlicher Wärmeentwickelung zu einer weichen zerreiblichen Masse zersetzt, welche ihren Zusammenhang zum größten Theil verloren hat; es ist dieß die Substanz, woraus man, vor der Anwendung des Chlors, Papier bereitete. Auf Haufen geschichtet bemerkt man während der Erhitzung eine Gasentwickelung, und die Lumpen

Holzes getrennt; es ist möglich, daß die höhere Temperatur und Druck, unter welcher die Zersetzung vor sich ging, die Verschiedenheit der Zersetzungsweise bedingte, wenigstens gab ein Stück Holz, welches ganz die Beschaffenheit und das Aussehen der Laubacher Braunkohle besaß, und in diesen Zustand durch mehrwöchentliches Verweilen in dem Kessel einer Dampfmaschine versetzt worden war (in der Maschinenfabrik des Herrn Oberbergraths Henschel in Cassel) eine ganz ähnliche Zusammensetzung.

Die Veränderung ging in Wasser vor sich, was eine Temperatur von 150—160° besaß, und einem entsprechenden Druck ausgesetzt war, und diesem Umstande ist unstreitig auch die höchst geringe Menge Asche zuzuschreiben, die dieses Holz nach dem Verbrennen hinterließ; sie betrug 0,51 p. c., also noch etwas weniger als wie die der Laubacher Braunkohle. Die von Berthier untersuchten Pflanzenaschen hinterlassen ohne Ausnahme eine bei weitem größere Quantität.

Die eigenthümliche Zersetzungsweise der vorweltlichen Vegetabilien, d. h. eine fortschreitende Trennung von Kohlensäure, scheint noch jetzt in großen Tiefen in allen Braunkohlenlagern fortzudauern; es ist zum wenigsten höchst bemerkenswerth, daß vom Meißner in Kurhessen an bis zur Eifel hin, wo diese Lager sehr häufig sind, an eben so vielen Orten Säuerlinge zu Tage kommen. Diese Mineralquellen bilden sich auf dem Platze selbst, wo sie vorkommen, aus süßem Wasser, was aus der Tiefe kommt, und aus Kohlensäuregas, was gewöhnlich von der Seite zuströmt.

In der Nähe der Braunkohlenlager von Salzhausen befand sich vor einigen Jahren ein vortrefflicher Säuerling, welcher von der ganzen Umgegend in Gebrauch genommen war; man beging den Fehler, diese Quelle in Sandstein zu fassen, mit dem die Seitenöffnungen, aus welchen das Gas strömte, zugemauert wurden. Von diesem Augenblicke an hatte man süßes Quellwasser.

In einer geringen Entfernung von den Braunkohlenlagern von Dorheim entspringt die an Kohlensäure überaus reiche Schwalheimer Mineralquelle, bei welcher Herr Salinendirector Wilhelmi längst beim Ausräumen die Beobachtung gemacht hat, daß sie sich auf dem Platze selbst aus süßem Wasser, was von unten, und kohlensaurem Gas, was von der Seite kommt, bildet. Die nämliche Erfahrung wurde von Herrn Oberbergrath Schapper bei dem berühmten Fachinger Brunnen gemacht.

Das kohlensaure Gas von den Kohlensäurequellen in der Eifel ist nach Bischof nur selten gemengt mit Stickgas und Sauerstoffgas; es ist höchst wahrscheinlich, daß es seinen Ursprung einer ähnlichen Ursache verdankt; die Luft scheint wenigstens nicht den geringsten Antheil an der Bildung derselben in den eigentlichen Säuerlingen zu nehmen; sie kann in der That weder durch eine Verbrennung in niederer, noch in höherer Temperatur gebildet worden sein; denn in diesem Fall würde das kohlensaure Gas auch bei der vollkommensten Verbrennung mit 4/5 Stickgas gemengt sein, allein es enthält keine Spur Stickgas. Die Blasen, welche unabsorbirt durch das Wasser der Mineralquellen in die Höhe steigen, werden bis auf einen unmeßbaren Rückstand von Kalilauge aufgenommen.

Die Dorheimer und Salzhäuser Braunkohle sind offenbar durch eine ähnliche Ursache entstanden, wie die Laubacher, die in der Nähe vorkommen, und da diese genau die Elemente der Holzfaser, minus einer gewissen Quantität Kohlensäure enthalten, so scheint sich aus dieser Zusammensetzung von selbst eine Erklärung zu ergeben.

Wetterau in zahlreich verbreiteten Lagern vorkommen, durch unveränderte Holzstructur und durch Mangel an Bitumen ausgezeichnet; zu der folgenden Analyse wurde ein Stück gewählt, in dem man die Jahrringe noch zählen konnte; sie wird in der Nähe von Laubach gewonnen; von diesem Stück enthielten 100 Theile

Kohlenstoff	57,28
Wasserstoff	6,03
Sauerstoff	36,10
Asche	0,59
	100,00

Von vorn herein fällt bei dieser Braunkohle der größere Gehalt von Kohlenstoff, bei dem bei weitem geringeren an Sauerstoff in die Augen; es ist klar, daß von dem Holz, aus dem sie entstanden ist, eine gewisse Menge Sauerstoff sich getrennt hat. In Verhältnißzahlen wird diese Analyse genau durch die Formel $C_{33}H_{42}O_{16}$ ausgedrückt. (Sie giebt 57,5 Kohlenstoff und 5,98 Wasserstoff.)

Verglichen mit der Analyse des Eichenholzes, ist die Braunkohle aus Holzfaser entstanden, von der sich 1 Aeq. Wasserstoff und die Elemente von 3 At. Kohlensäure getrennt haben.

1 At. Holz	$C_{36}H_{44}O_{22}$
minus 1 Aeq. Wasserstoff	
und 3 At. Kohlensäure	$C_{3}\ H_{2}\ O_{6}$
Braunkohle	$C_{33}H_{42}O_{16}$

Alle Braunkohlen, von welcher Lagerstätte sie aufgenommen werden mögen, enthalten mehr Wasserstoff als das Holz; sie enthalten weniger Sauerstoff, als nöthig ist, um mit diesem Wasserstoff Wasser zu bilden; Alle sind demnach durch einerlei Zersetzungsproceß entstanden. Der Wasserstoff des Holzes blieb entweder unverändert in demselben oder es ist Wasserstoff von Außen hinzugetreten.

Die Analyse einer Braunkohle, welche in der Nähe von Cassel bei Ringkuhl vorkommt und in der nur selten Stücke mit Holzstructur sich finden, gab bei 100° getrocknet:

Kohlenstoff	62,60	. . . .	63,83
Wasserstoff	5,02	. . . .	4,80
Sauerstoff	26,52	. . . .	25,45
Asche	5,86	. . . .	5,86
	100,00		100,00

Die obigen Verhältnisse am Kohlenstoff, Wasserstoff und Sauerstoff lassen sich sehr nahe durch die Formel $C_{32}H_{30}O_9$ ausdrücken, oder durch die Bestandtheile des Holzes, von dem sich die Elemente von Kohlensäure, Wasser und 2 Aeq. Wasserstoff getrennt haben.

$C_{36}H_{44}O_{22}$ = Holz.

Hiervon ab $C_4H_{14}O_{13}$ = 4 At. Kohlensäure + 5 At. Wasser + 4 At. Wasserstoff.

$C_{32}H_{30}O_9$ = Braunkohle von Ringkuhl.

Die Bildung beider Braunkohlen ist, wie diese Formeln ergeben, unter Umständen vor sich gegangen, wo die Einwirkung der Luft, durch welche eine gewisse Menge Wasserstoff oxidirt und hinweggenommen wurde, nicht ganz ausgeschlossen war; in der That findet sich die Laubacher Kohle durch ein Basaltlager, durch das sie bedeckt wird, von der Luft so gut wie abgeschlossen; die Kohle von Ringkuhl war von der untersten Schicht des Kohlenlagers genommen, welches eine Mächtigkeit von 90—120 Fuß besitzt.

Bei der Entstehung der Braunkohle haben sich demnach entweder die Elemente der Kohlensäure allein, oder gleichzeitig mit einer gewissen Menge Wasser von den Bestandtheilen des

Holzes getrennt; es ist möglich, daß die höhere Temperatur und Druck, unter welcher die Zersetzung vor sich ging, die Verschiedenheit der Zersetzungsweise bedingte, wenigstens gab ein Stück Holz, welches ganz die Beschaffenheit und das Aussehen der Laubacher Braunkohle besaß, und in diesen Zustand durch mehrwöchentliches Verweilen in dem Kessel einer Dampfmaschine versetzt worden war (in der Maschinenfabrik des Herrn Oberbergraths Henschel in Cassel) eine ganz ähnliche Zusammensetzung.

Die Veränderung ging in Wasser vor sich, was eine Temperatur von 150—160° besaß, und einem entsprechenden Druck ausgesetzt war, und diesem Umstande ist unstreitig auch die höchst geringe Menge Asche zuzuschreiben, die dieses Holz nach dem Verbrennen hinterließ; sie betrug 0,51 p. c., also noch etwas weniger als wie die der Laubacher Braunkohle. Die von Berthier untersuchten Pflanzenaschen hinterlassen ohne Ausnahme eine bei weitem größere Quantität.

Die eigenthümliche Zersetzungsweise der vorweltlichen Vegetabilien, d. h. eine fortschreitende Trennung von Kohlensäure, scheint noch jetzt in großen Tiefen in allen Braunkohlenlagern fortzudauern; es ist zum wenigsten höchst bemerkenswerth, daß vom Meißner in Kurhessen an bis zur Eifel hin, wo diese Lager sehr häufig sind, an eben so vielen Orten Säuerlinge zu Tage kommen. Diese Mineralquellen bilden sich auf dem Platze selbst, wo sie vorkommen, aus süßem Wasser, was aus der Tiefe kommt, und aus Kohlensäuregas, was gewöhnlich von der Seite zuströmt.

In der Nähe der Braunkohlenlager von Salzhausen befand sich vor einigen Jahren ein vortrefflicher Säuerling, welcher von der ganzen Umgegend in Gebrauch genommen war; man beging den Fehler, diese Quelle in Sandstein zu fassen, mit dem die Seitenöffnungen, aus welchen das Gas strömte, zugemauert wurden. Von diesem Augenblicke an hatte man süßes Quellwasser.

In einer geringen Entfernung von den Braunkohlenlagern von Dorheim entspringt die an Kohlensäure überaus reiche Schwalheimer Mineralquelle, bei welcher Herr Salinendirector Wilhelmi längst beim Ausräumen die Beobachtung gemacht hat, daß sie sich auf dem Platze selbst aus süßem Wasser, was von unten, und kohlensaurem Gas, was von der Seite kommt, bildet. Die nämliche Erfahrung wurde von Herrn Oberbergrath Schapper bei dem berühmten Fachinger Brunnen gemacht.

Das kohlensaure Gas von den Kohlensäurequellen in der Eifel ist nach Bischof nur selten gemengt mit Stickgas und Sauerstoffgas; es ist höchst wahrscheinlich, daß es seinen Ursprung einer ähnlichen Ursache verdankt; die Luft scheint wenigstens nicht den geringsten Antheil an der Bildung derselben in den eigentlichen Säuerlingen zu nehmen; sie kann in der That weder durch eine Verbrennung in niederer, noch in höherer Temperatur gebildet worden sein; denn in diesem Fall würde das kohlensaure Gas auch bei der vollkommensten Verbrennung mit ⁴/₅ Stickgas gemengt sein, allein es enthält keine Spur Stickgas. Die Blasen, welche unabsorbirt durch das Wasser der Mineralquellen in die Höhe steigen, werden bis auf einen unmeßbaren Rückstand von Kalilauge aufgenommen.

Die Dorheimer und Salzhäuser Braunkohle sind offenbar durch eine ähnliche Ursache entstanden, wie die Laubacher, die in der Nähe vorkommen, und da diese genau die Elemente der Holzfaser, minus einer gewissen Quantität Kohlensäure enthalten, so scheint sich aus dieser Zusammensetzung von selbst eine Erklärung zu ergeben.

letzung gewisser Organe der Tod herbeigeführt werden kann; sie lassen sich im engern Sinne nicht als Gifte betrachten, da ihre giftige Wirkung von ihrem Zustande abhängig ist.

Die Wirkung der eigentlichen anorganischen Gifte beruht in den meisten Fällen auf der Bildung einer chemischen Verbindung des Giftes mit den Bestandtheilen der Organe, sie beruht auf einer chemischen Verwandtschaftsäußerung, welche stärker ist, wie die Lebensthätigkeit.

Betrachten wir, um zu einer klaren Anschauung zu gelangen, die Wirkung von anorganischen Substanzen überhaupt, so finden wir, daß eine gewisse Klasse von löslichen Verbindungen, verschiedenen Theilen des Körpers dargeboten, in das Blut aufgenommen werden, aus welchem sie wieder durch die Secretionsorgane, verändert oder unverändert abgeschieden werden.

Jodkalium, Schwefelcyankalium, Blutlaugensalz, Salpeter, chlorsaures Kali, kieselsaures Kali und im Allgemeinen Salze mit alkalischer Basis, welche Menschen und Thieren in verdünnnten Lösungen innerlich oder äußerlich gegeben werden, lassen sich im Blute, Schweiße, im Chylus, in der Galle, in den Milzvenen unverändert nachweisen, ohne Ausnahme werden sie zuletzt durch die Harnwege aus dem Körper wieder entfernt.

Diese Materien bringen, jedes für sich, eine besondere Art von Störung in dem Organismus hervor, sie üben eine medicinische Wirkung aus, allein sie haben in ihrem Wege durch den Organismus keine Zersetzung erlitten, und wenn sie die Fähigkeit hatten, eine Verbindung in irgend einem Theile des Körpers einzugehen, so war diese nicht fester Art, denn ihr Wiedererscheinen in dem Harne setzt voraus, daß diese Verbindung durch die Lebensthätigkeit wieder aufgehoben werden konnte.

Neutrale citronensaure, weinsaure und essigsaure Alkalien werden bei ihrem Wege durch den Organismus verändert, ihre Basen lassen sich zwar in dem Harne nachweisen, allein die Säuren sind völlig verschwunden; an ihrer Stelle finden sich die Basen mit Kohlensäure vereinigt (Gilbert Blane, Wöhler).

Die Verwandlung der genannten pflanzensauren Alkalien in kohlensaure Salze setzt voraus, daß zu ihren Elementen Sauerstoff in bedeutender Menge hinzugetreten ist, denn um z. B. 1 Aeq. essigsaures Kali in kohlensaures zu verwandeln, müssen 8 Aeq. Sauerstoff hinzugeführt werden, von denen 2 oder 4 Aeq. (je nachdem sich neutrales oder saures Salz gebildet hat) in der Verbindung mit dem Alkali bleiben, während die andern 6 oder 4 Aequivalente als freie Kohlensäure austreten.

Wir bemerken nun in dem lebenden Körper, dem man Salze dieser Art mitgetheilt hat, kein Zeichen, daß einer seiner Bestandtheile eine so große Quantität Sauerstoff, als zu ihrer Umwandlung nöthig ist, abgegeben hat, und es bleibt nichts übrig, als diese Oxidation dem Sauerstoff der Luft zuzuschreiben.

Während ihrem Wege durch die Lunge nehmen die Säuren dieser Salze Antheil an dem eigenthümlichen Verwesungsproceß, welcher in diesem Organe vor sich geht, eine gewisse Portion des aufgesaugten Sauerstoffgases tritt an ihre Bestandtheile und verwandelt den Wasserstoff in Wasser, den Kohlenstoff in Kohlensäure. Von der letzteren bleibt eine gewisse Quantität (1 oder 2 Aeq.) vereinigt mit dem Kali zu einem Salze, welches durch Oxidationsprocesse keine weitere Veränderung mehr erfährt, es ist dieses Salz, was durch die Nieren oder die Leber wieder abgeschieden wird.

Es ist evident, daß das Vorhandensein dieser pflanzensauren Salze im Blute eine Aenderung in dem Respirationsprocesse herbeiführen mußte; wären sie nicht gegenwärtig gewesen, so würde der eingeathmete Sauerstoff, wie gewöhnlich, an die Bestandtheile des Blutes getreten sein, ein Theil davon hat sich aber mit den Bestandtheilen des Salzes vereinigt und ist nicht in's Blut übergegangen; die unmittelbare Folge davon muß eine verminderte Erzeugung von arteriellem Blute sein, oder was das nämliche ist, der Respirationsproceß ist verlangsamt worden.

Neutrale citronensaure, weinsaure, essigsaure Alkalien verhalten sich in Berührung mit Luft und mit verwesenden thierischen und vegetabilischen Körpern ganz auf die nämliche Weise wie in der Lunge, sie nehmen Theil an der Verwesung und gehen auf dieselbe Weise wie im lebenden Körper in kohlensaure Salze über; werden ihre wässrigen Lösungen im unreinen Zustande sich selbst überlassen, so verschwinden nach und nach ihre Säuren aufs vollständigste.

Freie Mineral- oder nicht flüchtige Pflanzensäuren, sowie Salze von Mineralsäuren mit alkalischen Basen heben in gewissen Mengen alle Verwesungsprocesse auf, in kleineren Quantitäten wird durch sie der Verwesungsproceß verlangsamt und gehemmt, sie bringen in dem lebenden Körper ähnliche Erscheinungen hervor, wie neutrale pflanzensaure Salze, allein ihre Wirkung hängt von einer andern Ursache ab.

Einer Aufnahme großer Mengen von Mineralsalzen in das Blut, wodurch dem Verwesungsprocesse in der Lunge eine Grenze gesetzt werden könnte, widersetzt sich eine sehr merkwürdige Eigenschaft aller thierischen Membranen, Häute, Zellgewebe, Muskelfaser 2c.

Diese Eigenschaft besteht darin, daß sie unfähig sind, von

starken Salzauflösungen durchdrungen zu werden, nur bei einem gewissen Grade der Verbindung mit Wasser werden sie davon aufgenommen.

Eine trockne Blase bleibt in gesättigten Lösungen von Kochsalz, Salpeter, Blutlaugensalz, Schwefelcyankalium, Bittersalz, Chlorkalium, Glaubersalz, mehr oder weniger trocken, diese Flüssigkeiten fließen davon ab, wie Wasser von einer mit Fett bestrichenen Glasplatte.

Bestreuen wir frisches Fleisch mit Kochsalz, so schwimmt nach 24 Stunden das Fleisch in einer Salzlake, obwohl kein Tropfen Wasser zugesetzt wurde.

Dieses Wasser stammt von der Muskelfaser, dem Zellgewebe her; mit Kochsalz zusammengebracht, bildet sich an den Berührungsflächen eine mehr oder weniger concentrirte Salzauflösung, das Salz verbindet sich mit dem eingeschlossenen Wasser und letzteres verliert hierdurch seine Fähigkeit, thierische Theile zu durchdringen, es trennt sich von dem Fleische; es bleibt in diesem nur Wasser von einem bestimmten, verhältnißmäßig kleinen Salzgehalte zurück, in einem Grade der Verdünnung, in welchem es absorbirbar ist von thierischen Theilen.

Im gewöhnlichen Leben benutzt man diese Eigenschaft, um den Wassergehalt von Theilen von Thieren, ähnlich wie durch Austrocknen, auf eine Quantität zurückzuführen, wo er aufhört, eine Bedingung zur Fäulniß abzugeben. Nur bei einem gewissen Wassergehalte können sie in Fäulniß übergehen.

Der Alkohol verhält sich in dieser physikalischen Eigenschaft ganz ähnlich den Mineralsalzen, er ist unfähig, thierische Substanzen zu befeuchten d. h. zu durchdringen, und er entzieht deshalb den wasserhaltigen das Wasser, zu dem er Verwandtschaft besitzt.

Bringen wir Salzlösungen in den Magen, so werden sie

bei einem gewissen Grade der Verdünnung absorbirt, im concentrirten Zustande wirken sie grade umgekehrt, sie entziehen dem Organe Wasser, es entsteht heftiger Durst, es entsteht in dem Magen selbst ein Austausch von Wasser und Salz, der Magen giebt Wasser ab, ein Theil der Salzlösung wird in verdünntem Zustande von ihm aufgenommen, der größere Theil der concentrirten Salzlösung bleibt unabsorbirt, sie wird nicht durch die Harnwege entfernt, sondern sie gelangt in die Eingeweide und den Darmcanal, und verursachen dort eine Verdünnung der abgelagerten festen Stoffe, sie purgiren.

Jedes von diesen Salzen besitzt neben der allgemeinen purgirenden Wirkung, welche abhängig ist von einer physikalischen Eigenschaft, die sie gemein haben, noch besondere medicinische Wirkungen, eben weil jeder Theil des Organismus, den sie berühren, diejenige Quantität davon aufnimmt, die überhaupt davon absorbirbar ist.

Mit der purgirenden Wirkung haben die Bestandtheile dieser Salze nicht das Geringste zu thun, denn es ist vollkommen gleichgültig für die Wirkung (nicht für die Stärke derselben), ob die Basis Kali oder Natron, in vielen Fällen Kali oder Bittererde und die Säure, Phosphorsäure, Schwefelsäure, Salpetersäure, Chlorwasserstoffsäure ꝛc. ist.

Außer diesen Salzen, deren Wirkung auf den Organismus nicht abhängig ist von ihrer Fähigkeit Verbindungen einzugehen, giebt es eine große Klasse von anderen, welche, in den lebenden Körper gebracht, Aenderungen ganz anderer Art bewirken, welche in mehr oder weniger großen Gaben Krankheiten oder Tod zur Folge haben, ohne daß man eine eigentliche Zerstörung von Organen wahrnimmt.

Es sind dieß die eigentlichen anorganischen Gifte, deren Wirkung auf ihrer Fähigkeit beruht, feste Verbindungen mit der Substanz der Membranen, Häute, Muskelfaser einzugehen.

Hierher gehören Eisenoxidsalze, Bleisalze, Wismuthsalze, Kupfer — Quecksilbersalze 2c.

Bringen wir Auflösungen davon mit Eiweiß, mit Milch, Muskelfaser, thierischen Membranen, in hinreichender Menge, zusammen, so gehen sie damit eine Verbindung ein und verlieren ihre Löslichkeit. Das Wasser, worin sie gelös't sind, verliert seinen ganzen Gehalt an diesen Salzen.

Während die Salze mit alkalischer Basis thierischen Theilen das Wasser entziehen, verbinden sich gerade umgekehrt die Salze der schweren Metalloxide mit den thierischen Stoffen; die letzteren entziehen sie dem Wasser.

Wenn wir die genannten Substanzen einem Thiere im lebenden Zustande beibringen, so werden sie von den Häuten, Membranen, dem Zellgewebe, der Muskelfaser aufgenommen, sie verlieren ihre Löslichkeit, indem sie damit in Verbindung treten; nur in seltenen Fällen können sie demnach ins Blut gelangen. Nach allen damit angestellten Versuchen sind sie im Harne nicht nachweisbar, eben weil sie bei ihrem Wege durch den Organismus mit einer Menge von Stoffen in Berührung kommen, die sie zurückhalten.

Durch das Hinzutreten dieser Körper zu gewissen Organen oder Bestandtheilen von Organen müssen ihre Functionen eine Störung erleiden; sie müssen eine anormale Richtung erhalten, die sich in Krankheitserscheinungen zu erkennen giebt.

Die Wirkungsweise des Sublimats und der arsenigen Säure sind in dieser Beziehung besonders merkwürdig. Man weiß, daß beide im höchsten Grade die Fähigkeit haben, Verbindungen mit allen Theilen von thierischen und vegetabilischen Körpern einzugehen, und daß diese dadurch den Character der

silber geht durch die gewöhnlichen Wege wieder aus dem Körper. Die Löslichkeit, die Fähigkeit also, einer jeden Bewegung zu folgen, ist in dem menschlichen Körper eine Bedingung zu jeder Wirksamkeit.

Von den löslichen Bleisalzen wissen wir, daß sie alle Eigenschaften der Silber- und Quecksilbersalze theilen; allein alle Verbindungen des Bleioxids mit organischen Stoffen sind zerlegbar durch verdünnte Schwefelsäure. Man weiß, daß die Bleikolik in allen Bleiweißfabriken unbekannt ist, wo die Arbeiter gewöhnt sind, täglich als Präservativ und Gegenmittel sogenannte Schwefelsäure-Limonade (Zuckerwasser mit Schwefelsäure angesäuert) zu sich zu nehmen.

Die organischen Materien, welche sich im lebenden Körper mit Metalloxiden oder Metallsalzen verbunden haben, verlieren ihre Fähigkeit, Wasser aufzusaugen und zurückzuhalten, ohne damit die Eigenschaft einzubüßen, Flüssigkeiten durch ihre Poren durchzulassen. Eine starke Zusammenziehung, Schwinden der Oberflächen ist die Folge der Berührung mit diesen Körpern.

Eine besondere Eigenschaft besitzt noch überdieß der Sublimat und manche Bleisalze, indem sie bei vorherrschenden Mengen die zuerst gebildeten unlöslichen Verbindungen aufzulösen vermögen, wodurch das Gegentheil von Contraction, nämlich eine Verflüssigung des vergifteten Organs, herbeigeführt wird.

Kupferoxidsalze werden selbst in Verbindung mit den stärksten Säuren durch viele vegetablische Substanzen, namentlich durch Zucker und Honig, in Metall oder in Oxidul reducirt, in Materien, denen die Fähigkeit abgeht, sich mit thierischen Stoffen zu verbinden; sie sind als die zweckmäßigsten Gegenmittel seit Langem schon in Anwendung gekommen.

Was die giftigen Wirkungen der Blausäure, der organischen Basen, des Strychnins, Brucins 2c. betrifft, so

kennen wir keine Thatsachen, welche geeignet wären, zu einer bestimmten Ansicht zu führen; allein es läßt sich mit positiver Gewißheit voraussehen, daß Versuche über ihr chemisches Verhalten zu thierischen Substanzen sehr bald die genügendsten Aufschlüsse über die Ursache ihrer Wirksamkeit geben werden.

Eine ganz besondere Art von Stoffen, welche durch Zersetzungsprocesse eigenthümlicher Art erzeugbar sind, wirken auf den lebenden Organismus als tödtliche Gifte, nicht durch ihre Fähigkeit, eine Verbindung einzugehen, eben so wenig weil sie einen giftigen Stoff enthalten, sondern durch den Zustand, in dem sie sich befinden.

Um eine klare Vorstellung über die Wirkungsweise dieser Körper zu haben, ist es nöthig, sich an die Ursache zu erinnern, welche die Erscheinungen der Gährung, Fäulniß und Verwesung bedingt.

In der einfachsten Form läßt sich diese Ursache durch folgenden Grundsatz ausdrücken, welcher von La Place und Berthollet seit Langem aufgestellt, für chemische Erscheinungen aber erst in der neueren Zeit bewiesen wurde. »»Ein durch irgend eine Kraft in Bewegung gesetztes Atom (Molécule) kann seine eigene Bewegung einem andern Atom mittheilen, welches sich in Berührung damit befindet.««

Es ist dieß ein Gesetz der Dynamik, beweisbar für alle Fälle, wo der Widerstand (die Kraft, Verwandtschaft, Cohäsion), der sich der Bewegung entgegensetzt, nicht hinreicht, um sie aufzuheben.

Wir wissen, daß das Ferment, die Hefe, ein Körper ist, der sich im Zustande der Zersetzung, dessen Atome sich im Zustande der Umsetzung, der Bewegung befinden; mit Zucker und Wasser in Berührung überträgt sich der Zustand, worin sich die

Das Atomgewicht des Eiweißstoffs im Ei und im B
ergiebt sich aus seinen Verbindungen mit Silberoxid zu 7447
das der Leimsubstanz (thierischen Gallerte) wird durch di
Zahl 5652 ausgedrückt.

Auf eine ähnliche Weise mit ihrem ganzen Wassergehalte, den sie im lebenden Körper haben, berechnet, gehen 100 Gran Eiweiß eine Verbindung ein mit 1¼ Gran arseniger Säure.

Diese Verhältnisse, die man als Maxima betrachten kann, zeigen in den außerordentlich hohen Atomgewichten der organischen Substanzen von selbst, in welch kleinen Dosen Körper, wie Sublimat und arsenige Säure, tödtliche Wirkungen haben können.

Alle Materien, welche als Gegenmittel in Vergiftungsfällen gegeben werden, wirken ausschließlich nur dadurch, daß sie dem Arsenik und Sublimat den ursprünglichen Character nehmen, durch den sie als Gift wirken, die Fähigkeit also, sich mit thierischen Materien zu verbinden. Leider werden sie in dieser Fähigkeit von keinem andern Körper übertroffen; die Verbindungen, die sie eingegangen haben, können nur durch gewaltsame, auf den lebenden Körper nicht minder schädlich wirkende Verwandtschaften aufgehoben werden. Die Kunst des Arztes muß sich deßhalb begnügen, denjenigen Theil dieser Gifte, der noch unverbunden und frei vorhanden ist, eine Verbindung mit einem andern Körper eingehen zu machen, welche unverdaubar, unzersetzbar ist unter gegebenen Bedingungen, und in dieser Hinsicht ist das Eisenoxidhydrat von unschätzbarem Werthe.

Wenn sich die Wirkung des Sublimates und Arsens nur auf die Oberfläche der Organe beschränkt, so stirbt nur derjenige Theil derselben ab, welcher eine Verbindung damit eingegangen ist; es entsteht ein Schorf, der nach und nach abgestoßen wird.

Sicher würden die löslichen Silbersalze nicht minder tödtlich wirken wie Sublimat, wenn im menschlichen Körper nicht eine Ursache vorhanden wäre, welche bei nicht überwiegenden Mengen ihre Wirkung aufhebt.

Diese Ursache ist der in allen Flüssigkeiten vorwaltende Kochsalzgehalt. Man weiß, daß salpetersaures Silberoxid sich wie Sublimat mit thierischen Theilen verbindet, und daß diese Verbindungen einen vollkommen gleichen Character haben: sie werden unfähig zu faulen und zu verwesen.

Salpetersaures Silberoxid, auf die Haut, mit Muskelfaser ꝛc. zusammengebracht, vereinigt sich im aufgelöstem Zustande augenblicklich damit; thierische Materien in Flüssigkeiten bilden damit unlösliche Verbindungen; sie werden, wie man sagt, coagulirt.

Die entstandenen Verbindungen sind farblos, unzersetzbar durch andere kräftige chemische Agentien; sie werden an dem Lichte wie alle Silberverbindungen schwarz, indem durch den Einfluß des Lichtes ein Theil des Silberoxids zu Metall reducirt wird; die Materien im Körper, welche sich mit dem Silbersalze vereinigt haben, gehören dem lebenden Körper nicht mehr an, ihrer Lebensfunction ist durch ihre Verbindung mit Silberoxid eine Grenze gesetzt; wenn sie reproducirbar sind, so stößt sie der lebende Theil in der Form eines Schorfs ab.

Bringen wir salpetersaures Silberoxid in den Magen, so wird es augenblicklich, wenn seine Menge nicht zu groß ist, von dem Kochsalz oder der freien Salzsäure in Chlorsilber, in eine Materie verwandelt, die in reinem Wasser absolut unlöslich ist.

In Kochsalzlösung oder Salzsäure löst sich das Chlorsilber, wiewohl in außerordentlich geringer Menge, auf; es ist dieser Theil, welcher die Wirkung ausübt; alles übrige Chlor-

des Magens z. B., durch seine wunderbare Fähigkeit, alle einer Metamorphose fähigen, organischen Stoffe bestimmt werden, neue Formen anzunehmen, während er ihre Elemente zwingt, zu einer und der nämlichen Substanz zusammenzutreten, welche bestimmt ist zur Blutbildung, fehlt dem Blute alle Fähigkeit, Metamorphosen zu bewirken; sein Hauptcharacter ist es grade, sich zu Metamorphosen zu eignen. Keine andere Materie kann in dieser Beziehung mit dem Blute verglichen werden.

Wir wissen nun, daß in Fäulniß begriffenes Blut, Gehirnsubstanz, Galle, faulender Eiter rc. auf frische Wunden gelegt, Erbrechen, Mattigkeit und, nach längerer oder kürzerer Zeit, den Tod bewirken.

Es ist eine nicht minder bekannte Erfahrung, daß Leichen auf anatomischen Theatern häufig in einen Zustand der Zersetzung übergehen, der sich dem Blute im lebenden Körper mittheilt; die kleinste Verwundung mit Messern, die zur Section gedient haben, bringt einen lebensgefährlichen Krankheitszustand hervor.

Das Wurstgift, eins der furchtbarsten Gifte, gehört zur Klasse dieser in Zersetzung begriffenen Körper.

Man kennt bis jetzt mehrere hundert Fälle, wo der Tod durch den Genuß verdorbener Würste verursacht wurde.

Vergiftungsfälle dieser Art kommen namentlich in Würtemberg vor, wo man gewohnt ist, die Würste aus höchst verschiedenartigen Materien zu bereiten.

Blut, Leber, Speck, Gehirn, Kuhmilch, Mehl und Brod werden mit Salz und Gewürzen zusammengemengt, in Blasen oder Gedärmen gefüllt, gekocht und geräuchert.

Bei guter Zubereitung halten sich diese Würste Monate lang und geben ein gesundes wohlschmeckendes Nahrungsmittel ab, beim Mangel an Gewürzen und Salz, und namentlich bei

kennen wir keine Thatsachen, welche geeignet wären, zu einer bestimmten Ansicht zu führen; allein es läßt sich mit positiver Gewißheit voraussehen, daß Versuche über ihr chemisches Verhalten zu thierischen Substanzen sehr bald die genügendsten Aufschlüsse über die Ursache ihrer Wirksamkeit geben werden.

Eine ganz besondere Art von Stoffen, welche durch Zersetzungsprocesse eigenthümlicher Art erzeugbar sind, wirken auf den lebenden Organismus als tödtliche Gifte, nicht durch ihre Fähigkeit, eine Verbindung einzugehen, eben so wenig weil sie einen giftigen Stoff enthalten, sondern durch den Zustand, in dem sie sich befinden.

Um eine klare Vorstellung über die Wirkungsweise dieser Körper zu haben, ist es nöthig, sich an die Ursache zu erinnern, welche die Erscheinungen der Gährung, Fäulniß und Verwesung bedingt.

In der einfachsten Form läßt sich diese Ursache durch folgenden Grundsatz ausdrücken, welcher von La Place und Berthollet seit Langem aufgestellt, für chemische Erscheinungen aber erst in der neueren Zeit bewiesen wurde. »»Ein durch irgend eine Kraft in Bewegung gesetztes Atom (Molécule) kann seine eigene Bewegung einem andern Atom mittheilen, welches sich in Berührung damit befindet.««

Es ist dieß ein Gesetz der Dynamik, beweisbar für alle Fälle, wo der Widerstand (die Kraft, Verwandtschaft, Cohäsion), der sich der Bewegung entgegensetzt, nicht hinreicht, um sie aufzuheben.

Wir wissen, daß das Ferment, die Hefe, ein Körper ist, der sich im Zustande der Zersetzung, dessen Atome sich im Zustande der Umsetzung, der Bewegung befinden; mit Zucker und Wasser in Berührung überträgt sich der Zustand, worin sich die

silber geht durch die gewöhnlichen Wege wieder aus dem Körper. Die Löslichkeit, die Fähigkeit also, einer jeden Bewegung zu folgen, ist in dem menschlichen Körper eine Bedingung zu jeder Wirksamkeit.

Von den löslichen Bleisalzen wissen wir, daß sie alle Eigenschaften der Silber- und Quecksilbersalze theilen; allein alle Verbindungen des Bleioxids mit organischen Stoffen sind zerlegbar durch verdünnte Schwefelsäure. Man weiß, daß die Bleikolik in allen Bleiweißfabriken unbekannt ist, wo die Arbeiter gewöhnt sind, täglich als Präservativ und Gegenmittel sogenannte Schwefelsäure-Limonade (Zuckerwasser mit Schwefelsäure angesäuert) zu sich zu nehmen.

Die organischen Materien, welche sich im lebenden Körper mit Metalloxiden oder Metallsalzen verbunden haben, verlieren ihre Fähigkeit, Wasser aufzusaugen und zurückzuhalten, ohne damit die Eigenschaft einzubüßen, Flüssigkeiten durch ihre Poren durchzulassen. Eine starke Zusammenziehung, Schwinden der Oberflächen ist die Folge der Berührung mit diesen Körpern.

Eine besondere Eigenschaft besitzt noch überdieß der Sublimat und manche Bleisalze, indem sie bei vorherrschenden Mengen die zuerst gebildeten unlöslichen Verbindungen aufzulösen vermögen, wodurch das Gegentheil von Contraction, nämlich eine Verflüssigung des vergifteten Organs, herbeigeführt wird.

Kupferoxidsalze werden selbst in Verbindung mit den stärksten Säuren durch viele vegetablische Substanzen, namentlich durch Zucker und Honig, in Metall oder in Oxidul reducirt, in Materien, denen die Fähigkeit abgeht, sich mit thierischen Stoffen zu verbinden; sie sind als die zweckmäßigsten Gegenmittel seit Langem schon in Anwendung gekommen.

Was die giftigen Wirkungen der Blausäure, der organischen Basen, des Strychnins, Brucins ꝛc. betrifft, so

kennen wir keine Thatsachen, welche geeignet wären, zu einer bestimmten Ansicht zu führen; allein es läßt sich mit positiver Gewißheit voraussehen, daß Versuche über ihr chemisches Verhalten zu thierischen Substanzen sehr bald die genügendsten Aufschlüsse über die Ursache ihrer Wirksamkeit geben werden.

Eine ganz besondere Art von Stoffen, welche durch Zersetzungsprocesse eigenthümlicher Art erzeugbar sind, wirken auf den lebenden Organismus als tödtliche Gifte, nicht durch ihre Fähigkeit, eine Verbindung einzugehen, eben so wenig weil sie einen giftigen Stoff enthalten, sondern durch den Zustand, in dem sie sich befinden.

Um eine klare Vorstellung über die Wirkungsweise dieser Körper zu haben, ist es nöthig, sich an die Ursache zu erinnern, welche die Erscheinungen der Gährung, Fäulniß und Verwesung bedingt.

In der einfachsten Form läßt sich diese Ursache durch folgenden Grundsatz ausdrücken, welcher von La Place und Berthollet seit Langem aufgestellt, für chemische Erscheinungen aber erst in der neueren Zeit bewiesen wurde. »»Ein durch irgend eine Kraft in Bewegung gesetztes Atom (Molécule) kann seine eigene Bewegung einem andern Atom mittheilen, welches sich in Berührung damit befindet.««

Es ist dieß ein Gesetz der Dynamik, beweisbar für alle Fälle, wo der Widerstand (die Kraft, Verwandtschaft, Cohäsion), der sich der Bewegung entgegensetzt, nicht hinreicht, um sie aufzuheben.

Wir wissen, daß das Ferment, die Hefe, ein Körper ist, der sich im Zustande der Zersetzung, dessen Atome sich im Zustande der Umsetzung, der Bewegung befinden; mit Zucker und Wasser in Berührung überträgt sich der Zustand, worin sich die

Atome der Hefe befinden, den Elementen des Zuckers; die letzteren ordnen sich zu zwei neuen einfacheren Verbindungen, zu Kohlensäure und Alkohol. Es sind dieß Verbindungen, in denen die Bestandtheile mit einer weit größeren Kraft zusammengehalten sind, wie im Zucker, mit einer Kraft, die sich einer weiteren Formänderung durch die nämliche Ursache entgegensetzt.

Wir wissen ferner, daß der nämliche Zucker durch andere Materien, deren Zustand der Zersetzung ein anderer ist, wie z. B. der, worin sich die Theilchen der Hefe befinden, durch Lab oder durch die faulenden Bestandtheile von Pflanzensäften, durch Mittheilung also einer verschiedenen Bewegung, daß seine Elemente sich alsdann zu andern Producten umsetzen; wir erhalten keinen Alkohol und keine Kohlensäure, sondern Milchsäure, Mannit und Gummi.

Es ist ferner auseinandergesetzt worden, daß Hefe, zu reiner Zuckerlösung gesetzt, nach und nach völlig verschwindet, daß aber in einem Pflanzensaft, worin sich Kleber befindet, der Kleber zersetzt und in der Form von Hefe abgeschieden wird.

Die Hefe, womit man die Flüssigkeit in Gährung versetzte, sie selbst ist ursprünglich Kleber gewesen.

Die Umwandlung des Klebers in Hefe war in diesem Falle abhängig von dem in Zersetzung übergegangenen (gährenden) Zucker; denn wenn derselbe vollständig verschwunden ist, und es ist noch Kleber frei in der Flüssigkeit vorhanden, so erleidet dieser in Berührung mit der abgeschiedenen Hefe keine weitere Veränderung, er behält seinen Character als Kleber.

Die Hefe ist ein Product der Zersetzung des Klebers, welche bei Gegenwart von Wasser in jedem Zeitmomente einem zweiten Stadium der Zersetzung entgegengeht.

Durch diesen letzteren Zustand ist sie fähig, frisches Zuckerwasser wieder in Gährung zu bringen, und wenn das Zuckerwasser Kleber enthält (Bierwürze z. B. ist), so erzeugt sich in Folge der Umsetzung der Elemente des Zuckers wieder Hefe.

Von einer Reproduction der Hefe, ähnlich wie Samen aus Samen, kann nach dieser Auseinandersetzung keine Rede sein.

Es geht aus diesen Thatsachen hervor, daß ein in Zersetzung begriffener Körper, wir wollen ihn Erreger nennen, in einer gemischten Flüssigkeit, die seine Bestandtheile enthält, sich auf eine ähnliche Weise wiedererzeugen kann, wie Ferment in einem kleberhaltigen Pflanzensafte. Dieß muß um so sicherer stattfinden, wenn unter den Bestandtheilen der gemischten Flüssigkeit sich derjenige befindet, aus welchem der Erreger ursprünglich entstanden ist.

Es ist ferner klar, daß, wenn der Erreger nur einem einzigen Bestandtheil der gemischten Flüssigkeit seinen eignen Zustand der Metamorphose zu übertragen vermag, so wird er in Folge der vorgehenden Zersetzung dieses einen Körpers wieder erzeugbar sein.

Wenden wir diese Grundsätze auf organische Materien, auf Theile von thierischen Organismen an, so wissen wir, daß alle ihre Bestandtheile aus dem Blute stammen; wir erkennen in dem Blute seiner Beschaffenheit und seinen Bestandtheilen nach die zusammengesetzteste aller existirenden Materien.

Die Natur hat das Blut zur Reproduction eines jeden einzelnen Theiles des Organismus eingerichtet; sein Hauptcharacter ist gerade der, daß sich seine Bestandtheile einer jeden Anziehung unterordnen; sie sind in einem beständigen Zustande des Stoffwechsels begriffen, von Metamorphosen, die durch die Einwirkung verschiedener Organe auf die mannigfaltigste Weise bedingt werden.

Während durch die einzelnen Organe, durch die Thätigkeit

eine Veränderung im Blute, in Folge welcher sich aus seinen Bestandtheilen wieder Blatterngift erzeugt. Dieser Metamorphose wird erst durch die gänzliche Verwandlung aller der Zersetzung fähigen Bluttheilchen eine Grenze gesetzt. Durch den Contact der Oxalsäure mit Oxamid entsteht Oxalsäure, welche auf neues Oxamid die nämliche Wirkung ausübt. Nur die begrenzte Menge des Oxamids setzt dieser Metamorphose eine Grenze. Der Form nach gehören beide Metamorphosen in einerlei Klasse; aber nur ein befangenes Auge wird diesem Vorgang, obwohl er ein scharfer Ausdruck des gegebenen Begriffs vom Leben ist, eine lebendige Thätigkeit unterlegen; es ist ein chemischer Proceß, abhängig von den gewöhnlichen chemischen Kräften.

Der Begriff von Leben schließt neben Reproduction noch einen andern ein, nämlich den Begriff von Thätigkeit durch eine bestimmte Form, das Entstehen und Erzeugen in einer bestimmten Form. Man wird im Stande sein, die Bestandtheile der Muskelfaser, der Haut, der Haare ꝛc. durch chemische Kräfte hervorzubringen; allein kein Haar, keine Muskelfaser, keine Zelle kann durch sie gebildet werden. Die Hervorbringung von Organen, das Zusammenwirken eines Apparates von Organen, ihre Fähigkeit aus den dargebotenen Nahrungsstoffen, nicht nur ihre eigenen Bestandtheile, sondern sich selbst der Form, Beschaffenheit und mit allen ihren Eigenschaften wieder zu erzeugen, dieß ist der Character des organischen Lebens, diese Form der Reproduction ist unabhängig von den chemischen Kräften.

Die chemischen Kräfte sind der unanschaubaren Ursache, durch welche diese Form bedingt wird, unterthan; sie selbst, diese Ursache, wir haben nur Kenntniß von ihrer Existenz durch die eigenthümlichen Erscheinungen, die sie hervorbringt; wir erforschen ihre Gesetze wie die der anderen Ursachen, welche Bewegung und Veränderungen bewirken.

Die chemischen Kräfte sind die Diener dieser Ursache, sowie sie Diener der Electricität, der Wärme, einer mechanischen Bewegung, des Stoßes, der Reibung sind; sie erleiden durch diese letzteren eine Aenderung in der Richtung, eine Steigerung, eine Verminderung in ihrer Intensität, eine völlige Aufhebung, eine vollkommene Umkehrung ihrer Wirksamkeit.

Es ist dieser Einfluß und kein anderer, den die Lebenskraft auf die chemischen Kräfte ausübt; aber überall, wo Verbindung und Trennung vor sich geht, ist chemische Verwandtschaft und Cohäsion in Thätigkeit.

Wir kennen die Lebenskraft nur durch die eigenthümliche Form ihrer Werkzeuge, durch Organe, die ihre Träger sind; welche Art von Thätigkeit eine Materie auch zeigen mag, wenn sie formlos ist und wir keine Organe beobachten, von denen der Impuls der Bewegung oder Aenderung ausgeht, so lebt sie nicht; ihre Thätigkeit ist alsdann eine chemische Action, an welcher Licht, Wärme, Electricität, oder was sonst darauf Einfluß hat, Antheil nehmen, die sie steigern, vermindern oder eine Grenze setzen, allein ohne die Bedinger der Action zu sein.

In dieser Art und Weise beherrscht die Lebenskraft in dem lebendigen Körper die chemischen Kräfte; Alles, was wir Nahrungsmittel nennen, alle Stoffe, die in dem Organismus daraus gebildet werden, sind chemische Verbindungen, in denen also von der Lebenskraft, um zu Bestandtheilen des Organismus zu werden, kein anderer Widerstand als die chemischen Kräfte zu überwinden sind, durch welche ihre Bestandtheile zusammengehalten werden; besäßen sie, die Nahrungsmittel, ein eigenthümliches Leben, so würde dieses mit den chemischen Kräften

werden kann, ohne daß diese die Ursache der Wirkung aufnehmen; denn eine Thätigkeit oder Kraft läßt sich in einer Flüssigkeit nicht aufbewahren.

Sie üben eine Wirkung auf den Organismus aus, insofern dem Magen, demjenigen Theile, der damit in Berührung kam, die Fähigkeit abgeht, der Zersetzung, in welcher sich ihre Bestandtheile befinden, eine Grenze zu setzen; gelangen sie in irgend einer Weise mit ihrer ganzen Thätigkeit in das Blut, so überträgt sich ihre eigene Action auf die Bestandtheile des Blutes.

Das Wurstgift wird durch den Magen, nicht wie das Blatterngift und andere, zerstört; alles der Fäulniß Fähige im Körper geht in der Krankheit nach und nach in Zersetzung über, und nach erfolgtem Tode bleibt nichts wie Fett, Sehnen und Knochen, Substanzen, die unter gegebenen Bedingungen keiner Fäulniß fähig sind.

Es ist unmöglich, sich über die Wirkungsweise dieser Körper zu täuschen, denn es ist eine durch Colin völlig bewiesene Thatsache, daß faulendes Muskelfleisch, faulender Urin, Käse, Gehirnsubstanz ꝛc., daß diese ihren Zustand der Zersetzung einer weit weniger leicht zersetzbaren Materie, als wie das Blut ist, übertragen können, wir wissen, daß sie mit Zuckerwasser in Berührung die Fäulniß des Zuckers, die Umsetzung seiner Bestandtheile in Kohlensäure und Alkohol zu bewirken vermögen.

Wenn faulendes Muskelfleisch, faulender Eiter ꝛc. auf frische Wunden gelegt, Krankheit und Tod bewirken, so überträgt sich offenbar der Zustand ihrer Fäulniß auf das gesunde Blut, aus welchem sie stammen, gerade so wie in Fäulniß oder Verwesung begriffener Kleber, durch seinen Zustand, in Zuckerwasser eine ganz ähnliche Metamorphose hervorbringt.

Auch in lebenden Körpern werden in besonderen Krankheiten Gifte dieser Art erzeugt und gebildet. In der Blatternkrankheit, der Pest, der Syphilis ꝛc. entstehen aus den Bestandtheilen des Blutes Stoffe eigenthümlicher Art, welche dem Blute eines gesunden Menschen mitgetheilt, eine ähnliche Zersetzungsweise desselben bedingen, wie die ist, in welcher sie sich selbst befinden, es entsteht und entwickelt sich in dem gesunden Menschen die nämliche Krankheit; wie Samen aus Same scheint sich der Krankheitsstoff reproducirt zu haben.

Dieser eigenthümliche Proceß ist der Wirkung der Hefe auf Zucker- und Kleber-haltige Flüssigkeiten so außerordentlich ähnlich, daß man beide seit Langem schon, wenn auch nur bildweise, mit einander verglichen hat. Bei genauerer Betrachtung ergiebt sich aus allen Erscheinungen, daß ihre Wirkung in der That einerlei Ursache angehört.

In trockner Luft, bei Abwesenheit von Feuchtigkeit erhalten sich alle diese Gifte lange Zeit unverändert, in feuchtem Zustande, bei Berührung mit der Luft verlieren sie sehr bald ihre ganze Wirksamkeit. In dem einen Fall sind die Bedingungen vereinigt, welche der Zersetzung, in der sie sich befinden, eine Grenze setzen, ohne sie zu vernichten, in dem andern sind die Bedingungen gegeben, unter denen sich ihre Zersetzung vollendet.

Siedhitze, Berührung mit Alkohol heben ihre Wirkung auf. Säuren, Quecksilbersalze, schweflige Säure, Chlor, Jod, Brom, gewürzhafte Stoffe, flüchtige Oele und namentlich brenzliche Oele, Rauch, ein Kaffeeabsud, alle diese Substanzen vernichten völlig die Fähigkeit dieser Stoffe Ansteckung zu bewirken, theils indem sie sich damit verbinden, oder in anderer Weise zersetzen.

Die so eben genannten Materien sind aber ohne Ausnahme

Einwirkung eine Ausgleichung zwischen beiden Kräften, eine Veränderung ohne Vernichtung der Lebenskraft, eine arzneiliche Wirkung, oder der einwirkende Körper unterliegt, er wird verdaut, oder die chemische Action behält die Oberhand, er wirkt als Gift.

Alle Materien sind Nahrungsmittel, welche ihre Eigenthümlichkeit durch die Einwirkung der Lebenskraft verlieren, ohne eine chemische Action auf das einwirkende Organ auszuüben.

Eine andere Klasse ändert die Richtung, die Stärke, die Intensität des Widerstandes (der Lebenskraft), in Folge welcher ihre Träger, die Function ihrer Organe, verändert wird; sie bringen eine Störung durch ihr Vorhandensein oder dadurch hervor, daß sie selbst eine Veränderung erleiden, dieß sind die Arzneimittel.

Eine dritte Klasse heißen Gifte, wenn sie sich mit den Organen oder Bestandtheilen der Organe zu verbinden vermögen, und wenn dieses Streben stärker ist als der Widerstand durch die Lebenskraft.

Masse und Zustand ändern, wie sich von selbst ergiebt, gänzlich die Art der chemischen Einwirkung.

Ein Arzneimittel wird in größerer Masse, die überall ein Aequivalent für größere Verwandtschaft ist, als Gift, ein Gift in kleinen Gaben als Arzneimittel wirken können.

Ein Nahrungsmittel wird Krankheit bewirken, es wird Gift werden, wenn es durch seine Masse eine chemische Action ausübt, oder wenn sein Zustand, seine Gegenwart die Bewegung der Organe verlangsamt, hindert oder aufhebt.

Ein Körper wirkt als Gift, wenn alle Theile des Organs, mit dem er in Berührung ist, zu einer chemischen Verbindung mit ihm zusammengetreten sind; er kann als Arzneimittel wirken, wenn er nur eine partielle Aenderung hervorgebracht hat.

Unter allen Bestandtheilen des lebenden Organismus giebt es keinen, welcher in seiner Schwäche des Widerstandes gegen äußere Thätigkeiten mit dem Blute verglichen werden kann; denn es ist nicht ein entstandenes, sondern ein entstehendes Organ, es ist die Summe der entstehenden Organe; die chemische Kraft und Lebenskraft halten sich einander in so vollkommenem Gleichgewichte, daß jede auch die kleinste Störung, durch welche Ursache es auch sei, eine Veränderung im Blute bewirkt; es kann nicht von dem Körper getrennt werden, ohne eine augenblicklich erfolgende Umwandlung zu erfahren, es kann mit keinem Organ im Körper in Berührung treten, ohne seiner Anziehung zu unterliegen.

Jede, auch die schwächste Einwirkung einer chemischen Thätigkeit, sie übt, in das Blut gebracht, eine nachtheilige Veränderung aus, selbst der durch Zellen und Häute vermittelte momentane Contact mit der Luft in der Lunge ändert Farbe und Beschaffenheit; eine jede chemische Action pflanzt sich im Blute fort, der Zustand einer in Zersetzung, Fäulniß, Gährung und Verwesung begriffenen Materie, die chemische Action, in welcher die Bestandtheile eines in Zersetzung begriffenen Körpers sich befinden, sie stören den Zustand des Gleichgewichts zwischen der chemischen Kraft und der Lebenskraft im Blut. Die erstere erhält das Uebergewicht; zahllose Modificationen in der Zusammensetzung, dem Zustande, der aus den Elementen des Blutes gebildeten Verbindungen, sie gehen aus dem Kampf der Lebenskraft mit der chemischen Action, die sie unaufhörlich zu überwältigen strebt, hervor.

Dem ganzen Verhalten aller Erscheinungen nach läßt sich den Contagien kein eigenthümliches Leben zuschreiben; sie üben

eine Veränderung im Blute, in Folge welcher sich aus seinen Bestandtheilen wieder Blatterngift erzeugt. Dieser Metamorphose wird erst durch die gänzliche Verwandlung aller der Zersetzung fähigen Bluttheilchen eine Grenze gesetzt. Durch den Contact der Oxalsäure mit Oxamid entsteht Oxalsäure, welche auf neues Oxamid die nämliche Wirkung ausübt. Nur die begrenzte Menge des Oxamids setzt dieser Metamorphose eine Grenze. Der Form nach gehören beide Metamorphosen in einerlei Klasse; aber nur ein befangenes Auge wird diesem Vorgang, obwohl er ein scharfer Ausdruck des gegebenen Begriffs vom Leben ist, eine lebendige Thätigkeit unterlegen; es ist ein chemischer Proceß, abhängig von den gewöhnlichen chemischen Kräften.

Der Begriff von Leben schließt neben Reproduction noch einen andern ein, nämlich den Begriff von Thätigkeit durch eine bestimmte Form, das Entstehen und Erzeugen in einer bestimmten Form. Man wird im Stande sein, die Bestandtheile der Muskelfaser, der Haut, der Haare rc. durch chemische Kräfte hervorzubringen; allein kein Haar, keine Muskelfaser, keine Zelle kann durch sie gebildet werden. Die Hervorbringung von Organen, das Zusammenwirken eines Apparates von Organen, ihre Fähigkeit aus den dargebotenen Nahrungsstoffen, nicht nur ihre eigenen Bestandtheile, sondern sich selbst der Form, Beschaffenheit und mit allen ihren Eigenschaften wieder zu erzeugen, dieß ist der Character des organischen Lebens, diese Form der Reproduction ist unabhängig von den chemischen Kräften.

Die chemischen Kräfte sind der unanschaubaren Ursache, durch welche diese Form bedingt wird, unterthan; sie selbst, diese Ursache, wir haben nur Kenntniß von ihrer Existenz durch die eigenthümlichen Erscheinungen, die sie hervorbringt; wir erforschen ihre Gesetze wie die der anderen Ursachen, welche Bewegung und Veränderungen bewirken.

Die chemischen Kräfte sind die Diener dieser Ursache, sowie sie Diener der Electricität, der Wärme, einer mechanischen Bewegung, des Stoßes, der Reibung sind; sie erleiden durch diese letzteren eine Aenderung in der Richtung, eine Steigerung, eine Verminderung in ihrer Intensität, eine völlige Aufhebung, eine vollkommene Umkehrung ihrer Wirksamkeit.

Es ist dieser Einfluß und kein anderer, den die Lebenskraft auf die chemischen Kräfte ausübt; aber überall, wo Verbindung und Trennung vor sich geht, ist chemische Verwandtschaft und Cohäsion in Thätigkeit.

Wir kennen die Lebenskraft nur durch die eigenthümliche Form ihrer Werkzeuge, durch Organe, die ihre Träger sind; welche Art von Thätigkeit eine Materie auch zeigen mag, wenn sie formlos ist und wir keine Organe beobachten, von denen der Impuls der Bewegung oder Aenderung ausgeht, so lebt sie nicht; ihre Thätigkeit ist alsdann eine chemische Action, an welcher Licht, Wärme, Electricität, oder was sonst darauf Einfluß hat, Antheil nehmen, die sie steigern, vermindern oder eine Grenze setzen, allein ohne die Bedinger der Action zu sein.

In dieser Art und Weise beherrscht die Lebenskraft in dem lebendigen Körper die chemischen Kräfte; Alles, was wir Nahrungsmittel nennen, alle Stoffe, die in dem Organismus daraus gebildet werden, sind chemische Verbindungen, in denen also von der Lebenskraft, um zu Bestandtheilen des Organismus zu werden, kein anderer Widerstand als die chemischen Kräfte zu überwinden sind, durch welche ihre Bestandtheile zusammengehalten werden; besäßen sie, die Nahrungsmittel, ein eigenthümliches Leben, so würde dieses mit den chemischen Kräften überwunden werden müssen, es würde ihren Widerstand verstärken.

Alle Materien, die zur Assimilation dienen, sind höchst zusammengesetzte Körper; es sind complere Atome, welche keine oder nur eine höchst schwache chemische Action ausüben.

Sie sind durch das Zusammentreten von zwei und mehreren einfacheren Verbindungen entstanden und in dem nämlichen Grade, als die Anzahl der Atome ihrer Bestandtheile sich vergrößert (mit der höheren Ordnung), nimmt ihr Streben ab, weitere Verbindungen einzugehen; dieß heißt, sie verlieren ihre Fähigkeit, eine Wirkung auf andere auszuüben.

Mit ihrer Zusammengesetztheit nimmt aber ihr Vermögen zu, durch den Einfluß äußerer Ursachen verändert zu werden, eine Zersetzung zu erleiden. Jede einwirkende Kraft, in manchen Fällen schon Stoß und mechanische Reibung, stört das Gleichgewicht in der Anziehung ihrer Bestandtheile; sie ordnen sich entweder zu neuen, einfacheren, zu festeren Verbindungen, oder wenn eine fremde Anziehung auf sie einwirkt, so ordnen sie sich dieser Anziehung unter.

Der besondere Character eines Nahrungsmittels, einer Substanz, die zur Assimilation dient, ist Mangel einer chemischen Action (Zusammengesetztheit) und Fähigkeit, Metamorphosen zu erleiden.

Durch die Lebenskraft wird das Gleichgewicht der chemischen Anziehungen der Bestandtheile der Nahrungsmittel gestört, wie es durch zahllose andere Ursachen gestört werden kann; allein das Zusammentreten ihrer Elemente zu neuen Verbindungen, zu neuen Formen, zeugt von einer eigenthümlichen Anziehungsweise, es beweis't die Existenz einer besonderen Kraft, verschieden von allen anderen Naturkräften.

Alle Körper von einfacher Zusammensetzung besitzen ohne

Ausnahme ein unaufhörliches mehr oder weniger starkes Streben, Verbindungen einzugehen (die Oxalsäure z. B. ist die einfachste, die Talgsäure eine der zusammengesetztesten organischen Säuren; die erste ist die stärkste, die andere eine der schwächsten in Beziehung auf chemischen Character); durch diese Thätigkeit üben sie überall, wo sich kein Widerstand entgegensetzt, eine Veränderung aus; sie gehen Verbindungen ein und veranlassen Zersetzung.

Es ist die Lebenskraft, welche der unaufhörlichen Einwirkung der Atmosphäre, der Feuchtigkeit, der Temperatur auf den Organismus einen, bis zu einem gewissen Grade, unüberwindlichen Widerstand entgegensetzt; es ist die unaufhörliche Ausgleichung, es ist die stete Erneuerung dieser Thätigkeiten, welche Bewegung, welche Leben erhält.

Das größte Wunder im lebenden Organismus ist es gerade, daß eine unergründliche Weisheit in die Ursache einer unaufhörlichen Zerstörung, in die Unterhaltung des Respirationsprocesses, die Quelle der Erneuerung des Organismus, das Mittel gelegt hat, um allen übrigen atmosphärischen Einflüssen dem Wechsel der Temperaturen, der Feuchtigkeit zu widerstehen.

Bringen wir in den Magen oder einen andern Theil des Organismus eine chemische Verbindung von einfacher Zusammensetzung, die also das Vermögen und Streben besitzt, neue Verbindungen einzugehen oder Veränderungen zu bewirken, so ist klar, daß sie auf alle Materien, die mit ihr in Berührung kommen, eine chemische Action ausüben muß; sie wird eine Verbindung einzugehen oder zu verändern streben.

Die chemische Action der Substanz hat, wie sich von selbst versteht, die Lebenskraft zu überwinden; die letztere setzt ihr einen Widerstand entgegen, es entsteht je nach der Stärke der

Einwirkung eine Ausgleichung zwischen beiden Kräften, eine Veränderung ohne Vernichtung der Lebenskraft, eine arzneiliche Wirkung, oder der einwirkende Körper unterliegt, er wird verdaut, oder die chemische Action behält die Oberhand, er wirkt als Gift.

Alle Materien sind Nahrungsmittel, welche ihre Eigenthümlichkeit durch die Einwirkung der Lebenskraft verlieren, ohne eine chemische Action auf das einwirkende Organ auszuüben.

Eine andere Klasse ändert die Richtung, die Stärke, die Intensität des Widerstandes (der Lebenskraft), in Folge welcher ihre Träger, die Function ihrer Organe, verändert wird; sie bringen eine Störung durch ihr Vorhandensein oder dadurch hervor, daß sie selbst eine Veränderung erleiden, dieß sind die Arzneimittel.

Eine dritte Klasse heißen Gifte, wenn sie sich mit den Organen oder Bestandtheilen der Organe zu verbinden vermögen, und wenn dieses Streben stärker ist als der Widerstand durch die Lebenskraft.

Masse und Zustand ändern, wie sich von selbst ergiebt, gänzlich die Art der chemischen Einwirkung.

Ein Arzneimittel wird in größerer Masse, die überall ein Aequivalent für größere Verwandtschaft ist, als Gift, ein Gift in kleinen Gaben als Arzneimittel wirken können.

Ein Nahrungsmittel wird Krankheit bewirken, es wird Gift werden, wenn es durch seine Masse eine chemische Action ausübt, oder wenn sein Zustand, seine Gegenwart die Bewegung der Organe verlangsamt, hindert oder aufhebt.

Ein Körper wirkt als Gift, wenn alle Theile des Organs, mit dem er in Berührung ist, zu einer chemischen Verbindung mit ihm zusammengetreten sind; er kann als Arzneimittel wirken, wenn er nur eine partielle Aenderung hervorgebracht hat.

Unter allen Bestandtheilen des lebenden Organismus giebt es keinen, welcher in seiner Schwäche des Widerstandes gegen äußere Thätigkeiten mit dem Blute verglichen werden kann; denn es ist nicht ein entstandenes, sondern ein entstehendes Organ, es ist die Summe der entstehenden Organe; die chemische Kraft und Lebenskraft halten sich einander in so vollkommenem Gleichgewichte, daß jede auch die kleinste Störung, durch welche Ursache es auch sei, eine Veränderung im Blute bewirkt; es kann nicht von dem Körper getrennt werden, ohne eine augenblicklich erfolgende Umwandlung zu erfahren, es kann mit keinem Organ im Körper in Berührung treten, ohne seiner Anziehung zu unterliegen.

Jede, auch die schwächste Einwirkung einer chemischen Thätigkeit, sie übt, in das Blut gebracht, eine nachtheilige Veränderung aus, selbst der durch Zellen und Häute vermittelte momentane Contact mit der Luft in der Lunge ändert Farbe und Beschaffenheit; eine jede chemische Action pflanzt sich im Blute fort, der Zustand einer in Zersetzung, Fäulniß, Gährung und Verwesung begriffenen Materie, die chemische Action, in welcher die Bestandtheile eines in Zersetzung begriffenen Körpers sich befinden, sie stören den Zustand des Gleichgewichts zwischen der chemischen Kraft und der Lebenskraft im Blut. Die erstere erhält das Uebergewicht; zahllose Modificationen in der Zusammensetzung, dem Zustande, der aus den Elementen des Blutes gebildeten Verbindungen, sie gehen aus dem Kampf der Lebenskraft mit der chemischen Action, die sie unaufhörlich zu überwältigen strebt, hervor.

Dem ganzen Verhalten aller Erscheinungen nach läßt sich den Contagien kein eigenthümliches Leben zuschreiben; sie üben eine gewisse Wirkung aus, welche eine große Aehnlichkeit mit Vorgängen im lebenden Organismus hat; allein die Ursache dieser Wirkung ist chemische Action, welche aufgehoben werden kann durch andere chemische Actionen, durch entgegengesetzte Thätigkeiten.

Von dem im lebendigen Körper durch Krankheitsprocesse erzeugbaren Gifte verlieren einige im Magen ihre ganze Wirksamkeit, andere werden nicht zerstört.

Wie bedeutsam und entscheidend für ihre chemische Natur und Wirkungsweise ist hier der Umstand, daß diejenigen von ihnen, welche neutral sind oder eine alkalische Beschaffenheit zeigen, wie das Milzbrandgift, das Blatterngift, daß diese im Magen ihre Ansteckungsfähigkeit verlieren, während das Wurstgift, welches sauer reagirt, seine ganze furchtbare Wirkung behält.

Es ist die im Magen stets vorhandene freie Säure, welche die ihr entgegengesetzte chemische Thätigkeit in dem einen Fall aufhebt, während sie in dem andern die Wirkung verstärkt, oder jedenfalls kein Hinderniß entgegensetzt.

Man hat bei mikroscopischen Untersuchungen in bösartigem faulenden Eiter, in Kuhpockenlymphe ꝛc. eigenthümliche, den Blutkügelchen ähnliche Bildungen beobachtet; ihr Vorhandensein gab der Meinung Gewicht, daß die Ansteckung von der Entwickelung eines krankhaften organischen Lebens ausgehe; man hat in diesen Formen den lebendigen Saamen der Krankheit gesehen.

Diese Ansicht ist keiner Discussion fähig; sie hat die Naturforscher, welche die Erklärungen von Erscheinungen in Formen zu suchen gewohnt sind, dahin geführt, die Hefe, die sich in der Biergährung bildet, ebenfalls als belebt zu betrachten, für Pflanzen oder Thiere, die sich von dem Zucker nähren und

Alkohol und Kohlensäure als Excremente wieder von sich geben.

Wunderbar und auffallend würde es vielleicht erscheinen, wenn in den Zersetzungsprocessen der Fäulniß und Gährung aus organischen Materien und Theilen von Organen sich Stoffe bilden würden von kristallinischer Structur, Stoffe, die eine geometrische Gestalt besitzen. Wir wissen im Gegentheil, daß der völligen Auflösung in unorganische Verbindungen eine Reihe von Metamorphosen vorhergeht, in welchen sie erst nach und nach ihre Formen aufgeben.

In Zersetzung begriffenes Blut kann dem Auge in unveränderter Form erscheinen, und wenn wir in einem flüssigen Contagium die Blutkügelchen wiedererkennen, so kann dieß höchstens beweisen, daß sie keinen Antheil an dem Zersetzungsproceß genommen haben. Wir können aus Knochen allen phosphorsauren Kalk entfernen, so daß sie durchsichtig und biegsam wie Leder werden, ohne im Geringsten ihre Form zu verlieren. Wir brennen die Knochen weiß, zu einem Skelett von phosphorsaurem Kalk, was ganz die Form des Knochens behält. So können in dem Blut Zersetzungsprocesse vor sich gehen, die sich nur auf einzelne Bestandtheile erstrecken, auf Materien, welche zerstört werden und verschwinden, während durch andere die ursprüngliche Form behauptet wird.

Unter den Contagien giebt es mehrere, die sich durch die Luft fortpflanzen, wo man also gezwungen wäre, einem Gase, einem luftförmigen Körper Leben zuzuschreiben.

Alles, was man als Beweise für ein organisches Leben in den Contagien betrachtet, sind Vorstellungen und Bilder, welche die Erscheinungen versinnlichen, ohne sie zu erklären. Diese Bilder, mit denen man sich in allen Wissenschaften so gern und leicht befriedigt, sie sind die Feinde aller Naturforschung, sie sind der fata morgana ähnlich, die uns die täuschendste Kunde von Seen, von fruchtbaren Gefilden und Früchten giebt, aber uns verschmachten läßt, wenn wir sie am nöthigsten haben.

Es ist gewiß, daß die Wirkungsweise der Contagien auf einer eigenthümlichen Thätigkeit beruht, abhängig von chemischen Kräften, welche in keiner Beziehung steht zu der Lebenskraft, eine Thätigkeit, welche aufgehoben wird durch chemische Actionen, die sich überall äußert, wo sie keinen Widerstand zu überwinden hat; sie giebt sich der Beobachtung durch eine zusammenhängende Reihe von Veränderungen, von Metamorphosen zu erkennen, die sich auf alle Materien, welche fähig sind, eine ähnliche Verwandlung zu erfahren, überträgt.

Eine, im Zustande der Zersetzung begriffene thierische Substanz, oder in Folge eines Krankheitsprocesses im lebenden Körper aus seinen Bestandtheilen erzeugte Materie, überträgt ihren Zustand allen Theilen eines lebenden Individuums, welche fähig sind, eine ähnliche Metamorphose einzugehen, wenn sich ihrer Action, in diesen Theilen, keine Ursache entgegensetzt, die sie aufhebt und vernichtet.

Es entsteht Krankheit durch Ansteckung.

Die in der entstandenen Krankheit hervorgerufene Metamorphose nimmt eine Reihe von Formen an.

Betrachten wir, um zu einer klaren Anschauung zu gelangen, die Veränderungen, welche ein bei weitem einfacherer Körper, der Zucker, durch die Einwirkung ähnlicher Ursachen zu erleiden fähig ist, so wissen wir, daß faulendes Blut, in Metamorphose begriffene Hefe eine Umsetzung der Elemente des Zuckers in Alkohol und Kohlensäure bewirken.

Ein in Zersetzung begriffenes Stück Lab veranlaßt eine andere Lagerung der Elemente des Zuckers; ohne daß ein

Element hinzutritt oder hinweggenommen wird, verwandelt er sich in Milchsäure. (1 Atom Trauben-Zucker $C_{12} H_{24} O_{12}$ giebt 2 At. Milchsäure = 2 $(C_6 H_{12} O_6.)$

Lassen wir ihn im Zwiebelsafte, Runkelrübensafte bei höheren Temperaturen gähren, so erhält man daraus Milchsäure, Mannit und Gummi. Nach der verschiedenen Umsetzungsweise, in der sich die Elemente der Erreger befanden, haben sich also die Elemente des Zuckers in einer ebenso verschiedenen Form geordnet, es sind verschiedene Produkte entstanden. —

Es war der unmittelbare Contact der sich zerlegenden Substanz, welche die Form und Beschaffenheitsänderung der Zuckertheilchen bedingte; entfernen wir sie, so hört damit die Zersetzung des Zuckers auf; ist ihre Metamorphose vollendet und sind noch Zuckertheile übrig, so bleiben diese unzersetzt.

Bei keiner der erwähnten Zerlegungsweisen hat sich der Erreger reproduzirt, es fehlten unter den Elementen des Zuckers die Bedingungen seiner Wiedererzeugung.

Aehnlich wie Hefe, faulendes Fleisch, in Zersetzung begriffener Kalbsmagen den Zucker zur Zerlegung brachten, ohne sich selbst wiederzuerzeugen, bringen Miasmen und gewisse Ansteckungsstoffe, Krankheiten in dem menschlichen Organismus hervor, in denen sich der Zustand der Zersetzung, in welchem sie sich befinden, auf gewisse Theile des Organismus überträgt, ohne daß sie in dem Acte der Zersetzung, in ihrer eigenthümlichen Form und Beschaffenheit wieder gebildet werden.

Die Krankheit selbst ist in diesem Falle nicht ansteckend.

Wenn wir aber Hefe nicht zu reinem Zuckerwasser, sondern zu Bierwürze bringen, welche Zucker und Kleber enthält, so wissen wir, daß der Act der Zersetzung des Zuckers eine Form und Beschaffenheitsänderung des Klebers bedingt, der Kleber selbst geht einer ersten Metamorphose entgegen; so lange noch gährender Zucker vorhanden ist, wird Kleber in verändertem Zustande, er wird als Hefe abgeschieden, welche wieder fähig ist, frisches Zuckerwasser oder Bierwürze in Gährung zu versetzen. Ist der Zucker verschwunden und noch Kleber vorhanden, so bleibt dieser Kleber, er geht nicht in Hefe über. Die Reproduction des Erregers ist hier abhängig

1) von dem Vorhandensein derjenigen Materie, aus der er ursprünglich entstanden ist,
2) von der Gegenwart einer zweiten Materie, welche fähig ist, durch Berührung mit dem Erreger in Zersetzung übergeführt zu werden.

Wenn wir der Reproduction der Contagien in ansteckenden Krankheiten den nämlichen Ausdruck unterlegen, so ist vollkommen gewiß, daß sie ohne Ausnahme aus dem Blute entspringen, daß also in dem Blute eines gesunden Menschen derjenige Bestandtheil sich vorfindet, durch dessen Zersetzung der Erreger gebildet werden kann.

Es muß ferner, wenn Ansteckung erfolgt, vorausgesetzt werden, daß das Blut einen zweiten Bestandtheil enthält, welcher fähig ist, durch den Erreger in Zersetzung übergeführt zu werden.

Erst in Folge der Umwandlung dieses zweiten Körpers kann der ursprüngliche Erreger wieder gebildet werden.

Empfänglichkeit für Ansteckung setzt mithin die Gegenwart, einer gewissen Quantität, dieses zweiten Körpers im Blute eines gesunden Menschen voraus; mit seiner Masse steigt die Empfänglichkeit, die Stärke der Krankheit, mit seiner Abnahme, mit seinem Verschwinden ändert sich ihr Verlauf.

Bringen wir in das Blut eines gesunden Menschen, welcher empfänglich ist für Ansteckung, eine wenn auch nur verschwindend kleine Menge des Ansteckungsstoffs, des Erregers, so wird er sich im Blute wiedererzeugen, ähnlich, wie sich Hefe in Bierwürze reproduzirt, sein Zustand der Metamorphose wird sich auf den einen Bestandtheil des Blutes übertragen, und in Folge der Metamorphose, die dieser erleidet, wird aus einem andern Bestandtheile des Blutes ein dem Erreger gleicher oder ähnlicher Körper gebildet werden können, dessen Masse beständig zunehmen muß, wenn die weitere Metamorphose des neuerzeugten Erregers langsamer erfolgt, als die Verbindung im Blute, die er zur Zersetzung bringt.

Ginge z. B. die Metamorphose der wiedererzeugten Hefe in der Gährung der Bierwürze mit eben der Schnelligkeit vor sich, wie die der Zuckertheilchen, so würden, nach Vollendung aller Gährung, beide mit und nebeneinander verschwinden, die der Hefe bedarf aber einer weit längeren Zeit, es bleibt davon, wenn aller Zucker verschwunden ist, eine weit größere Menge wie zuvor in unaufhörlich weiter fortschreitender Metamorphose, d. h. mit ihrer ganzen Wirkungsweise, zurück.

Die Zersetzung, in der sich ein Bluttheilchen befindet, theilt sich einem zweiten und folgenden, zuletzt allen im ganzen Körper, sie theilt sich einem gesunden Bluttheilchen eines zweiten, dritten Individuums &c mit, d. h. sie veranlaßt in diesen die Entstehung derselben Krankheit.

Die Existenz von einer großen Anzahl besonderer Materien in dem Blute verschiedener Menschen, in dem Blute eines einzelnen Menschen in den verschiedenen Perioden seiner Entwickelung, in den Thieren, kann nicht geläugnet werden.

In dem Kindesalter, in der Jugend enthält das Blut eines und desselben Individuums wechselnde Mengen von Substanzen, die in einem andern Stadium fehlen, die Empfänglichkeit für Ansteckung durch eigenthümliche Erreger im Kindesalter, setzt nothwendig eine Fortpflanzung, eine Wiedererzeugung dieser Erreger, in Folge der Metamorphose vorhandener Stoffe voraus; wenn sie fehlen, kann keine Ansteckung erfolgen. Die Krankheitsform heißt gutartig, wenn die Metamorphosen zweier für das Leben unwesentlicher Bestandtheile des Körpers sich neben einander vollenden, ohne daß andere an der Zersetzung Antheil nehmen; sie heißt bösartig, wenn sie sich auf Organe fortpflanzt, wenn diese daran Antheil nehmen.

Ein Stoffwechsel im Blute, ein Uebergang seiner Bestandtheile zu Fett, Muskelfaser, Nerven-, Gehirnsubstanz, zu Knochen, Haaren rc., eine Metamorphose von Nahrungsstoff in Blut, ohne gleichzeitige Bildung von neuen Verbindungen, welche durch die Organe der Secretion wieder aus dem Körper entfernt werden, ist nicht denkbar.

In einem erwachsenen Menschen sind diese Secretionen von wenig wechselnder Beschaffenheit und Quantität; alle seine Theile sind völlig ausgebildet, was er aufnimmt dient nicht zur Vermehrung seiner Masse, sondern lediglich nur zum Ersatz des verbrauchten Stoffs, denn jede Bewegung jede Kraftäußerung, jede organische Thätigkeit wird bedingt durch Stoffwechsel, durch eine neue Form, welche seine Bestandtheile annehmen *).

In dem kindlichen Alter kommt zu dieser normalen Thätigkeit der Erhaltung eine abnorme Thätigkeit der Zunahme und Vermehrung der Masse des Körpers, eines jeden einzelnen seiner Theile; es müssen in dem jugendlichen Körper

---

*) Die Versuche von Barruel über die außerordentliche Verschiedenheit von Gerüchen, die sich aus Blut entwickeln, dem man etwas Schwefelsäure zugesetzt hat, beweisen jedenfalls die Existenz besonderer Materien in verschiedenen Individuen, das Blut eines blonden Menschen giebt einen andern Geruch, als das eines braunen, das Blut verschiedener Thiere weicht in dieser Beziehung sehr bemerkbar von dem der Menschen ab.

eine weit größere Menge von fremden, dem Organismus nicht angehörigen Stoffen vorhanden sein, welche durch das Blut in alle seine Theile verbreitet werden.

Bei normaler Thätigkeit der Secretionsorgane werden sie aus dem Körper entfernt, durch jede Störung der Functionen derselben müssen sie im Blute, oder in einzelnen Theilen des Körpers sich anhäufen. Die Haut, die Lunge oder andere Organe übernehmen die Function der kranken Secretionsapparate, und sind die abgeschiedenen Stoffe in dem Zustande einer fortschreitenden Metamorphose begriffen, so heißen sie ansteckend, sie sind alsdann fähig, in einem andern gesunden Organismus den nämlichen Krankheitszustand hervorzurufen; aber nur dann, wenn dieser empfänglich dafür ist, d. h., wenn er eine Materie enthält, welche den nämlichen Zersetzungsproceß erleiden kann.

Die Erzeugung von Materien dieser Art, welche den Körper empfänglich für Ansteckung machen, können durch die Lebensweise, durch Nahrung bedingt werden, ein Uebermaß von kräftigen und gesunden Speisen wird eben so gut sich dazu eignen, wie Mangel, Schmutz, Unreinlichkeit und der Genuß von verdorbenen Nahrungsmitteln.

Alle diese Bedingungen zur Ansteckung müssen als zufällig angesehen werden, ihre Bildung, ihre Anhäufung im Körper kann verhütet, sie können aus dem Körper entfernt werden, ohne seine Hauptfunctionen, ohne die Gesundheit zu stören, ihre Gegenwart ist nicht nöthig zum Leben.

Die Wirkung und Erzeugung von Contagien ist nach dieser Ansicht ein chemischer Proceß, welcher vor sich geht im lebendigen Körper, an welchem alle Materien im Körper, alle Bestandtheile derjenigen Organe Antheil nehmen, in denen die Lebenskraft die einwirkende chemische Thätigkeit nicht überwältigt, er verbreitet sich demnach entweder durch alle Theile des Körpers, oder er beschränkt sich lediglich auf gewisse Organe; die Krankheit ergreift je nach der Schwäche oder der Intensität des Widerstandes alle Organe, oder nur einzelne Organe.

In der abstract chemischen Bedeutung setzt die Wiedererzeugung eines Contagiums eine Materie voraus, welche gänzlich zersetzt wird, und eine zweite, welche durch den Act der Metamorphose der ersten in Zersetzung übergeht. Diese im Zustande der Zersetzung begriffene zweite Materie ist das regenerirte Contagium.

Die zweite Materie ist unter allen Umständen ursprünglich ein Bestandtheil des Blutes gewesen, die erste kann ein zufälliger oder ein zum Leben ebenfalls nothwendiger sein.

Sind beide Bestandtheile zur Unterhaltung der Lebensfunctionen gewisser Hauptorgane unentbehrlich, so endigt sich die Metamorphose mit dem Tode.

Wird hingegen durch die Abwesenheit des zerstörten einen Bestandtheiles des Blutes den Functionen der wichtigsten Organe keine unmittelbare Grenze gesetzt, dauern sie fort, wenn auch in anormalem Zustande, so erfolgt Reconvaleszenz; die noch vorhandenen Producte der Metamorphose des Blutes werden in diesem Falle zur Assimilation selbst verwendet, es entstehen in diesem Zeitpunkte Secretionen von besonderer Beschaffenheit.

Ist der zerstörte Bestandtheil des Blutes ein Product einer anormalen Lebensweise, gehört seine Erzeugung nur einem gewissen Alter an, so hört mit seinem Verschwinden die Empfänglichkeit für Ansteckung auf.

Die Wirkungsweise der Kuhpocken-Materie beweist, daß ein zufälliger Bestandtheil des Blutes in einem besonderen

Zersetzungsproceß zerstört wird, sie bewirkt, dem Blute eingeimpft, eine Metamorphose desselben, an der die andern Bestandtheile keinen Antheil nehmen.

Wenn man sich an die Wirkungsweise der Unterhefe (s. S. 270) erinnert, so kann man kaum über die der Kuhpockenlympfe zweifelhaft sein.

Die Unterhefe und Oberhefe stammen beide aus Kleber, ähnlich wie die Kuhpocken-Materie und das Blatterngift beide aus dem Blute entspringen.

Die Oberhefe und das Blatterngift bewirken beide eine stürmische tumultuarische Metamorphose, die erstere in Pflanzensäften, das andere im Blute, die ihre Bestandtheile enthalten, sie erzeugen sich beide mit allen ihren Eigenschaften wieder.

Die Unterhefe wirkt lediglich nur auf den Zucker, sie veranlaßt eine ausnehmend verlangsamte Zersetzung desselben, eine Metamorphose, an welcher der Kleber keinen Antheil nimmt, nur insofern die Luft dabei einwirkt, erleidet dieser eine neue Form und Beschaffenheitsänderung, in Folge welcher sie ebenfalls wieder mit allen ihren Eigenschaften gebildet wird.

Aehnlich wie die Wirkungsweise der Unterhefe muß die der Kuhpocken-Materie sein; ein Bestandtheil des Blutes geht durch sie in Zersetzung über, aus einem zweiten erzeugt sie sich wieder, aber in einer durchaus geänderten Zersetzungsweise; das Product besitzt die milde Form, alle Eigenschaften der Kuhpockenlymphe.

Die Empfänglichkeit für Ansteckung durch Blatterngift muß nach der Einimpfung der Kuhpocken aufhören, eben weil durch einen künstlich erregten, besonderen Zersetzungsproceß diejenige Materie zerstört und entfernt worden ist, deren Vorhandensein die Empfänglichkeit bedingte. Sie kann sich in dem nämlichen Individuum wieder erzeugen, es kann wieder empfänglich für

Ansteckung werden, und eine zweite und dritte Impfung vermag ihn wieder zu entfernen.

In keinem Organe pflanzen sich chemische Actionen leichter und schneller fort als in der Lunge, keine Art von Krankheiten findet sich häufiger und ist gefährlicher, als die Lungenkrankheiten.

Wenn man annimmt, daß im Blute die chemische Action und die Lebenskraft sich gegenseitig im Gleichgewichte halten, so ist es als gewiß zu betrachten, daß in der Lunge selbst, in welcher Luft und Blut sich mittelbar berühren, der chemische Proceß bis zu einem gewissen Grade das Uebergewicht behauptet, denn das Organ selbst ist von der Natur dazu eingerichtet, um ihn zu begünstigen; es setzt der Veränderung, die das venöse Blut erleidet, keinen Widerstand entgegen.

Durch die Bewegung des Herzens wird der Contact der Luft mit dem venösen Blut auf eine außerordentlich kurze Zeit beschränkt, jeder ferneren bis über einen bestimmten Punkt hinaus sich erstreckenden Störung wird durch rasche Entfernung des arteriellen Blutes vorgebeugt.

Eine jede Störung der Functionen des Herzens, eine jede, wenn auch schwache chemische Action von Außen veranlaßt eine Aenderung in dem Respirationsproceß, selbst feste Substanzen, Staub von vegetabilischen (Mehl), thierischen (Wollenfasern) und anorganischen Materien, sie wirken auf dieselbe Weise, wie wenn sie in eine gesättigte, im Krystallisiren begriffene Flüssigkeit gebracht werden, sie veranlassen eine Ablagerung von festen Stoffen aus dem Blute, durch welche die Einwirkung der Luft gehindert wird.

Gelangen gasförmige, in Zersetzung begriffene Substanzen, oder solche, welche eine chemische Action ausüben, wie Schwefelwasserstoffsäure, Kohlensäure 2c. in die Lunge, so stellt sich ihnen in diesem Organe weniger wie in irgend einem andern, ein Widerstand entgegen. Der chemische Proceß der Verwesung welcher in der Lunge vor sich geht, wird gesteigert durch alle in Fäulniß und Verwesung begriffene Materien, durch Ammoniak und Alkalien; er wird vermindert durch empyreumatische flüchtige Substanzen, ätherische Oele, durch Säuren. Schwefelwasserstoffsäure zerlegt das Blut augenblicklich, schweflige Säure verbindet sich mit der Substanz der Häute, Zellen und Membranen.

Nimmt durch den Contact mit einer in Zersetzung begriffenen Materie der Respirationsproceß eine andere Richtung an, überträgt sich die Zersetzung, die sie erleidet, der Blutmasse selbst, so erfolgt Krankheit.

Ist die in Zersetzung begriffene Materie Product einer Krankheit, so heißt sie ebenfalls Contagium, ist sie das Product von Fäulniß und Verwesung thierischer und vegetabilischer Substanzen, wirkt sie durch ihren chemischen Character (also nicht durch ihren Zustand), indem sie eine Verbindung eingeht oder eine Zersetzung veranlaßt, so heißt sie Miasma.

Ein gasförmiges Contagium ist ein Miasma, was aus dem lebenden Blute stammt, und fähig ist, im lebenden Blut sich wieder zu erzeugen.

Ein Miasma bewirkt Krankheit, ohne sich zu reproduciren.

Alle Beobachtungen, die man über gasförmige Contagien gemacht hat, beweisen, daß sie ebenfalls Materien sind, die sich in einem Zustande der Zersetzung befinden. Auf Gefäße, die mit Eis angefüllt sind, schlägt sich an der Außenseite aus der Luft, welche gasförmige Contagien enthält, Wasser nieder, welches gewisse Mengen darin gelös't enthält. Dieses Wasser ändert seinen Zustand in jedem Zeitmomente, es trübt sich und geht, wie man gewöhnlich sagt, in Fäulniß über, oder was ohne Zweifel richtiger ist, der Zustand der Zersetzung, in dem sich der gelöste Ansteckungsstoff befindet, vollendet sich in dem Wasser.

Alle Gase, die sich aus faulenden thierischen und vegetabilischen Materien, die sich in Krankheitsprocessen entwickeln, besitzen gewöhnlich einen eigenthümlich widrigen, unangenehmen oder stinkenden Geruch, der in den meisten Fällen das Vorhandensein einer Materie beweist, die sich im Zustande der Zersetzung, d. h. einer chemischen Action, befindet. Das Riechen selbst kann in vielen Fällen als die Reaction der Geruchsnerven betrachtet werden, als der Widerstand, den die Lebensthätigkeit der chemischen Action entgegensetzt.

Eine Menge von Metallen geben beim Reiben Geruch, aber keins von denen, die wir edle nennen, d. h. welche in Luft bei Gegenwart von Feuchtigkeit keine Veränderung erleiden; Arsenik, Phosphor, Leinöl, Citronöl, Terpentinöl, Rautenöl, Pfeffermünzöl, Moschus etc. riechen nur im Acte ihrer Verwesung. (Oxidation bei gewöhnlicher Temperatur.)

So verhält es sich denn mit allen gasförmigen Contagien; sie sind mehrentheils begleitet von Ammoniak, was man in vielen Fällen als den Vermittler der Gasform des Contagiums betrachten kann, so wie es der Vermittler ist des Geruches von zahllosen Substanzen, die an und für sich nur wenig flüchtig, von vielen, die geruchlos sind. (Robiquet in den Ann. de chim. et de phys. XV. 27.)

Das Ammoniak ist der Begleiter der meisten Krankheitszustände; es fehlt nie bei denen, in welchen sich Contagien erzeugen; es ist ein nie fehlendes Product aller im Zustande der Zersetzung sich befindenden thierischen Stoffe. In allen Krankenzimmern, vorzüglich bei ansteckenden Krankheiten, läßt sich die Gegenwart des Ammoniaks nachweisen; die durch Eis verdichtete Feuchtigkeit der Luft, welche das flüchtige Contagium enthält, bringt in Sublimatlösung einen weißen Niederschlag hervor, grade wie dieß durch Ammoniakauflösung geschieht. Das Ammoniaksalz, was man aus dem Regenwasser nach Zusatz von Säuren und Verdampfen erhält, entwickelt, wenn man durch Kalk das gebundene Ammoniak wieder austreibt, den unverkennbarsten Leichengeruch oder den Geruch, der den Miststätten eigenthümlich ist.

Durch Verdampfen von Säuren in einer Luft, welche gasförmige Contagien enthält, neutralisiren wir das Ammoniak; wir hindern die weitere Zersetzung und heben die Wirkung des Contagiums, seinen Zustand der Zersetzung, gänzlich auf. Salzsäure und Essigsäure, in manchen Fällen Salpetersäure, sind allen andern vorzuziehen.

Chlor, was das Ammoniak und organische Materien so leicht zerstört, hat auf die Lunge einen so nachtheiligen und schädlichen Einfluß, daß man es zu den giftigsten Stoffen zu rechnen hat, welches nie an Orten, wo Menschen athmen, in Anwendung kommen darf.

Kohlensäure und Schwefelwasserstoff, die sich häufig aus der Erde, in Kloaken entwickeln, gehören zu den schädlichsten Miasmen. Die erstere kann durch Alkalien, der Schwefelwasserstoff durch Verbrennen von Schwefel (schweflige Säure) oder durch Verdampfen von Salpetersäure aufs Vollständigste aus der Luft entfernt werden.

Für die Physiologie und Pathologie, namentlich in Beziehung auf die Wirkungsweise von Arzneimitteln und Giften, ist das Verhalten mancher organischer Verbindungen beachtenswerth und bedeutungsvoll.

Man kennt mehrere, dem Anscheine nach, ganz indifferente Materien, die bei Gegenwart von Wasser nicht mit einander zusammengebracht werden können, ohne eine vollständige Metamorphose zu erfahren; alle Substanzen, die eine solche gegenseitige Zersetzung auf einander ausüben, gehören zu den zusammengesetztesten Atomen.

Amygdalin z. B. ist eine völlig neutrale, schwach bittere, im Wasser sehr leichtlösliche Substanz; es ist ein Bestandtheil der bitteren Mandeln; wenn es mit einem in Wasser gelösten Bestandtheil der süßen Mandeln, dem Synaptas, bei Gegenwart von Wasser zusammengebracht wird, so verschwindet es völlig ohne Gasentwickelung; in dem Wasser findet sich jetzt freie Blausäure, Benzoylwasserstoff (stickstofffreies Bittermandelöl), eine besondere Säure und Zucker, lauter Substanzen, die nur ihren Bestandtheilen nach im Amygdalin vorhanden waren; dasselbe geschieht, wenn die bitteren Mandeln, welche den nämlichen weißen Stoff wie die süßen enthalten, zerrieben und mit Wasser befeuchtet werden. Daher kommt es denn, daß die Kleie von bitteren Mandeln, nach vorangegangener Behandlung mit Weingeist, bei der Destillation mit Wasser kein blausäurehaltiges Bittermandelöl mehr giebt; denn derjenige Körper, der zur Entstehung dieser flüchtigen Materien Veranlassung giebt, löst sich ohne Veränderung im Weingeist auf, er ist aus der Kleie hinweggenommen worden. Die zerriebenen bitteren Mandeln, einmal mit Wasser befeuchtet, liefern kein Amygdalin mehr; es ist gänzlich zersetzt worden.

In dem Saamen von Sinapis alba und nigra giebt der Geruch keine flüchtigen Materien zu erkennen. Beim Auspressen erhält man daraus ein fettes Oel von mildem Geschmack, in dem man keine Spur einer scharfen oder flüchtigen Substanz nachweisen kann; wird der Saamen zerrieben und mit Wasser destillirt, so geht mit den Wasserdämpfen ein flüchtiges Oel von großer Schärfe über; wenn er aber, vor der Berührung mit Wasser, mit Alkohol behandelt wird, so erhält man aus dem Rückstande kein flüchtiges Oel mehr; in dem Alkohol findet sich eine krystallinische Materie, das Sinapin, und mehrere andere nicht scharfe Körper, durch deren Contact mit Wasser und dem eiweißartigen Bestandtheil des Saamens das flüchtige Oel gebildet wurde.

Körper, welche die anorganische Chemie absolut indifferent nennt, indem sie keinen hervorstechenden chemischen Character besitzen, bringen, wie diese Beispiele ergeben, bei ihrem Contact mit einander eine gegenseitige Zersetzung hervor; ihre Bestandtheile ordnen sich auf eine eigenthümliche Weise zu neuen Verbindungen; ein complexes Atom zerfällt in zwei und mehrere minder complexe, durch eine bloße Störung in der Anziehung seiner Elemente.

Ein gewisser Zustand in der Beschaffenheit der weißen, dem geronnenen Eiweiß ähnlichen Bestandtheile der Mandeln und des Senfs ist eine Bedingung ihrer Wirksamkeit auf Amygdalin und auf die Bestandtheile des Senfs, woraus sich das flüchtige scharfe Oel bildet.

Werfen wir zerriebene und geschälte süße Mandeln in siedendes Wasser, behandeln wir sie mit kochendem Weingeist oder mit Mineralsäuren, bringen wir sie mit Quecksilbersalzen in Berührung, so wird ihr Vermögen, in dem Amygdalin eine Zersetzung zu bewirken, völlig vernichtet. Das Synaptas ist ein stickstoffreicher Körper, welcher sich, im Wasser gelöst, nicht aufbewahren läßt; sehr rasch trübt sich die Auflösung, setzt einen weißen Niederschlag ab und nimmt einen Fäulnißgeruch an.

Es ist ausnehmend wahrscheinlich, daß der eigenthümliche Zustand der Umsetzung der Bestandtheile des im Wasser gelösten Synaptas die Ursache der Zersetzung des Amygdalins, der Bildung von neuen Producten ist; seine Wirkung ist der des Labs auf Zucker in dieser Beziehung außerordentlich ähnlich.

Das Gerstenmalz, gekeimte Saamen von Getreidearten überhaupt, enthalten eine während dem Keimungsproceß aus dem Kleber gebildete Substanz, die Diastase, welche mit Amylon und Wasser bei einer gewissen Temperatur, ohne eine Aenderung in dem Amylon zu bewirken, nicht zusammengebracht werden kann.

Streuet man gemahlenes Gerstenmalz auf warmen Stärkekleister, so wird er nach einigen Minuten flüssig wie Wasser; die Flüssigkeit enthält jetzt eine dem Gummi in vielen Eigenschaften ähnliche Substanz; bei etwas mehr Malz und länger dauernder Erhitzung nimmt die Flüssigkeit einen süßen Geschmack an, alle Stärke findet sich in Traubenzucker verwandelt.

Mit der Metamorphose der Stärke haben sich aber die Bestandtheile der Diastase ebenfalls zu neuen Verbindungen umgesetzt.

Die Verwandlung aller stärkemehlhaltigen Nahrungsmittel in Traubenzucker, welche in der zuckrigen Harnruhr (Diabetes mellitus) vor sich geht, setzt das Vorhandensein einer Materie, eines Bestandtheils oder der Bestandtheile eines Organs voraus, die sich im Zustande einer chemischen Action befinden, im Zustande einer Thätigkeit, der die Lebenskraft im kranken Organ keinen Widerstand entgegensetzt. Die Bestandtheile des Organs müssen gleichzeitig mit dem Stärkemehl eine fortdauernde Aenderung erleiden, je mehr wir von dem letzteren zuführen, desto stärker und intensiver wird die Krankheit; führen wir ausschließlich nur solche Nahrungsstoffe zu, welche durch die nämliche Ursache keine Metamorphose erleiden, steigern wir durch Reizmittel und kräftige Speisen die Lebensthätigkeit, so gelingt es zuletzt, die freie chemische Action zu überwältigen, d. h. die Krankheit zu heben.

Die Verwandlung der Stärke in Zucker kann ebenfalls durch reinen Kleber, sie kann bewirkt werden durch verdünnte Mineralsäuren.

Ueberall sieht man, daß in compleren organischen Atomen die mannigfaltigsten Umsetzungen, Zusammensetzungs- und Eigenschafts-Aenderungen durch alle Ursachen, welche eine Störung in der Anziehung ihrer Elemente veranlassen, bewirkt werden können.

Bringen wir feuchtes Kupfer in Luft, welche Kohlensäure enthält, so wird durch den Contact mit dieser Säure die Verwandtschaft des Metalls zu dem Sauerstoff der Luft in dem Grade gesteigert, daß sich beide mit einander verbinden, seine Oberfläche bedeckt sich mit grünem kohlensaurem Kupferoxid. Zwei Körper, welche die Fähigkeit haben, sich zu verbinden, nehmen aber entgegengesetzte Elektricitäts-Zustände an in dem Moment, wo sie sich berühren.

Berühren wir das Kupfer mit Eisen, so wird durch Erregung eines besonderen Elektricitäts-Zustandes die Fähigkeit des Kupfers vernichtet, eine Verbindung mit dem Sauerstoff einzugehen; es bleibt unter gleichen Bedingungen blank.

Setzen wir Blausäure und Wasser einer Temperatur von 180° aus, so wird die Stärke und Richtung der chemischen Kraft geändert, es werden die Bedingungen geändert, unter welchen die Bestandtheile der Blausäure die Fähigkeit erhielten, zu Blausäure zusammenzutreten; ihre Elemente ordnen sich, in Folge der Störung durch die Wärme, mit denen des Wassers auf eine neue Weise, es entsteht ameisensaures Ammoniak.

Eine bloße mechanische Bewegung, Reibung und Stoß reichen hin, um die Bestandtheile der fulminirenden Silber-

und Quecksilber-Verbindungen zu einer Umsetzung, zu einer neuen Ordnung zu bringen, um in einer Flüssigkeit die Bildung von neuen Verbindungen zu veranlassen.

Aehnlich wie die Elektricität und Wärme auf die Aeußerung der chemischen Verwandtschaft einen bestimmbaren Einfluß äußert, ähnlich wie sich die Anziehungen, welche Materien zu einander haben, zahllosen Ursachen unterordnen, die den Zustand dieser Materien, die die Richtung ihrer Anziehungen ändern, auf eine ähnliche Weise ist die Aeußerung der chemischen Thätigkeiten in dem lebenden Organismus abhängig von der Lebenskraft.

Die Fähigkeit der Elemente, zu den eigenthümlichen Verbindungen zusammenzutreten, welche in Pflanzen und Thieren erzeugt werden, diese Fähigkeit war chemische Verwandtschaft, aber die Ursache, welche sie hinderte, sich nach dem Grade der Anziehung, die sie unter anderen Bedingungen zu einander haben, mit einander sich zu vereinigen; die Ursache also, die ihre eigenthümliche Ordnung und Form in dem Körper bedingte, dieß war die Lebenskraft.

Nach der Hinwegnahme, mit dem Aufhören der Bedingung ihrer Entstehung, der Ursache, die ihr Zusammentreten beherrschte, mit dem Verlöschen der Lebensthätigkeit behaupten die meisten organischen Atome ihren Zustand, ihre Form und Beschaffenheit nur in Folge des Beharrungsvermögens; ein großes umfassendes Naturgesetz beweis't, daß die Materie in sich selbst keine Selbstthätigkeit besitzt; ein in Bewegung gesetzter Körper verliert seine Bewegung nur durch einen Widerstand; es muß auf jeden ruhenden Körper eine äußere Ursache einwirken, wenn er sich bewegen, wenn er irgend eine Thätigkeit darbieten soll.

In den compleren organischen Atomen, in Verbindungen so zusammengesetzter Art, deren Bildung auf gewöhnliche Weise sich zahllose Ursachen entgegensetzen, bei diesen veranlassen gerade diese zahllosen Ursachen eine Veränderung und Zersetzung, wenn sich ihrer Wirkungsweise die Lebenskraft nicht mehr entgegensetzt. Berührung mit der Luft, die schwächste chemische Action bewirken eine Veränderung; ein jeder Körper, dessen Theile sich im Zustande der Bewegung, der Umsetzung befinden, die Berührung damit reicht in vielen Fällen schon hin, um den Zustand der Ruhe, das statische Moment der Anziehung ihrer Bestandtheile aufzuheben. Eine unmittelbare Folge davon ist, daß sie sich nach dem verschiedenen Grade ihrer Anziehung ordnen, d. h. es entstehen neue Verbindungen, in welchen die chemische Kraft vorherrscht, in welcher sie sich jeder weiteren Störung durch die nämliche Ursache entgegensetzt, neue Producte, in welchen die Bestandtheile, in einer andern Ordnung vereinigt, der einwirkenden Thätigkeit eine Grenze, oder, unter gegebenen Bedingungen, einen unüberwindlichen Widerstand entgegensetzen.

Nachträge.

Zusatz zur S. 89. u. 90.

Nach der Bestimmung de Saussure's lieferten 1000 Th. Fichtenholz vom Mont Breven 11,87 Th. und 1000 Th. des nämlichen Holzes vom Mout la Salle 11,28 Th. Asche. Man kann hiernach, ohne einen bemerklichen Fehler zu begehen, annehmen, daß beide Bäume von verschiedenen Standörtern einerlei Mengen von anorganischen Bestandtheilen enthalten. Dasselbe ist bei den Analysen von Berthier angenommen worden, in denen sich nur bei der Analyse des norwegischen Tannenholzes der Gehalt an Asche angegeben fand.

Zusatz zur Seite 114.

»»Was den Einfluß des Abpflückens der Blüthen auf höheren Kartoffelertrag betrifft, so hat ein auf dem landwirthschaftlichen Versuchsfelde im Jahr 1839 angestellter Versuch die Sache vollkommen bestätigt, indem ihr Ertrag bei sonst ganz gleichen Verhältnissen betragen hat beim Abpflücken 47 Malter, beim Nichtabpflücken 37 Malter pr. Morgen (2600 Quadratmeter).««

(Oekonomierath Zeller in der Zeitschrift des landwirthschaftlichen Vereins im Großherzogthume Hessen vom 8 Juni 1840.)

Zusatz zur S. 154.

Der Fruchtwechsel mit Esparsette und Luzerne ist in einer

der fruchtbarsten Gegenden vom Rhein, bei Bingen und in der Umgegend, so wie in der Pfalz allgemein eingeführt; die Aecker erhalten dort nur nach 9 Jahren wieder Dünger. In dem ersten Jahre werden weiße Rüben, in dem darauf folgenden Gerste mit Klee angesäet, in dem siebenten Jahre folgen Kartoffeln, in dem achten Weizen, im neunten Gerste, im zehnten wird gedüngt, und es beginnt ein neuer Umlauf mit Rüben.

Als einige der merkwürdigsten Beweise für die aufgestellten Principien des Feldbaues, namentlich für die Wirkungsweise des Düngers und für den Ursprung des Kohlenstoffs und Stickstoffs, verdienen die folgenden Beobachtungen in einem größeren Kreise bekannt zu werden, da sie beweisen, daß ein Weinberg seine Fruchtbarkeit unter gewissen Umständen ohne Zufuhr von animalischem Dünger, oder überhaupt ohne Zufuhr von Außen behält, wenn die Blätter und das abgeschnittene Rebholz von dem Weinberg nicht entfernt, sondern untergehackt und als Dünger benutzt werden. Nach der ersteren Angabe war diese Düngungsweise seit acht, nach der anderen, welche gleiche Glaubwürdigkeit verdient, seit zehn Jahren mit dem besten Erfolge fortgesetzt worden; es lassen diese Erfahrungen über den Ursprung des Kohlen- und Stickstoffs nicht den kleinsten Zweifel zu. Mit dem Holze, welches man den Weinbergen nimmt, entführen wir ihm höchst bedeutende Mengen von Alkali, die in dem thierischen Dünger wieder ersetzt werden; dasjenige, was in dem Weine ausgeführt wird, beträgt, wie diese Beispiele belegen, nicht mehr als diejenige Quantität, die jährlich in dem Boden zur Verwitterung gelangt und aufschließbar wird. Man rechnet am Rheine im Durchschnitt einen jährlichen Ertrag von einem Litre Wein auf einen Quadratmeter Weinberg; wenn wir nun annehmen, daß der Wein zu $^3/_4$ gesättigt ist mit Weinstein (saurem weinsaurem Kali) so nehmen wir in dieser Flüssigkeit dem Boden 1,8 Grm. reines Kali im Maximo. Diese Schätzung ist, den Kaligehalt der Hefe mit inbegriffen, jedenfalls das Höchste, was man annehmen darf; da 100 Th. Champagner-Wein nur 1,54 und 1000 Th. Wachenheimer nur 1,72 Th. trockenen, geglühten Rückstand hinterlassen. Auf jeden Quadratmeter Weinberg kann man aber einen Weinstock rechnen, dessen abgeschnittenes Holz nach dem Einäschern in 1000 Th. 56—60 Th. kohlensaures Kali = 38—40 Th. reinem Kali zurückläßt. Man sieht hiernach leicht, daß 45 Grm., = 1½ Unze, Rebholz so viel Kali enthalten als 1 Litre Wein; es wird aber dem Rebstock jährlich die 8—10fache Quantität an Holz genommen. Die Anlage neuer Weinberge in der Umgegend von Johannisberg, Rüdesheim und Büdesheim beginnt mit der Ausrottung der alten Stöcke, mit dem Ansäen von Gerste und Luzerne oder Esparsette, welche fünf Jahre auf dem Felde stehen bleibt; in dem sechsten Jahre wird der junge Weinberg angepflanzt, und in dem neunten Jahr wird er zum ersten Male gedüngt.

Zusatz zur Seite 167.

Vor ganz kurzer Zeit war die Wirkungsweise des Kuhkoths in der Färberei eben so unbegreiflich, wie die des Düngers in der Landwirthschaft. Bei den mit Alaunbeize oder essigsaurem Eisen bedruckten Zeugen muß das Verdickungsmittel der Beize aufgelös't und hinweggenommen werden; die unverbundene Beize muß entfernt, sie muß verhindert werden, sich im Bade aufzulösen und in den weißen Grund zu schlagen; die mit der Faser verbundene Beize muß damit noch vollkommener vereinigt und auf dieselbe befestigt werden. Alle diese, für die Färberei höchst wichtigen Zwecke erreicht man durch das heiße Kuhmistbad; es schien früher ganz unersetzbar durch andere Materien zu sein, eben weil der thierische Organismus dazu gehörte, um den Kuhmist hervorzubringen. Jetzt, seitdem man weiß, daß alle diese Wirkungen den phosphorsauren Alkalien in diesem Kothe angehören, wendet man in England und Frankreich keinen Kuhkoth mehr an; man bedient sich statt desselben einer Mischung von Salzen, in welchen der Hauptbestandtheil phosphorsaures Natron ist.

Gründüngung in Weinbergen.

(Aus einem Schreiben des Herrn Verwalters Krebs zu Seeheim.)

In Bezug auf den Artikel in der landwirthschaftlichen Zeitung Nr. 7. 1838, meine Weinbergsanlage betreffend, so wie auf den Artikel: »Gründüngung in den Weinbergen« in derselben Zeitschrift Nr. 29. 1839, kann ich nicht umhin, den Gegenstand noch einmal aufzunehmen und Jedem, der noch zweifelt, daß man in den Weinbergen keine andere Düngung, als den der Weinstock selbst abwirft, nöthig hat, zuzurufen: Komm her und überzeuge Dich! Nun steht mein Weinberg im achten Jahr und hat noch keinen andern Dünger erhalten, demungeachtet möchte kaum Jemand einen schöneren, kräftigeren im Trieb, noch voller Frucht aufzuweisen haben, und stünde er in der Dunggrube.

Ich hätte nach der hier gewöhnlichen Weise, die Weinberge zu düngen, jetzt schon dreimal düngen müssen, wozu ich jedes

Mal 25 Wagen voll Dünger gebraucht und die mich, bis sie im Boden gewesen, 3 fl. pr. Wagen, also 75 fl. und für drei Mal 225 fl. gekostet hätten. Diese sind erspart und meine Aecker sind in sehr gutem Zustande.

Wenn ich im Früh- und Spätjahr die mühevolle Arbeit ansehe, wie der Dünger mit 2 bis 3 und oft mit 4 Pferden an die Weinberge gefahren, dann durch viele Leute, oft noch weit, auf dem Kopfe getragen wird, während ihre Sandäcker ihn so nöthig haben, dann möchte ich ihnen zurufen: Kommt doch in meinen Weinberg und seht, wie der gütige Schöpfer schon dafür gesorgt hat, daß der Weinstock so gut wie der Baum im Walde seinen Dünger selbst abwirft, ja ich behaupte: noch reichlicher und besser. Das Laub im Walde fällt erst im Herbste, wenn es dürr ist, ab und liegt jahrelang, bis es verweset, und kann, weil die Luft alle Kraft ausgesogen hat, dem Reblaub, welches in der letzten Hälfte Juli oder Anfangs August sammt den Reben ab- und kleingehauen und grün untergehackt wird, keineswegs gleichgerechnet werden, indem dieses, was mich die Erfahrung lehrte, binnen 4 Wochen so in Verwesung übergeht, daß auch nicht die entfernteste Spur mehr zu finden ist. Sodann stehen auf dem Raume, den ein Buch- und Eichbaum einnimmt, wenigstens 10 Weinstöcke, die weit mehr Dünger als der größte Baum abwerfen, wenn man bedenkt, wie viel manchmal dem Walde entzogen wird und er dennoch fortbesteht.

Anmerkung der Redaction. In Al. Hendersohn's Geschichte der Weine der alten und neuen Zeit heißt es:

»Das beste Dungmittel für den Weinstock sind die beim Beschneiden desselben erhaltenen frisch untergebrachten Reben.«

An der Bergstraße, badischer Seits, wird das Rebholz noch längst da und dort als Dungmittel der Weinberge benutzt. So sagt z. B. Peter Frauenfelder zu Großsachsen, Amts Weinheim *):

»Ich erinnere mich, daß vor 20 Jahren dahier ein gewisser Peter Müller obiges Dungmittel in hiesigen Weinbergen angewendet und über 30 Jahre fortgesetzt hat. Derselbe zerschnitt die abgeschnittenen Rebhölzer in handlange Stücke und ließ sie fallen, dann wurden sie beim Hacken untergebracht. Seine Weinberge befanden sich immer in einem kräftigen Zustande, und man spricht heutzutage noch davon, daß der alte Müller keinen Dung in seine Weinberge brachte und diese doch so gut im Stande waren.«

Ferner der Wingertsmann W. Ruf zu Schriesheim:

»Seit 10 Jahren konnte ich keinen Dung in meinen Weinberg thun, weil ich arm bin und keinen kaufen konnte. Zu Grunde wollte ich meinen Weinberg auch nicht gehen lassen, da er meine einzige Nahrungsquelle in meinem Alter ist; da ging ich oft betrübt in demselben auf und ab und wußte mir nicht zu helfen. Endlich bemerkte ich, durch die größte Noth aufmerksam gemacht, daß von einigen Rebenhaufen, die im Pfade liegen geblieben sind, das Gras größer und mafter war als an den Orten, wo keine Reben lagen; ich dachte näher nach und sagte endlich zu mir selbst: Könnt ihr Reben machen, daß das Gras um euch herum größer, stärker und grüner wird, so könnt ihr auch machen, daß die Stöcke und Reben in meinem armen, magern Wingert besser wachsen, stärker und grüner werden.

Ich zog meinen Weinberg so tief zu, als wenn ich Dung hineinthun wollte, fing an zu schneiden, schnitt die abgeworfenen Reben noch zwei- auch dreimal durch, legte sie in die ge-

*) Badisches landw. Wochenblatt 1834. S. 52 u. 79.

machten Furchen und bedeckte sie mit Erde. Im Jahre darauf sah ich mit der größten Freude, wie sich mein magerer Weinberg kräftig erholte. Ich setzte dieses Mittel von Jahr zu Jahr fort und siehe, mein Weinberg wuchs herrlich, blieb den ganzen Sommer grün, auch wenn die größte Hitze eintrat.

Meine Nachbarn wundern sich oft, daß mein Wingert so mast ist, so grün aussieht, so starke lange Reben treibt, da sie doch wissen, daß ich seit 10 Jahren keinen Dung hineingethan.«

Dieß dürften für die wohlgemeinten, wohlzubeherzigenden Worte des Herrn Verwalter Krebs hinlängliche Belege sein.

(Zeitschrift für die landwirthschaftlichen Vereine des Großherzogthums Hessen. 1840. Nr. 28.)

Berichtigungen.

Seite 13 Zeile 16 v. o. statt 895 l. 89,5.
» 14 » 2 v. o. statt 800 Th. l. 800 ℔.
» — » 13 v. u. statt nahmen l. nehmen.
» 20 » 13 v. u. statt aus l. auf.
» 23 » 8 v. u. statt Meyer l. Meyen.
» 32 » 13 v. o. statt Coriphäen l. Koryphäen.
» 58 » 14 v. u. statt Kalk l. Kali.
» 61 » 4 v. o. statt Humbold l. Humboldt.
» 66 » 5 v. o. statt bildet es l. bildet das Ammoniak.
» — » 8 v. o. statt Aepfelwurzelrinde l. Wurzelrinde des Aepfelbaums.
» — » 10 v. o. statt Erynthrin l. Erythrin.
» 69 » 8 v. o. statt 0,767 l. 767 Grm.
» 70 » 18 v. o. statt ersten vorübergehenden l. zuerst übergehenden.
» 81 » 13 v. o. statt an lies von.
» 100 » 9 v. u. statt Neuheim l. Nauheim.
» 103 » 12 v. o. statt Naueim l. Nauheim.
» 107 » 3 v. o. statt und l. nur.
» — » 15 v. o. statt Beireuth l. Baireuth.
» 110 » 2 v. o. statt und l. nur.
» 111 » 9 v. u. statt können den Humus völlig entbehren l. ist der Humus völlig entbehrlich.
» 126 » 10 v. o. statt Quantitäten l. Qualitäten.
» 132 » 11 v. o. statt Chicoraceen l. Cichoraceen.
» — » 12 v. o. statt Corniferen l. Coniferen.
» 142 » 12 v. o. statt 1000 Th. l. 10000 Th.
» 148 » 13 v. u. statt fleischfressendes l. körnerfressendes.
» 177 » 15 v. o. setze nach Quantität von.
» 207 » 8 v. u. statt treibt l. trübt.
» 209 » 12 v. o. statt und Kalkspath l. von Kalkspath.
» 217 » 3 v. u. statt dem Cyan l. des Cyans.
» 234 » 3 v. o. statt seine l. ihre.
» 240 » 8 v. o. setze nach andern ein Komma.
» 257 » 7 v. u. statt am l. aus.
» 265 » 9 v. u. statt der Herba centauri minoris l. von Centaurium minus.
» 268 » 10 v. o. statt seinen l. ihren — statt seine l. ihre.
» 269 » 10 v. u. statt zerplatzender Basen l. zerplatzenden Blasen.
» 271 » 10 v. o. statt Fibration l. Filtration.
» 274 » 2 v. o. statt immer l. minus.
» 276 » 8 v. u. statt seines l. ihres.
» 291 » 4 v. o. statt 6 l. 5.
» 297 » 11 v. o. statt 3 At. Sauerstoffgas l. 3 At. Sumpfgas.

Lightning Source UK Ltd.
Milton Keynes UK
UKHW012142150219
337363UK00004B/509/P